U0439925

林慶彰　總策畫

民國時期稀見期刊彙編

第一輯

政學科研究年報 ⑨

（公法・政治篇）

臺北帝國大學研究年報

第廿四冊

臺北帝國大學文政學部

政學科研究年報

第九輯

行政規則について

園部　敏

目次

I 序 …… 五
II 行政規則の形式と其の沿革 …… 一三
III 行政規則の特質 …… 二一
(一) 拘束力の基礎 …… 二二
(二) 法規性の缺如 …… 二五
(三) 法規性缺如の結果 …… 二八
(1) 一般性抽象性と一面的拘束力 …… 二九
(2) 行政規則と一般私人の法的範圍 …… 三一
(3) 行政規則違反 …… 三三
(4) 法規の形式を採る行政規則 …… 三五
IV 行政規則の種類 …… 四六
V 行政規則の制定 …… 五四
VI 行政規則の瑕疵 …… 五七

Ⅰ 序

行政規則の意義とその語の用例

行政規則は國（又は公共團體）により定立される規則であつて法規（狹義）にあらざるものをいふ。

行政規則（Verwaltungsvorschrift）の特質は法規にあらざる規則として、狹義の法規（Rechtssatz）と對立する點に存する。即ち行政規則は法規の如く一般公權力の一般私人に對する關係に於てその法的範圍を規律するものでなく、行政組織の内部及び公法上の特別權力關係に於てその組織、活動について規律するものである。行政規則は、行政組織を定むる規則（分掌規程手續規程等）、官廳官吏に對する規則（訓令職務命令）、營造物規則（學校規則圖書館規則）等として、行政に既存する權能に基き行政機關（官公署）又は特定範圍の私人（特別權力關係の從屬者）に作用しこれを拘束するのであり、直接には何等一般私人を拘束するものでない。たゞ間接にその法的範圍に觸れることとあるのみである。

行政規則の語は、かく「行政に對する規則」として法規にあらざる法の内容を示す(客觀的意味)に用ひられるが、また「行政よりの規則」として行政機關により定立された法規、又はこれと客觀的意味の行政規則を含めて示す(主觀的意味)に用ひられることがある。(1)

明治初年の法令竝に實例に於て行政規則の語がときに用ひられてゐるのを見る。例へば、明治一四年太政官達第一〇六號(法規分類大全第一編政體門四、六〇頁)に

外國人ノ遵奉スヘキ行政規則設立候節ハ自今外務省ト協議ノ上施行可致此旨相達候事

とあり、明治一五年三月三日伊藤博文歐洲派遣に際して賜つた調査指示の勅旨訓條(岩倉公實記下卷八三一頁)の中に

法律及ヒ行政規則分界ノ事

とあるが、こゝに所謂行政規則は主觀的意味のものであつて、行政法規又は法律に對する意味の命令と解せらる。　これに對し、例へば明治一〇年一月一九日太政官通牒「布告達ヲ發スル心得」(法規分類大全第一編政體門四、五一頁)に

官廳ノ廢置及法律ノ部分ニ屬スルモノ又ハ諸規則等ノ人民ニ直接ナル者ノ類ハ布告トナシ職制章程等行政規則ノ部分ニ屬シ人民ニ不直接ナル者ハ達トナスハ從來ノ成規ニ候

得共：

とあるが、こゝに所謂行政規則は客觀的意味のものであつて法規にあらざる規則と解せらる。

行政規則の語はわが現行法令の用語でない。專ら學問上のものである。法令は行政規則をも含ましめて法令なる語を用ひ、行政規則の下部概念として訓令、處務規程、事務章程、事務規程、施行規程、内部の制規、學則、教則等の語を用ひてゐるが行政規則の語を用ひる例はこれを見ない。わが學者は一般にこの語を客觀的意味に用ひ法規にあらざる規則を指稱するのであるが、[2]中には主觀的意味に用ひ、行政機關の定立する法規と法規にあらざる規則を含ましめて用ひるものがある。[3]行政規則の語に代へて行政規程、[4]行政命令[5]の語を用ひるものがある。行政規則と同一義に又は行政規則にして命令の形式を採るものを行政命令と稱し得るのであるが、法令に所謂「行政上ノ命令」（例へば行政裁判法第四條）は行政規則を指稱するものでなく、わが學者は一般に行政命令の語を憲法第九條の獨立命令を指稱するに用ひるが故にそれと混同せざることを要する。[6][7]判例も訓令、訓示的規定、内部規程等の語を用ひること屢〻なるもこれ等の上部概念として行政規則の語を用ひるこほとんどこれを見ない。

明治一九年一一月二六日モッセの「命令に關する質問に答ふ」（伊藤博文秘書類纂、法制關係資料上卷四六一頁）に曰ふ。

今命令ニ就テ釋論センニ、命令ニ亦二種ノ別アリ。學問上ニ於テ第一ヲ權利上ノ命令ト云ヒ、第二ヲ行政上ノ命令ト云フ。畢竟是レ學問上ノ稱語ニシテ法律上定メラレタルモノニアラズト雖モ、實際ニ於テハ此二種共ニ均シク命令ノ中ニ網羅ス。此區別ハ最モ緊要ナルモノニシテ、此區別ナキ以前ニ在リテハ甚ダ混雜ヲ來タシテ何レニ歸スルヤ分明ナラザリシモノト雖モ、今日ニ於テハ恰モ公園ヲ逍遙スル如ク、極メテ其路次境界ヲ明カニシタリ

と。

獨逸に於ては一般に行政規則（Verwaltungsvorschrift）の語は行政命令（Verwaltungsverordnung）の語と同一義に用ひられ、法規命令（Rechtsverordnung）に對立せしめられるのであるが、こは學說に於ては十九世紀の末葉に唱へられ今日に及んでゐるのであつて、(8)この時代の法令と國家實例に於ては未だこの區別が採用せらるゝに至らなかつた。(9)一九一八年のワイマール憲法下にこの區別は採用せらるゝに至つた。(10)一九三三年以後のナチス國法下に於てもこの區別は依然維持されて居る。(11)

獨逸に於て法規命令と行政命令の區別に關する所謂ラバンド學說は立憲君主時代よりワイマール憲法時代を通じて現今に至るまで、一般に承認せられてゐるところであるが、この學說を導き來つた精神史的基礎の變遷に應じ、その時々に多くの異論もなされて居るのであつて、ことに權力分立と法規概念の修正を强調するナチス法下に於ては近時これに對する異議が諸家により新しくなされてゐる。(12)モツセの言の如く兩者の路次境界極めて明かなりといひ難きものがある。

行政法規とその下に於ける行政活動がよりよく實現され行政使命が遺憾なく遂行されるがためには行政組織の內部及び特別權力關係に於ける秩序ある組織、活動に俟つこと甚だ多い。こは官吏の素質に關すると共に行政規則に條件づけられることも亦甚だ多いものがある。(13)

(1) Schoen, Das Verordnungsrecht und die neuen Verfassungsrecht, Arch. f. öff. Recht, N. F. Bd. 6, 1924 S. 138. シエーンは行政規則は語源的には客觀的には行政に對する規則 (Vorschrift für die Verwaltung) を示すに止らず、主觀的に行政よりの規則 (Vorschrift von der Verwaltung) を意味し得るとし、而して專制時代に於て關稅法租稅法の內容を有するラント法律ライヒ法律に於て行政規則又は行政命令の語は主觀的に用ひられた。ビスマルク憲法第七條の聯邦會議 (Bundesrat) の命令權につ、との規定が行政規則の語を用ひてゐるが、そが如何なる意味のものなるか疑なきを得ないといつて居る。

（２）美濃部博士「命令」（岩波法律學辭典IV二六一四頁、野村博士「行政規則」（岩波法律學辭典I三八六頁）、織田博士、日本行政法原理七七頁。

（３）佐々木博士、日本行政法總論四一五頁、渡邊博士、改訂日本行政法上二七三頁。

（４）佐々木博士、前揭、渡邊博士、前揭、田村博士、行政法學概論第一卷一三二頁。

（５）田村博士、前揭、田上穰治氏、法律による行政五八頁、淺井博士、日本行政法總論五〇頁。

（６）伊藤博文憲法義解の第九條の註にいはく。「本條ハ行政命令ノ大權ヲ揭クルナリ、……此レ皆至尊行政ノ大權ニ依リ立法ノ軌轍ニ由ラスシテ一般遵由ノ條規ヲ設クルコトヲ得ル者ナリ」と。尙、穗積八束博士、修正增補憲法提要四一八頁。憲法第九條は法規命令としての警察命令及び保育命令を定めたるものか、警察命令の外に法規にあらざる行政命令を認めたに止るかについては前者を採る。田中二郎氏「行政權による立法」（國家學會雜誌五七卷一二號一二頁）參照。

（７）美濃部博士、「前揭」はこの混同を避けるために行政命令の語を用ひず行政規則の語を用ひるを適當なりとされる。

（８）ヤコービー及びロエールスは命令の語は立憲國に於て主として形式的意味に用ひられるが故に行政命令の語は狭く限られた行政規則に適用すべきである。法律、條例中の行政規則について行政命令の表言は不適當だとしてゐる。Jacobi, Verwaltungsverordnung, Handbuch des Deutschen Staatsrechts, 1932, II S. 260. Röhrs, Fehlerhafte Verwaltungsvorschriften, 1932 S. 16.

オットー・マイヤーは行政命令の語を行政に關する法規命令を指稱せしめ行政規則と全然區別して居る。O. Mayer, Deutsches Verwaltungsrecht, 3 Aufl. I S. 84.

（９）ビスマルク憲法第七條の行政規則の意義について學說分る。この點に關して Röhrs, a. a. O. S. 5. Strafenwerth, Verordnung und Verordnungsrecht im Deutschen Reich, 1937 S. 99.

（10）ワイマール憲法第七七條、ヴュルテンベルグ憲法第三五條、バイエルン憲法第六一條、一九二三年の「法規命令ノ公布ニ關スル「ライヒ法律」(Das Reichsgesetz über die Verkündung von Rechtsverordnungen) 等。

(11) 一九三四年一月三〇日の新建設法 (Neubaugesetz) 第五條、一九三五年一月三〇日の獨逸市町村法 (DGO.) 第一三一條、一九三七年一月二六日の獨逸官吏法 (DBG.) 第一八三條等。

ナチスに於ける行政規則は Ausführungsanweisung, Ausführungsbestimmung, Runderlasse, Anordnung, Dienstanweisung Amtliche Bekanntmachung 等の名稱が附して發せらる。

(12) Höhn, Deutsches Recht, 1934 S. 435. Mundt, Die Verwaltungsverordnung. Rechtssatz und Rechtsquelle, 1936 S. 9. Stratenwerth, a. a. O. S. 92. Bossung, Gesetz und Verordnung, Verwaltungsarchiv, Bd. 42, S. 1. Redelberger, Rechts- und Verwaltungsverordnung im Dritten Reich, Reichsverwaltungsblatt, 1939 S. 597.

(13) 本稿は公法上の特別權力關係の一考察として拙稿「營造物權 (Anstaltsgewalt) について」(臺北帝國大學文政學部政學科研究年報第五輯) と一聯をなすものである。

II 行政規則の形式と其の沿革

行政規則は法規の形式(法律、命令、條例)を採るものがあり、獨自の形式を採るものがある。獨自の形式の一般的なるものに訓令、達、告示がある。これら行政規則の形式について、法規の形式と關聯しつゝ、明治維新以來の沿革を辿らう。

1. 明治元年より四年頃までは法令の主たる形式は布告及び達であつた。しかして主立つた法令は太政官(行政官)の布告を以つてなされた(明治元年八月一三日太政官布告法令全書同年二五四頁)。

然るに明治五年に至り、自今布告に番號を附することとし各省の布告も同様たらしめた(明治五年一月八日太政官達法令全書同年四三三頁)。この前後より各省の布告が布達とされ布告、布達の區別が生じた。兩者は太政官と各省よりのものなるの形式的區別がなされる外、全國一般に發するものにあつては制度條例に係るものと然ら

さるものとの内容的區別が一應なされてゐる。明治四年七月の正院事務章程に

凡ソ全國一般ニ布告スル制度條例ニ係ル事件及ヒ勅旨特例等ノ事件ハ太政官ヨリ之ヲ發令ス全國一般ニ布告スル事件ト雖モ制度條例ニ係ラサル告諭ノ如キハ其主任ノ官省ヨリ直ニ布達セシム

とある（尙、明治六年五月正院事務章程參照）。

2. 明治六年七月一八日太政官布告第二五四號（法令全書同年三六四頁）は全國一般並に華士族社寺に相達すべき布告と各廳官員限り相達すべき達とを區別し、布告の結文例を「此旨布告候事」とし達の結文例を「此旨相達（可相心得）候事」とし、かつ達には掲示を必要とせざることを定めた。しかして同年八月二八日太政官「各省へノ達」（法規分類大全第一編政體門四、二八頁）は各省使の布達と達とを區別し、その結文例を太政官布告及び達のそれに照準すべきものと定めた。かくてこゝに布告、布達、と達、の區別生じ、一般私人に對する法規の形式と官廳官吏に對する行政規則の形式が初めて法上區別せられたのである。この區別は以後一貫せられてゐる。(1) 明治一〇年一月一九日太政官通牒「布告達ヲ發スル心得」（法規分類大全第一編政體門四、五一頁）に「官廳の廢置及び法律の部分に屬するもの又は諸規則等の人民に直接なる者の類は布告となし職務章程等

行政規則の部分に屬し人民に不直接なる者は達となすは從來の成規に候」と曰ふが如くである。

たゞ一般私人(竝に華士族社寺)に對する布告布達が一は制度條例に係るもの、他は然らざるものたるの區別が依然として定められて居るに拘らず(明治八年四月一四日正院章程參照)、この頃より明治一四年に至る時の經過につれ各省布達が內容的に太政官布告との區別を不明確にするに至れる點が注意せらる。

3. 明治一四年一一月一〇日太政官達第九四號「諸省事務章程通則」(法令全書同年三三八頁)及び同年一二月三日太政官達第一〇一號(法令全書同年三四〇頁)は、法律規則は太政官布告を以て發行することとし、更に各省の布達を廢し「從前諸省限り布達せる條規の類は自今總て太政官布達を以て定むることとし、法律規則布達には太政大臣の外各省卿副署することとした。しかして太政官諸省より一時公布するに止るものは告示とし、諸省卿より府縣への達は從前の通りと定めた。こゝに於て布達は太政官のみ發するものとせられ、布告たる法律規則と對立擧示せらるゝに至つて布告との區別が再び法上明かになつたのである。各省の布達の廢止により從來各省布達を以て規定せらるべきものが告示を以て規定せらるゝが存するに至つた。

4. 明治一九年に至り、公文式（明治一九、二、二四勅令一）により法律勅令閣令省令の區別が認められ、また法律に對し命令の區別がなさるゝに至つた。法律の語は比較的早くより法令に用ひられてゐるが命令の語は明治一八年一二月法制局官制及び公文式に於て法律に對立して用ひらるゝに至つた。公文式の文面によれば命令は勅令、閣令、省令の外、官廳一般に關する規則、各廳處務細則、官吏に對する訓令を含めての汎稱である。(2)

この頃より明治二二年憲法實施頃までに閣令省令に對し、從來の達告示の外に訓令の形式が生じ行政規則の主たる形式として次第に確立するに至つた。尤もこの頃までは實例に於て閣令省令と訓令の區別必しも明白ならざるものがあり、これは明治二三年內閣の各省宛「現今省令訓令區別照會」に對する各省の回答等によりこれを覗ふことを得る。(3)

(1) 伊藤博文憲法義解憲法第七十六條の註に「此レ人民ニ對スル布告ト官廳訓令トヲ區別シタルノ始ナリ」とあり。

(2) 公文式の文面によれば命令は法規の外、行政規則を含めてのものと解せられ、且つこれらの凡てのものに第十條所定の公布及び施行期限の定めが適用ありと解せられる。この點について、ロエスレル、「法律命令意見書」（伊藤博文秘書類纂法制關係資料上卷四頁、一三頁）、織田博士、日本行政法原理一〇頁。

（3）明治二三年一〇月一四日農商務省總務局回答、明治一九年四月一日「司法省書記官ヨリ控訴院ヘ通牒」（法規分類大全第一編政體門四、一〇六頁、一〇一頁）。

明治二三年七月二三日外務省總務局記錄課回答（法規分類大全第一編政體門四、八七頁）に曰ふ。

省令訓令ノ區別ハ粗左ノ通ニ有之候

外務大臣主任ノ事務ニ付職權又ハ特別ノ委任ニ依リ法律勅令ノ範圍內ニ於テ法律勅令ヲ施行スル爲メ又ハ安寧秩序ヲ保持スル爲メ外務大臣ノ名義ヲ以テ發スル所ノ行政命令ハ省令ヲ以テ發行ス

外務大臣ノ掌管ニ屬スル事務執行ノ爲メ外務大臣ヨリ外交官及領事ニ下ス所ノ訓令指令及地方官ニ於テ外務大臣ノ指揮監督ヲ要スル事項ニ關シ外務大臣ヨリ地方官ニ下ス訓令指令ハ訓令ヲ以テ發行ス

右ハ概定ノ標準ニ候間公然ノ成規ト御認無之樣致度云々

要之、明治一九年に至るまでは布告布達と達（時、に告示）との間には「法律の部分に屬するもの又は諸規則等の人民に直接なるもの」と「行政規則の部分に屬し人民に不直接なるもの」の表言に示される如く、一般性を標準として法規の形式と行政規則の形式との大體の區別が認められて居た。たゞ布達が布告に對し明治四、五年頃には內容上の區別が認められるに反し、明治六年より一四年に至る間はこの區別不明瞭となり、明治一四年より一九年に至る間は再び布告たる法律規則との區別が明かにせられてゐるのであつて、憲法義解に「十九年以前に於ては布告と布達と時ありて區別なく時ありて區別なきに異ることとなきなり」と曰へるが如くである(1)。

明治一六年に官報創設せられ、同年五月先づ達告示が官報に登載するを以て公式とせられ、後れて明治一八年一二月布告布達がこれを公式とせられたるが如きも、布告布達が法規の故にその實質的公布を採り別配布をなされたがためである(2)。明治一六年五月一〇日太政官達第二二號「官報發行」(法令全書同年三一六頁)に掲載事項として

四 官令(布告布達)
五 達(公示ヲ妨ケサル官省院廳及東京府ノ達)
六 公示(官省院廳及東京府ノ告示)

と掲げこの區別を明かにして居る(大一一、閣令第一號參照)。

明治一九年公文式の制定により法律命令の區別がなさるゝに至つたが、憲法實施以前に於て法律命令の形式的區別が徹底を缺くこと及び命令が廣く法規と法規にあらざるものを汎稱することには必然性があるのであつて、必しもこれを立法技術の未熟にのみ歸することを得ない。

（1）憲法義解（岩波文庫）一二五頁。

（2）明治一六年五月二二日太政官達第二三號（法規分類大全第一編政體門四、六三頁）に曰ふ。

今般官報發行候ニ付從前官省院廳ノ達竝ニ告示ノ儀ハ官報ニ登載スルヲ以テ公式トシ別ニ達書又ハ告示書ヲ發付スルニ不及候但内達ノ類ハ從前ノ通可相心得此旨相達候事

明治一八年一二月二八日太政官布達第二三號（法規分類大全第一編政體門四、七九頁）に曰ふ。

布告布達ノ儀自今官報ニ登載スルヲ以テ公式トシ別ニ配布セス

布告布達の公布を官報に獨占せしめ明治維新以來の實質的公布制に終止符を打つたこの明治一八年一二月の布達は公文式と共にわが公布制度上注意せらるべきものであるが、この布達の發布を動機づけた同年一二月二六日官報局伺（法規分類大全第一編政體門四、七九頁）に曰ふ。

官省ノ達竝ニ告示ノ義ハ一昨十六年第二十三號ヲ以テ官報ニ掲載スルヲ以テ公式ト被定候處布告及太政官布達ハ暫ク從前ノ頒布式ヲ存セラレ唯便宜ノ爲メ同時ニ官報ヘ掲載相成居候蓋シ彼是其式相異リ候ハ其ノ關係スル所大小輕重ニ由ルモノト被存候ヘトモ畢竟均シク官省ヨリ令告シ之ヲ受クル者ヲシテ遵奉セシムルノ旨趣ニ至テハ相異ナラサル義ニ候ヘハ公布ノ式彼是總テ一轍ニ出テ候方事體宜シキヲ得ヘクト被考候

拙稿「法令の公布制度」（法學新報四九卷一二號）。

明治二二年憲法實施せらるゝに及び、法規の形式としての法律命令に憲法上の區別が存せしめられたと共に、訓令達（告示）が行政規則の一般的形式として確立するに至つた。地方官廳の命令に對し地方官廳の發する行政規則の形式もその公布式、處務規程、公報發行規程等により、個別的に定まり、地方團體の條例規則の區別

法上必しも明かではないが條例は法規の形式、規則は行政規則の形式と解せらる。(★)
我が法制に於て勅令をはじめ閣令省令等が法規の形式であり、これに對し訓令達(告示)が行政規則の一般的形式として確立されてゐることは行政規則の檢討就中比較法的檢討について注意せらるべきことと思はれる。
法律命令については法の定めが完全するも(憲法、官制、公式令、法例、地方官廳命令公布式、命令ノ條項違犯ニ關スル罰則ノ件、市制、町村制)、訓令達告示等については法の一般的定めを缺いてゐる。これは法規に對する行政規則の實質的相違に基く當然の結果であるが、しかし行政規則の特質を顧慮して法に一般的定めをなすことは、理論上不能ではなく、かつは實際上多岐なる個別的定めに放置することなくこれが規整を要することと切なるものがある。

(★) 市制町村制理由に「市町村ノ自主ノ權ヲ以テ設クル所ノ法規ニ條例及規則ノ別アリ規則トハ市町村ノ營造物(瓦斯局、水道、病院ノ類)ノ組織及其使用ヲ規定スルモノヲ謂ヒ條例トハ市町村ノ組織又ハ市町村ト其住民ノ關係即市町村ノ組織中ニ在テ權利義務ヲ規定スルモノヲ謂フ」とあり。

市制(第一二條)、町村制(第一〇條)、府縣制(第三條ノ二)參照。條例規則は共に一定の公告式に依り告示すべきものとされて居る。

府令訓令告示告諭公布式(大一一、大阪府令七四)、大阪府條例、府規則ノ公告式(昭四大阪府條例一)、大阪府公報發行規程

（昭六、大阪府令一三三）、京都府公布式（明三一京都府令三一）、府條例及府規則公告式（昭四京都府告示五〇五）、京都府公報發行規程（昭五、京都府令五三）等。

織田博士、日本行政法原理七八頁。

III 行政規則の特質

（一）拘束力の基礎（公法上の特別權力關係）

國（又は公共團體）はその廣汎な組織（Organismus）を秩序づけ、行政組織の内部又は特別權力關係を規律するために行政規則を以てする。

行政組織段階に於て上級機關は下級機關に對して行政規則を發する權能をその存立目的より當然有する。即ち上級機關は下級機關に對しその分課、事務の分配、執務の手續、活動の方法、營造物の利用、等を定めるため行政規則を發し得る。

私人が國に對して特別權力關係に立つときは、國はその從屬者に對して特定の行政目的の範圍に於て行政規則を發し得ることは「行政の家産」（Hausgut der Verwaltung）である。(1) もつとも法規はその優位と確定を以てこれを規律し得るのであるが、これなき限り特別權力關係の目的及び法規の制限内に於て自由にこれをなし得るのである。

かくて行政規則は行政組織の内部及び特別權力關係に於ける服從義務の實現のためになされるものであつて、これにより服從義務が詳細に定めらるゝのである。

公法上の特別權力關係は特定の行政目的のために國の特別權力に服從する關係であつて、國の包括的使命のための一般公權力發動の關係(一般權力關係、一般統治關係)に對するものである。これに屬するものに公の勤務關係、營造物關係、公の特別監督關係及び公の社團關係がある。公の勤務關係に於ける權力を勤務(要求)權(Dienstgewalt)、營造物關係に於ける權力を營造物權(Anstaltsgewalt)、公の特別監督關係に於けるものを公の監督權 Überwachtungsgewalt)、公の社團關係に於けるものを公の社團權 (Vereinsgewalt, Mitgliedschaftgewalt) と稱し得る。公法上の特別權力關係は法規により直接、又は行政行爲若くは契約により設定される。特別權力關係に加入することによつて一般統治關係に於ける私人の義務は强められ、自由と權利は弱められ制限されると共に、國は特別の行政目的のため高められた權力を有するに至る。(1)

かくて特別權力關係に於て從屬者は更に何等の法的根據なくして特別の行政

目的とその範圍に於て自由に命令（Anordnung）がなされこれに服從しなければならない。その限界は法規が定めるのであるが、法規の定めなきときはその目的によつて定まる。特別權力關係に基きその服從義務の實現のために發せらゝ規則が行政規則である。

かくて行政規則の拘束力は一般統治關係と異れる行政組織の內部及び特別權力關係に基礎づけられる。卽ち法規の拘束力は一般統治關係より生ずるが、行政規則のそれは行政組織の內部及び特別權力關係に基礎を置くのである。(3)(4)

かく行政規則の拘束力の基礎を特別權力關係に求むることに對しては、こは私法的思惟に基くものとして排斥するものがある。特別權力關係を一般統治關係と區別し、行政規則の基礎と特質をこれに求むることは個人主義的見解に依據するとなすものがある。(5)

しかしながら、特別權力關係理論は個人主義時代の所產であり、その內容は私法的に、特別權力は非公權力的に理解せられたることがないではないが、その實體はむしろ一般統治關係の個人主義的なるに對し非個人主義的に理解せらるゝものであつて、このことは諸家が特別權力關係を特徵づけて警察國の殘存（Freudenberger) 法治國の安全辨(Jacobi)等の表言をなせることによつても知られる如くである。一般統治關係が團體主義的に推移せるところに於てこれと特別權力關係とが緊密に關聯し來ることは論ずるまでもないが、これがために服從義務の高められた秩序たる特別權力關係は否定され得べきでない。(6) しからば特別權力關係理論が個人主義的なるものとし行政規則の基礎と特質をこの關係に求めることを排斥することは正當ではない。

(1) Thoma, Der Vorbehalt der Legislative und das Prinzip der Gesetzmässigkeit von Verwaltung und Rechtsprechung, Handbuch des Deutschen Staatsrechts, 1932 II S. 223.

(2) 拙論「營造物權について—公法上の特別權力關係の一考察」(政學科研究年報第五輯)。

(3) O. Mayer, I S. 84. Jacobi, Handbd. dtsch. Staatsrechts, II S. 255. 257. Föhrs, a. a. O. S. 14.
オットー・マイヤーは曰ふ。「行政規則は法律に根源する法規の拘束力を以て作用せず、權力關係と稱せらるゝ特別の服從關係の力によつて作用する」

ヤコービーは曰ふ。「行政規則は公法上の特別權力關係より拘束力を有する。……權力關係よりする拘束性が行政規則について決定的なものである」

(4) 行政規則がその拘束性の基礎(Grundlage)としての特別權力關係を決定的のものとするもの(Jacobi, a. a. O.)と、その拘束性の對象範圍(Adresse)としての特別權力關係の從屬者を重視するもの(Thoma, a. a. O.)とがある。

(5) Mundt, a. a. O. S. 79.

(6) Stratenwerth, a. a. O. S. 149. Redelberger, RverwBl. 1939 S. 597. Ule, RverwBl. 1934 S. 649.

拙論、「前掲」七頁。

（二）法規性の缺如

行政規則は國の一般私人に對する關係に於ての規則でなく、行政組織の內部及び特別權力關係に於ける規則である。行政規則は廣義の又は法哲學的意味の法規(Rechtssatz in weiteren od. rechtsphilosophische Sinne)である。(1)

しかしながら公法の實際と理論に於ては狹義の法規概念(ein engerer Rechtssatzbegriff)が構成されてゐる。この意味に於て法規とは國の一般私人に對する關係卽ち一般統治關係に於て私人の法的範圍(Rechtssphäre)卽ち自由と財產について定めをなす規則とする。この意味の法規と然らざるものとの限界は論理的－概念的(logisch-begrifflich)でなく、歷史的－慣習的(historisch-konventionell)であつて、その限界、內容必しも明確ならざるものがある。學者のこれが確定と表言も多岐ではあるが、しかもこの法規概念は一般に是認されて居るところである。(2)

かゝる狹義の法規概念は獨逸に於ては一八五〇年プロイセン憲法第六十二條の立法の留保に關する規定の解釋に關して實質的法律に代る概念として十り

紀の末期に於て、ストックマール（Stockmar）の法律の形式的意義と實質的意義の區別の提唱に基き、ラバンド（Laband）、イエリネク（G. Jellinek）、アンシュッツ（Anschutz）により樹立されたものである。(3) この狹義の又は憲法上の法規概念は立憲君主時代よりワイマール憲法時代を通じてナチスの現令に至るまで、多くの異議があるに拘らず、(4) 一般に認められて居るところである。(5) ナチス觀に於てかゝる法規概念を自由主義的のものなりとして排斥せんとする諸家の論議が、幾多傾聽すべきものあるとはいへ、未だ國家實例に於て法規命令と行政命令の區別を認むるところに於て法の解釋論としては實際と遊離し勝ちなるを免れない。

（1）Thoma, Handb. d. dtsch. Staatsrechts, II S. 124. Schoen, Arch öffR, 1924 S. 138.
（2）Thoma, a. a. O. S. 125.
（3）Laband, Staatsrecht des Deutschen Reiches, 2 Aufl. 1888, II S. 512, 5 Aufl. 1911, II S. 58. G. Jellinek. Gesetz und Verordnung, 1919 S. 226. Anschutz, Die gegenwärtigen Theorien über den Begriff der gesetzgebenden Gewalt und den Umfang des königlichen Verordnungsrechts nach preussischen Staatsrecht, 2 Aufl. 1901 S. 13.
この點に關しては宮澤俊義氏、「立法・行政兩機關の間の權限分配の原理」（國家學會雜誌四六卷一二號三二頁）、田上穰治氏、法律による行政五二頁、Stratenwerth, a. a. O. Mundt, a. a. O. 參照。
（4）立憲君主時代の反對者の主なるものに Martiz, Haenel, Zorn, ワイマール憲法時代に Heller, Kelsen, Merkl, ナチスに於て Föhn, Mundt, Stratenwerth, Redelberger, Bussung 等がある。

（5） Laband, Jellinek, Anschutzの外に Schoen, Jacobi, Thoma, Bühler, Koellreutter, Affolther, Schmitt, Smend, Koehler, Laforet 等を擧ぐることを得。

我國法に於ても狹義の法規概念が採られ、學説も一般にこれを是認して居る。[1]帝國憲法第五條の「立法權」、第六一條の「行政廳の違法處分」、明治二三年法律第一〇六號「行政廳ノ違法處分ニ關スル行政裁判ノ件」、行政訴訟の提起を認めた多くの法條（土地收用法八一條、道路法五八條、河川法六〇條、公有水面埋立法四六條、砂防法四三條、都市計畫法二六條、漁業法五六條、精神病者看護法一二條、治安警察法八條）に所謂「違法處分」、行政裁判所令第一三條の「法規ノ解釋」、犯罪即決例（律令）の「行政諸法規」等に於ける「法」乃至「法規」はこの意味の法規と解せらる。[2]然るときは行政組織の內部及び特別權力關係に於ける規則たる行政規則は狹義の法規ではない。

かく憲法竝に行政法の條規に關聯して樹立せられた法規概念とこれに基く解釋理論は狹きにすぎ正しからずとの非難はなし得ない。蓋し法の解釋理論は法自身が定めた法規概念に關し且これのみが標準となるからである。[3]獨自の立場に於て行政規則の法規性を否認するケルゼンが、なおも行政命令を法規なりとし従つて法規命令と何等區別なしとすることは必然に成法上二つの命令を區別して取扱ふことを妨ぐるものでない」と曰へるのであるが(4)法の解釋に於て行政規則と法規を區別することは重要であり、且つ實際的價値があるのである。

(1) 美濃部博士、日本行政法上巻六頁、佐々木惣一博士、日本憲法要論五四六頁、「法律・命令と法規」(公法雜誌一巻一號)、尙、「法規」(岩波法律學小辭典)參照。

(2) 佐々木博士、「法律・命令と法規」(公法雜誌一巻一號一七頁)、拙稿、「前掲」三二頁。
法令なる語の用例一定せず。法規の外行政規則を含ましめて汎稱すると解せらるるものがある。例へば刑法第七條、會計法第三五條。判例は刑法第七條の法令に關し「一般抽象的準則を定むるものなる以上勅令省令たると指令訓令たると其の他名稱の如何を問はず總て之を包含するものと解すべきものとする(昭一二、五、一一大刑決、刑集一六巻七四八頁、同旨、昭一二、五、一〇大刑決刑、集一六巻七一七頁、昭一七、三、一〇大刑決、刑集二一巻二〇六頁、昭一七、九、二九大刑決、刑集二一巻四四四頁)。

(3) 佐々木博士、「前掲」、Schoen, Arch.öffR, 1924 S. 138.

(4) Kelsen, Allgemeine Staatslehre, S. 237.

(三) 法規性缺如の結果

行政規則の拘束力の基礎が特別權力關係に存すること及び行政規則が法規性を缺如する結果として行政規則について更に左の如き特徴が顧みられる。

(1)一般性抽象性と一面的拘束力

行政規則は一般的抽象的下命なることに於て行政組織の内部及び特別權力關係に於ける個別的具體的下命と區別せらるゝのであるが、行政規則の一般性は特別權力關係に於てのすべての從屬者に對してなされる限りのものであり、法規の如く一般公權力に對する一般私人に對するが如きものでない。

しかして行政規則を一般性抽象性により個別的具體的下命と區別することは一般統治關係に於ける法規と行政行爲(命令と處分)の區別の如き本質的のものでない。

法規が一般性抽象性を本質とすることは一般に認められるところであるが[1]これについては多くの異議が存する。[2]法規が一般性抽象性と要素とするか常素にすぎざるかについてはこゝに論じないこととするが、法規と行政行爲の區別に關する限り法規の一般性抽象性、行政行爲の個別性具體性が標準となるのである。蓋し行政行爲(處分)は一般的抽象的なる法規を個別化具體化するものなるが故である。[3]

しかしながら一般的抽象的なる行政規則は法規の如く、個々の場合に於ける具體化を必要としない。行政規則は個別的具體的下命と同樣に作用し効果する。

卽ち行政規則は新規の義務を設定、命令するのでなく既存するものを實現、行使するにすぎない。一般的抽象的行政規則も個別的具體的下命も共に同一なる服從義務の直接なる實現適用であつて、個別的具體的下命は行政行爲の如く一般的抽象的行政規則の具體化でなく、行政規則と同じく直接特別權力關係に根源するのである。かくて兩者は專ら技術的形式的區別であつて本質的區別ではない。(4)

かくして特別の權力は何時にても一般的抽象的行政規則又は個別的具體的下命として發動せらるべく、個別的具體的下命は一般的抽象的行政規則に違反して發動せらるべく、一般的抽象的下命と個別的具體的下命とは同一の價値づけを有する。その牴觸の場合は一般的個別的が標準となるのでなく、發令機關の地位と時の前後が標準となる。(5)

かくてまた一般的抽象的なる行政規則が法規にあらざる如く個別的具體的下命は行政行爲(處分)でない。

行政規則の發令機關は個々の場合にこれに拘束せられず何時にてもこれに違反する具體的下命をなし得ることによつて行政規則は法規の如き双面的拘束性(zweiseitig bindende Kraft)又は不可反性(Unverbrüchlichkeit)を缺くとして、その一面的拘束力を特徴なりとせらる(6)。

しかしながら法規も個別的場合に違反し得ることを定め得るものであり、行政規則についても個々の場合の具體的下命は上級機關の發した行政規則に違反し得ざるものなるが故に行政規則の一面的拘束力はこの限りのものであつて絶對的のものものもない(7)(8)。

（1） O. Mayer, I S.74. W. Jellinek, Verwaltungsrecht, 3 Aufl. S. 117.

（2） Laband, II S. 2. G. Jellinek, Gesetz und Verordnung, S. 2339. 美濃部博士、日本行政法上卷一四頁、佐々木博士、日本憲法要論二九六頁。

（3） O. Mayer, I S. 228. Hatschek-Kurzig, Lehrbuch des deutschen und preussischen Verwaltungsrechts, 5-6 Aufl. 1627 S. 129.

（4） Jacobi, a. a. O. S. 257. Röhrs, a. a. O. S. 22. ヤコービー及びロエールスは一般的下命及び個別的下命を總括して行政規則と稱する。
ヤコービーは曰ふ。「兩者はたゞ服從義務を要求するについての異れる樣式にすぎない。従つて兩者は法上本質的に異つて取扱はれない」。
ロエールスは曰ふ。「特別權力關係に於て抽象的下命を一體としてその一般性抽象性により國家に於ける法的規律として高く價値づけることは各特別權力關係を紊ることとなる」。

（5） O. Mayer, I S. 358 Anm. 21. Jacobi, a. a. O. Röhrs, a. a. O.

（6） O. Mayer, I S. 7. G. Jellinek, a. a. O. S 234. W. Jellinek, a. a. O. S. 40. Fleiner, Institutionen des Deutschen

Verwaltungsrechtes, 8 Aufl. S. 63.

（7） Jacobi, a. a. O. S. 258, Röhrs, a. a. O. S. 23.

（8） 茲に於て一言し置くが、一般的下命としての行政規則に存する、より大なる形式性が發令機關に對して有する實際上の拘束はこれを否認し得ない。然しこは別の事である。

(2) 行政規則と一般私人の法的範圍

行政規則は直接一般私人の法的範圍について定めをなすものでない。行政規則は行政組織の內部及び特別權力關係に於ける從屬者のみに效果し外部に對して效果（Aussenwirkung）するものでない。[1] 從つて第三者の權利及び義務はこれによつて發生消滅又は確認せられない。行政規則は法的地位（Rechtslage）の變更を生じない。[2] 從て法規の定めに覊束せらる。違法なる行爲は行政規則がこれを認め要求するも依然違法である。

從つて行政規則たる處務規程、訓令、營造物規則等によつて一般私人の私法上の行爲を制限し、損害賠償請求權を認め、官署の法定の權限を變更し、營造物の使用を強制する等を得ない。[3]

（1） Fleiner, a. a. O. S. 61. Thoma, Polizeibefehl im Badischen Recht, S. 349

（2） Jacobi, a. a. O. S. 258.

町村公借に關する取扱方法を町村戸長に訓示した北海道廳訓令は一般臣民を羈束すべき法規の性質を有せず（大五、三、一〇大民決、民錄二二輯二五八頁）

郵便所長の服務規程は第三者の行爲による損害賠償責任を定め得ず（大九、三、二朝鮮高等法院決、錄七卷六二頁）

校規の制定のみによつて不法行爲による損害賠償請求權は發生せず（昭八、一二、一八東控民決、新聞三六六二號）

內務大臣より北海道府縣に對する訓令を以て內務大臣の權限を左右し得ず（大二、五、二九行決、錄二四輯五五五頁）

分擔代務を定めた處務規程により法の定めた收入役の責任を他に歸屬せしめず（昭一三、六、二七行決、錄四九輯四一二頁）

巡査の警察に關する一般的權限は司法行政及び其の他の處務細別により制限し得ず（昭一二、六、一六大刑決、刑集一六卷九七一頁）

尙、大五、五、一六大民決）錄二二輯九七七頁）參照。

(3) 行政規則違反

行政規則の違反は法規違反（違法 Rechtsverletzung）（★）でない。從つてこれを前提のする法原則（就中瑕疵原則）は適用がない。

（★）判例

內務省地方局長及大藏省主稅局長の電柱稅に關する依命通牒は內務大臣及び大藏大臣の監督權に基き地方長官に對してなした訓令にすぎざれば之に違反したる條例の規定は違法でない（昭九、七、一二行決、錄四五輯五七五頁、同旨昭九、一〇、一八行決、錄四五輯八六二頁）

魚道工事設計變更願竝魚道及舟筏路施工の認許について關係町村に諮問すべきを命じた内務局土木局長の通牒は法規たるの性質を有せず之に違反してなした認許處分は違法でなく、右認許について遞信大臣に稟伺すべきを命じた依命通牒は内部的規定に止り之に違反してなした認許處分は違法でない（昭一一、六、二三行決、錄四七輯二九七頁）

内務省訓令を以て定めた町村會議員選擧人名簿書式備考に違反した選擧人名簿は無效でない（大七、二、八行決、錄二九輯八三頁）

東京府訓令を以て定めた墓地設置及管理規則施行手續は單純なる訓示的規定なるを以て之に違反した墓地新設の許可は違法でなく取消の理由とならない（昭五、六、二四行決、錄四一輯八四一頁）

選擧の期間計算に關する處務規程は内部的規程に過ぎざるを以て之に違反した選擧は無效でない（昭一〇、一一、一一行決、錄四六輯九二九頁）

また法規違反（違法）を前提とする法的手段は採り得ない。裁判所は行政規則に羈束されない。（★）

（★）判例

總督府訓令を以て定めた土地國有私有區別標準は行政官廳の執務便宜の爲め國有私有の區別標準を示したるに過ぎず裁判所は事實に依り何人の所有に屬するやを決すべく單に訓令に列擧せる標準によりて之を決すべきものでない（大二、一二、一一朝鮮高等法院決、錄二卷五八一頁）、尚、大一一、一二、六行決、錄三三輯一二七四頁參照。

行政規則に違反する行爲は懲戒罰の對照たるものである。行政規則に違反することのみによつて刑罰を課せらるることなく、また國（又は公共團體）に對する損害賠償責任は生じない。特別權力關係に於ける服從義務の違反の場合に當然金錢請求權に變化せしめらるゝ法原則は存しない。たゞ特別の法によつてのみこれを認めることが出來る。かゝる賠償義務は私法上のものでなく公法上のものである。また財産の回復であつて懲戒ではない。(★)

(★) 拙稿、「官吏懲戒法」(國家學會雜誌五二巻五號)、「營造物權について」(政學科研究年報第五輯二三六頁)、「官吏の國に對する損害賠償」(故姉齒判官追悼論文集、臺報月報三六巻一〇—一二合併號)。

(4) 法規の形式を採る行政規則

行政規則が法規の形式(法律命令條例)を採る場合にはその性質を變化し法規となるものであるか。

獨逸の國家實例に於ては行政規則は立法の方法によつて發することを得ずとする法的見解が主張されたことがなきにあらざるも、法律は行政規則を包含し得るとの見解が貫徹されてゐる。又行政規則のみを包含し法規を包含せざる單なる形式的法律も存し得ると解せられて居る。(1)

行政規則について、法律命令の實質的形式的區別に對應して實質的及び形式的區別がなされて居る。形式的行政規則は立法によらざる本來のものであるが、實質的行政規則(materielle Verwaltungsvorschriften)とは立法の方法によりなされたもの即ち法律の中に包含せらるゝものをいふのである。その例として、裁判官のみに對するところの、上告法(revisible Normen)たり得ない獨逸民事訴訟法第五五〇條獨逸刑事訴訟法第三三七條の如き所謂訓示的規定(instruktionelle Vorschriften)が擧げられる。(2)

しかしながら、かゝる訓示的規定がSollvorschriftであり、非强制的規定(nicht zwingende Vorschrift)であることは又はその規律對照が特定せられて居ることのみによつて、これを行政規則なりとすることには反對がなされ得る。蓋しSollvorschriftも非强制的規定も法規たり得るものである。また規律對照の特定は法規もこれをなし得るからである。(3)

それはともあれ、行政規則が法規の形式を採るときと雖もその性質は變化せず法規となるに至らざることはこの國の實例と學說の一般に承認するところである。例へば

ゼリヒマン(Seligmann. Der Begriff des Gesetzes, 1886 S. 109, 112)は日ふ。

行政命令は職務行爲について官廳に對する抽象的命令を内容とする　この内容の性質はその命令を法律の中に採り入れても何等變化しない。……規定の性質はその成立の態様と形式のみからは知り得ない。個々の場合に於ける判斷により立法者の意圖を確かめねばならない。何が故に一の規則が形式的法律の中に採り入れられるときに法規として特徴づけられるかの根據は、この採り入れの事實ではなく、又それによつて生ずる、より大となれる拘束性でもなく、立法者がその命令の效果を一般私人に擴大せんとする意圖と正當性を有したといふ事情でなければならない。

ゲー・イエリネク (G. Jellinek, Gesetz und Verordnung, 1919 S. 389–390) は曰ふ。

行政命令は形式的法律の中に採り入れられることを得る。然るときは常にその結果として行政は最早法律となれる規則の存在について獨自に處置することを得ざるに至る。行政命令は原則として同様の行爲によつてのみ變更することを得、法律の方法による新しき規定を以てのみ之に代ふることを得るに至る。しかしながら行政命令は決つして實質的法律に變化することを得ない。國民の權利義務は行政の行爲により獨自に設定せられない。從つて一の行爲が政府か立法者かによつて命令されることは物の本質には變りがない。政府はかゝる法律により新しき權利又は義務を受くるのでなく政府のための實質的行政規則を包含する法律は凡ての國家機關によるその適用について如何なる形式のものに對しても特別なものとなり、從つて法律により表示された國家意思が第一となるのである。法律は政府の意思を羈束するてふ一般的法規の力は、政府をして法律形式により發せられた行政規則を實行せしめる、法律の形式的效力はこの場合政府のために何等客觀的法を設定しない。

ヤコービー(Jaccbi, Handb. d. dtsch. Staatsrechts, II S. 259)は曰ふ。

行政規則は法律たると法規命令たると條例たるとを問はず法規の中に採り入れらるともこれにより行政規則の性質を失はない。……疑はしい場合には一の規定が法律、法規命令又は條例に採り入れられたことより、その規定は行政規則としてではなく法規なりと考ふべきである。

これに反し行政規則が法規の形式を採るときはその性質を變化し法規となるに至ることを主張する者がある。(4) その代表者にヘーネル (Haenel, Das Gesetz im formellen und materiellen Sinne, 1888) がある。

ヘーネルによれば、立法と執行の區別は國家の表示する意思の樣式の中に存する。一面に於て國家は命令し一般的拘束力を持てる表示をなす。他面に於て國家は專ら既存の法に從つて實現をなす。異れる效果を有する意思の內部的相違がその區別の特徵である。一は全能の立法者として活動し、他は法律に服する Dienstgewalt の擔有者として活動するのである。かくして凡ての法律は法規を含まねばならない。 法律は全然法規の定立を目的とする。 法律は任意な意思を表明し得る萬事向の形式(Allerweltsform)ではない。(5) 法律の宣示形式たるWir verordnen und verkünden rechtsverbindlich ……の定語はこれに應ずるものであつて、(6)この定語の下に持ち來さるゝもののみが事實上法律の内容と見られ得る。 從つてこの要求に適應しない法律の内容は法的に法律と見られない。

かくてヘーネルは、法規は立法の方法と一般的拘束力とを他と區別するの特徴とするのであつて、規律の内容の如何は影響がないとし、(7)かくてその内容が、法規の確定又は保護のためでなく、精神的物質的文化的利益の促進を目的とし、行政機關にこの權能義務を與へ又は一般的授權をなす等にあつても、こは法規と區別し得る特徴をなすものでなく、(8)又その内容が、國家機關の構成、内部的組成、就中行政官廳を命令し、國家機關に特定使命を義務又は權利づけ、一般的授權をなし、國家機關相互の關係を定める等にあつても、こは法規と區別し得る特徴をなすものでなく、(9)更にその内容が行政組織内部に於て官廳又は官吏に對し權利義務を定め又はその權限を定めるにあつても、こはDienstgewaltとその活動に對する準則を設くるのであつて、Dienstgewaltそのものとしてこれをなすのではない。

かくてその内容に從へば訓令、行政下命、實質的意味に於ける命令たり得るものが、法律の中に採り入れられる時はその法的性質は根本的變化を生ずる。こは立法者の規定となり如何なる意味に於ても Dienstgewalt の擔有者の下命ではなくなるとするのである。(10)

かくの如きへーネルの所説は一般に排斥せらる。卽ち法律が必然に法規を內容としなければならない根據が示されず、法規概念も不確定であり、宣示形式を持ち來ることも單純な形式主義であるとされる。就中法律は法規定立の形式であることは必しも法規以外のものをその內容となし得ざることが立證されないとして反對がなされる。卽ち

「命令 (Anordnung) が法規であるか否かは法律又は命令の形式を採るか否かではない。蓋しかくては何等實質的區別はなく形式的區別にすぎざるのみならず、立法者の意思のみが標準となるときは立法者は凡てを法律形式を以て定めこれを法規たらしむる結果となり、濫用、恣意を來すこととなる。かくてヘーネルは恣意に法規を定立することなき理性的立法者を前提とする」とされ、(11)又、

「そはあたかも酒を盛るために、而してそのために型造られた壺には如何なる場

合にも水を盛るを得ないとすることであり、政治生活の實際が法的耽美派のしかく形一邊の安易な見地より指導され、實際上の理由より一定の内容のために定められた形式を任意に、その形式の中に採り入れ得べき他の内容のために用ひることあるについて何等疑をなさないものとなすことである」とされる。(12)

(1) Thoma. Handb. d. dtsch. Staatsrechts. II S. 146. Jacobi. Handb. d. dtsch. Staatsrechts, II. S. 259.

(2) Fleiner, a. a. O. S. 65 Anm 49. Heilbut, Müssen und Sollen in der Deutschen Civpilrozessordnung, Arch. f. Civ. Praxis, Bd. 69. 1886 S. 331.
我が民事訴訟法第三九四條、刑事訴訟法第四〇九號參照。この點に就ては兼子一氏民事訴訟法概論下册四九九頁、齊藤小野木氏獨逸民事訴訟法（現代外國法典叢書）八〇頁。

(3) Jacobi, a.a. O. S. 258.

(4) これに屬するものに Laband, Rosin が擧げらる。この點については Seligmann, Der Begriff des Gesetzes, 1886 S. 108.

(5) Haenel, a. a. O. S. 275.

(6) Haenel, a. a. O. S. 160.

(7) Haenel. a. a. O. S. 203.

(8) Haenel, a. a. O. S. 213.

(9) Haenel, a. a. O. S. 233.

(10) Haenel. a. a. O. S. 245.

（11） Mundt, a. a. O. S. 64.
（12） Lewald, Das Gesetz im formellen und materiellen Sinne, Schmollers Jahrbuch für Gesetzgebung, Verwaltung, und Volkswirtschaft. Bd. 14. S. 283.

飜つて我が國の學說實例を見るに、行政規則は法規の形式を採つて定立され得るものである。しかるときは法令の形式的效力を生じ行政實例の變化常なきを防ぎその安定性を保持し得るものである。法規の中に採り入れられた行政規則は法規と運命を共にし法規が他の理由による瑕疵あるときは行政規則も瑕疵あるに至る。即ち法規の形式により又は法規の中に採り入れられた行政規則については形式的效力及び瑕疵等につき法規に關する法原則が適用さるゝに至る。しかしながらこの故に實質上の變化はなく法規たるに至るものでない。これらは學說の一般に認むるところである。(1)

これに對し近時佐々木博士により異說がなされる。(2)博士によれば、國家の定立する規範にして、國家及び國民の間に存在するものとせられ國家がこれによる拘束を國民より要求せらるゝものを法規とし、反之、國家自身に於てのみ意味あるものとせられたものを訓示規範、處務規範とする。而して國家の定立する規範を法規とするか訓示規範とするかは國家の意思によつて定まる。これを直接明言するものはないが、國家が憲法の定むる形式を以て規範を定立する意思表示をなしたるときは國家はその規範を法規とする意思を有すると解せらる。「故に苟も法律命令の形式を以て表示せられたる規範は、其の內容如何を問はず法規である」とせらる。

然るとき博士によれば法規の形式を採る行政規則はその性質を變化して法規となるに至るとせらるゝのである。

判例は法律命令の中に定められた所謂訓示的規定の違反による行爲の無效又は取消に關しその違法なる旨を明言せざるもの(3)と、これを明言するものとがある。(4)

例へば

市制第百六十條ノ二第二項ハ訓示的規定ニ過キサルヲ以テ之ニ違背シテ裁決ヲ爲スモ此違背ノミヲ以テ該裁決ヲ取消スヘキモノニ非スト解スルヲ相當トス(昭一四、六、一七行決、錄五〇輯四七七頁)

とあり、また

市制第百六十條ノ二第二項ハ訓示的規定ニ過キサルヲ以テ本件ノ決定又ハ裁決カ同項規定ノ期間ヲ經過シ又其ノ經過日數多大ナルノ故ヲ以テ之ヲ違法ナリト爲スヘキニ非ス

（昭一四、四、一七行決、錄五〇輯二九五頁）

とあるが如きである。

しかしこは單にその表言を異にするに止るのであるか。しかして所謂訓示的規定は法規にあらずと解するのであるか。又はこれと異つて、その所謂違法は廣く法規違反の意味ではなく、有效要件を定めた效力規定（Mussvorschrift）の違反を意味するに止り、法律命令の中に於ける所謂訓示的規定は非强制的法規（nicht zwingende Rechtssatz）の意味に於ての Sollvorschrift であつて、法規にあらずとなすのではないと解するのであるか。この點必しも明白でないが、若し後者の如く解せらるとせば所謂訓示的規定は行政規則にすぎずとは解せざることとなる。(5)

惟ふに我が法律命令の特質及び行政規則の獨自の形式の確立等を顧みるときは法律命令は法規定立の形式であることが强調せらるべきこと、及び公法成法上に於ても次第に狹義の法規概念の再檢討を必要とするに至る機運の存することはこれを認むるに吝かでないが、しかも公法成法體系の現狀は未だ法律命令の形式を以て定立されたものは內容の如何を問はずこれを法規なりとなし得る程平易なる政治の實際と一貫せる立法政策に指導せられて居ないのを觀じ得ると共に、法規を採り入るべき形式たる法律命令には如何なる場合にも法規にあらざるものを採り入るべからざるの必然性を肯定し得ないのである。たゞ法律命令の中の規定にして法規か行政規則か疑はしきときは法規と解すべきである。このことは我が國法に於ては特に強調さるべきところである(6)。

(1) 美濃部博士、日本行政法下巻六三六頁、織田博士、日本行政法原理七八頁、佐々木博士、日本憲法要論五九九頁。

(2) 佐々木博士「法律・命令と法規」(公法雜誌一巻一號、二、四、一一頁)。

(3) 訓示的規定の違反に關する判例にして「違法」を明言せざるもの。昭一三、一一、二六行決（錄四九輯七三四頁）、昭一二、六、一二行決（錄四八輯一九三頁）、昭五、五、一四行決（錄四一輯七二四頁）、昭五、五、三行決（錄四一頁六八〇頁）、大一三、一二、二行決（錄三五輯九四四頁）等。

(4) 訓示的規定違反に關する判例にして「違法」を明言するもの。昭一三、五、二七行決（錄四九輯三三六頁）、昭一三、一一、一四行決（錄四九輯七一三頁）、昭五、六、二四行決（錄四一輯八四一頁）等。

(5) Heilbut, Arch. Civil Praxis, Bd. 69. S. 331. 美濃部博士、日本行政法上巻二七一頁。尚、昭二、一二、一〇大民決（民集六巻一二〇頁）、昭一〇、七、一六東控決（新聞三八八九號）、昭一三、三、三〇大民決（民集一七巻五七九頁）參照。

(6) 獨逸に於てヤコービー、オットーマイヤーこれを唱へる。Jacobi, a. a. O. S. 259. O. Mayer, I S. 66 Anm. 4.

IV　行政規則の種類

行政規則はこれを組織行政規則、勤務行政規則、營造物行政規則、社團行政規則等に分つことを得。これらの詳述は別に譲らなければならないが、以下組織行政規則、勤務行政規則及び營造物行政規則について概説する。(★)

(★)　行政規則はその基礎たる特別權力關係の區別に從つて分類することを得。ヤコービーは勤務規則(Dienstvorschriften, Dienstinstruktionen)、營造物規則(Anstaltsvorschriften)、租税監視規則(Steuerüberwachungsvorschriften)、社員規則(Mitgliedervorschriftn)に分ち(Handb.d. dtsch.Staatsrechts II S. 259)に分ち、ロエールスは勤務規則、營造物規則(狹義)、家宅規則(Hausordnung)(狹義)、單純な規約的規則、財政規則に分つ(Röhrs, a. a. O. S. 29)。外部的特徴により一般に勤務規則、組織規則、營造物規則に分たる(Anschutz, WStVR III S. 675. Thoma, Handb. d. dtsch. Staatsrechts, II 223)。これに執行規則を加へるものがあり(Schoen, Handb. d. Politik, I S. 252. Gmelin, H-WBRW. Bd. 6 S. 492. Jacobi, a. a. O. S. 262.)、拘束力なき一般私人に對する規則を加へるものがある(G. Jellinek, Gesetz und Verordnung, S. 386. 織田博士美濃部博士)。組織規則及び執行規則は特別權力關係と異れる基礎に立つものである。

行政規則の分類は必しも一貫せる基底の上でなすことは必要でない。組織規則、營造物規則の中に勤務規則は存し、執行規則の中に組織規則勤務規則が存する。Röhrs, a. a. O. S. 29.

(1) 組織行政規則

行政組織に關する定めには法規たるものと行政規則たるものがある。如何なるものが法規であるかについては、或は廣い範圍にこれを認め、或は狹く限定してこれを認めんとして、説の岐るゝところであるが、(1)支配權能を有する官廳の設置及びその權限を定むるものは、一般私人の法的範圍に觸れるが故に法規である。(2)しかしながら行政組織の內部に止りそれを超えて效果せざる國家施設(特定の調査、諮問、企業機關)を設け、又は法規により設置せられその構成、權限の大綱の定められた國家機關についてこれが實現のために部局を分け、事務を分配し、構成者を資格づけ、執務方法を定めるもの(分課規程、處務規程、執務規程等)は行政規則である。(3)かゝる組織行政規則は一般公權力(組織權)に基くものの外、特別權力關係に基く勤務行政規則、營造物規則を包含する。

組織行政規則は法律命令を以て規定され得る。(4)法律命令に別段の規定なき限り、(5)行政規則の獨自の形式(訓令達告示)を以て定め得る。(6)蓋し組織行政規則の定立は行政の内在的權能であり、又既存する特別權力の行使發動にすぎないからである。

(1) 獨逸に於て組織命令に廣く法規性を認むるものにリヒター (Richter, Die Organisationsgewalt, 1926) がある。即ち組織權は本來立法に屬すとし、行政組織に關する命令は法規なりとするのである。之に對し行政組織命令の法規性を限定するものに、アンシュッツ (Anschutz, gegenwärtige Theorien, S. 159. Verordnung in WStVR III 675.) がある。即ち官廳組織の權能は憲法及び法律に特別の規定なき限り行政に屬すとし、行政組織に關すものは一般私人の法的範圍を侵犯せず、行政に既存する權能の行使にすぎざる故に一般に法規にあらずとするのである。

組織命令に關し注意せらるべきはグメリン (Gmelin, Verordnung in HWBRW. 1929 Bd. 6 S. 493) の說である。曰く。

行政に必要なる官廳の設置について配慮をなすは行政の使命である。行政はこの權能を、執行命令を發する權能の然るが如く、當然に有する。組織權は一部は執行命令を發する權能中に含有される。蓋し法律の執行には特別の官廳の設置を屢〻必要とするからである。組織權はこの範圍を超えて、行政の自由な活動範圍に作用する。しかるとき、かゝる組織權は單なる執行命令ではなく所謂獨立命令である。組織命令は一般には行政規則だとされて居る。そが官廳の內部的構成に關する限り然りである。しかしながら官廳がこれにより第三者に對する特定の權限を賦與されるときは、組織命令は法定立の性質を有する。しかも組織權の中に疑もなく存する法定立の要素は、リヒターによつてなされる如く、過大視せられてはならない。

(2) 通說である。

美濃部博士(日本行政法上卷三六七頁)は曰く。

人民との間に法律上交涉ある職務を擔任する國家機關に付いては、國民をして其の機關に付いては其の機關の行爲を國家の行爲として認識しその權威に服すべき義務を負はすものであるから、其の機關に付いての定めは、法規たるの性質を有す。

ラバンド (Laband, Staatsrecht II S. 184) は「國家的支配權能を有する官廳の設置並にその權限の定めは法規なり」とし、ショエン（Schoen, Verordnung in Handb. d. Politik, 1920 I S. 252）は「組織命令にして專ら行政經營の內部に關せず、官廳に、一般私人に對して支配權を行使せしめ、又は一般私人に、官廳に對して行政事務の正規の處置を請求する權利を認むるが如き官廳の新設に然るが如く、官廳に權利義務を生ぜしめ一般私人の法的範圍に關與するが如き定めは法規である」とし、ゲー・イエリネク（G. Jellinek, Gesetz und Verordnung, S. 389.）は「組織命令は單に機關を創設するものなる限り單純な行政行爲の定めである。人格性又は機關の創定は法規であり得ない。すべての法は人格性、機關に關聯するが故である。しかしそれによつて創定された機關の權限を限界する命令は權限の限界に於て同時に支配權（Imperium）の賦與がなされる限り、法規である。何となればこれによつて新しき權利義務が設定されるが故であると。尙、Seligmann, a.a. O. S. 106. W. Jellinek, a. a. S. 127.

（3）美濃部博士「前掲」Schoen, a.a. O. S. 252.

（4）帝國憲法第十條によれば行政各部の官制を定むるは大權に屬す。從つて行政官廳の組織權限は勅令を以て定めらる。但し憲法及び他の法律に特例を掲げられた官廳の組織權限は憲法又は法律によつて定めらる。行政官廳の組織權限の一部又は下級官廳の組織權限は行政官廳に委任してなされ得る。美濃部博士、前掲書三六二頁、野村博士、增訂行政法總論上卷一四五頁。

（5）各省官制通則（第一三條）は陸軍省海軍省の分課は、他省のそれと異り、各其の省の官制に於て定むることゝして居るが如きである。

（6）獨自の形式を採る處務規程の效力に、關して、昭一〇、一一、一一行決（錄四六輯九二九頁）、昭一三、六、二七行決（錄四九輯四一二頁）參照。

組織行政規則に關聯して、執行規則について概言する。

廣く法律命令の執行に關する定めには法規を補充する（ergänzen）ものと、法規を實現執行（handhaben）するに止るものとに分つことを得。(1) 前者は不充分なる法規を補充完成するものなる限り、法規であり、後者は法規を實現するために法規の認めた範圍内に於て事務を分配し執務手續を定め、法規の定めた範圍の自由な活動の方法を定める等のものなる限り、行政に固有なる執行的權能（組織權勤務要求權）に基くものであつて行政規則である。

憲法第九條に基いて法律の執行のために發せらるゝ命令、勅令その他の命令の執行の爲めに發せらるゝ命令は法規なるものゝ外行政規則に屬するものを包含し得べく、また行政規則に屬するものなる限りその獨自の形式を以て定め得る。(2)

（1） 野村博士、前掲書四三四頁、淸水博士、憲法篇一二〇九頁。
Laband, 4. Aufl. II 581. 5 Aufl. II S. 88. Roethe, Die Ausführungsverordnung in heutigen Staatsrecht, Archöff R. N. F. Bd. 20, 1931 S. 194 321. Schoen a. a. O. S. 253. G. Jellinek, a. a. O. S. 379. Gmelin, a. a. O. S. 493.

（2） 昭六、七、二五行決（錄四二輯八〇八頁）、大一一、一〇、一〇行決（錄三三輯九八八頁）、大一〇、七、二二行決（錄三二輯四一七頁）、大五、一一、二七大民決（錄二二輯二一四三頁）參照。

(2) 勤務行政規則

勤務行政規則は行政組織段階に於て上級機關が下級機關に對して正規な事務

執行、法規の適用等に關して發する訓令(1)、下官の職務に關して發する職務命令であつて勤務要求權に基くものである。狹義に於て行政規則は勤務行政規則を指稱する。國の官廳が地方團體の公署又は吏員に對してかゝる行政規則を發するには特別の法規に根據しなければならない。

勤務行政規則は獨立に發せらるゝの外、組織行政規則、營造物行政規則及び執行規則の中に包含せらる。また獨自の一般的形式の外種々特別の形式を以つて發せらる。(2)(3)

(1) 各省官制通則第五條、裁判所構成法第一二五條。申請に基いて發せらるゝものが指令である。

(2) 訓令達告示の一般的形式を以て發せらるゝ外、種々特別の形式を以てせらる。內訓、告諭、依命通牒等。依命通牒又は依命通達は補助機關が長官の決裁を以て自己の名に於てなす通知の形式なるもこれにより一般的訓令がなされることがある。

(3) 美濃部博士前掲書三八九頁、七一四頁、野村博士、前掲書一四七頁、Thoma, Hanb. d. dtsch. Staatsrechts II S. -223. Auschutz, a. a. O. Gmelin, a. a. O.

尙、本稿 III (三) (3)「行政規則違反」、V「行政規則の制定」參照。

(3) 營造物行政規則

營造物(學校病院監獄屠場博物館圖書館等)の組織、管理、使用等に關する定めには法規たるものと行政規則たるものがある。

營造物行政規則は、營造物權に基いて營造物の利用者を規律する本來の營造物行政規則の外、營造物構成者に對する勤務行政規則を包含する。(1) 營造物行政規則は營造物構成者に對する勤務行政規則にすぎないと解するものあるも正當な見解でない。(2) 學校圖書館等に關する行政規則は學生、閲覽者に對する營造物權に基く多くの規律と共に、營造物構成者に對する勤務要求權に基く規律を含むのである。

營造物の利用强制、契約强制乃至獨占を認むることは一般私人の法的範圍に屬れるものなるを以て法規によりこれを定むることを要するものであるが、その强制に基くと自由意思に基くとを問はず、特別權力關係たる營造物關係に加入するものは、營造物權に服し、これに基く營造物行政規則の適用を受く、營造物關係には、學校監獄病院等に於けるが如く其の利用者が營造物と密接に關渉する場合と郵便局停車場博物館等に於けるが如く然らざる場合がある。而して後者の場合營造物權の發動は家宅權の發動態樣を採るに止る。反之前者の場合はその程度を超えて懲戒的紀律權及び作爲、給付を命じ持込物を制限する等の積極的命令權と

して發動するが故に、これに應じて營造物行政規則の內容必しも同一でない。(3)(4)

(1) 美濃部博士、日本行政法下卷六三四頁、Jacobi, a. a. O. S. 262. Köhrs, a. a. O. S. 29 Anm. 6.

(2) Schoen, ArchöffR. N. F. Bd. 6, S. 183.

(3) 拙論「營造物權について」(政學科研究年報第五輯)

(4) 營造物に關するものに、渡邊博士「營造物論」(公法雜誌八卷一〇、一一號)、Arnold, Die Nutzung der freien, öffentlichrechtlichen Wohltätigkeitsanstalt, 1933. List, Verwaltungsrecht technischer Betriebe, 1937. Jacob, Die Deutsche Reichspost als öffentliche Anstalt, als wirtschaftliches Unternehmen und als staatliche Behörde, 1939. Klüber, Unterwerfungsverhältnisse in deutschen Staatrecht. Verw. arch. Bd. 40 S. 127.

V　行政規則の制定

行政規則の制定は行政に屬する。行政機關は法規及び上級の行政規則に定めなき限りその存立目的より行政規則を發することを得る。これがために特別の法規の授權を必要としない。行政機關が法規及び上級の行政規則に牴觸せざる限り部局を分け、事務執行の手續を定め、下級の官廳官吏に對して訓令職務命令を發し、營造物の利用を定めることは行政活動の目的である。權限ある機關はこれを獨自の一般的又は特別的形式を採つて制定し得べく又法規の形式を採ることを得る。(1)

行政規則にして法律命令條例等法規の形式を採るものは法規と運命を同じうし、その制定手續、公布、瑕疵及びその效果、形式的效力等についての法原則に從ふのである。(2)

獨自の形式を採るものに就てはその制定手續について一般的定めがない。個別的に定められたものあるに止る。或は上級機關の認可を必要とし、或はその制定に他の機關を參加せしめ、或はその諮問を要すとせらるゝものがある。(3) また眞正の意味に於ての公布 (rechtserhebliche Publikation) を必要としない。(4) 一般的形式を採るものは官報公報等の掲載による公告方法を採られるのであるが、(5)特別的形式を掛るものは通牒回章、掲示、印刷物謄本の配布等の方法によつて通達せらるゝを以て足り且つこれを必要とする。(6) 公布の有無を以て法規と行政規則を區別せらるゝことを得る。行政規則は何れの方法によるを問はず、通達せられたる時より拘束力を生ずる。(7)

(1) 明治初年に於てはもとよりのこと、その以後に於ても訓令達告示の形式を採るものにして法規の定められることがないではない。法規の授權ある場合に於てもこの形式の特質により法規を定め得べきものでない。一見法規の如きものも一般的處分であり、執行規則の中に於ける又は獨立の組織行政規則、勤務行政規則である場合が多い。明三五、六、二六大民決(錄八輯六巻一三九頁)、大五、五、一六大民決、(錄二二輯九七七頁)、大七、五、三〇大民決(錄二四輯一〇六五頁)、昭一六、三、一八大民決(集二〇巻二三八頁)。

(2) 佐々木博士、日本憲法要論五九九頁、Röhr, a. a. O. S. 7.

(3) 帝國大學令第七條、大學部内の制規と定年制の關係については昭一二、一二、二二大民決(集一六巻二〇七三頁)參照。

(4) 拙稿、「法令の公布制度」(法學新報四九巻一二號)。

（5）　昭一七、九、二九大刑決（集二十一巻四四四頁）。

（6）　Arnold, a. a. O. S. 30.

（7）　有光金兵衞氏改訂公文例規及公文例一七二頁。

VI　行政規則の瑕疵

行政規則の瑕疵及び効果は法規の法原則に從ふことを得ず又行政行爲のそれに從ふことを得ない。(1)

行政規則にして成立要件を缺くときは瑕疵あるものとなり無效である。即ち拘束力を生ぜず、相手方はこれに服從せざることを得る。行政行爲の瑕疵の效果の一たる取消し得べきものたることは行政規則の瑕疵については存しない。

行政規則の瑕疵の效果として、之に服從せざることを得る場合と服從すべからざる場合に分ち、前者の場合には服從せざるも處罰なく、服從するも違法行爲として責任なく、後者の場合は服從するときは處罰せられ違法行爲として責任を生ずることを擧ぐる者あるも、こは行政規則の瑕疵そのものの效果でなく、瑕疵ある行政規則の對照たる行爲につき他の法範圍に於て法規により認められるものにすぎない。(2)

（1） Jacobi, Handb. d. dtsch. Staatsrechts, II S. 263.

（2） ロエールスは行政規則の有效卽ち拘束（Verbindlichkeit）に對する無拘束（Nichtverbindlichkeit）の中に不拘束（Unverbindlichkeit）と無效（Nichtigkeit）に分ち不拘束は從はざることを得る（nicht gehorchen dürfen）であり從はざるも處罰されず、從ふも違法行爲としての責を負はずとし、無效は從はざるべき（nicht gehorchen müssen）であり處罰を免れんとすれば從ふを拒絶すべきものとする。Röhrs, a. a. O. S. 65. 然しながら行政規則違反については懲戒罰が直接問題となるのみであつて刑罰、損害賠償責任は刑法及び公法乃至私法の法範圍に於けるそれ〴〵の別個の問題である。

行政規則の瑕疵についてはこれを手續の欠缺、內容の欠缺及び行政規則の牴觸に分つて觀察せらる。（1）

(1) 手續の欠缺

1. 行政規則は權限ある機關により、これを受くる義務ある者に對して發せられることを要する。機關にあらざる私人によつて發せられた行政規則は不存在である。一般的權限なき機關によつて發せられた行政規則は無效である。（2）

2. 法規又は行政規則によりその制定に他の機關の參加を必要とせる場合に、これなく制定された行政規則は無效である。その參加が創設的でなく諮問的のものにすぎない場合は別である。又行政規則の制定に他の機關就中上級機關の認可を必要とせる場合にこれを缺きたる場合は無效である。又無效なる行政規則は上級機關の認可により有效たり得ない。これらの點は法規の場合と同樣である。(3)

3. 行政規則の通達に關しては法律命令について定められた公布の形式は一般に適用がない。特別權力關係に加入することによつて從屬者は既に存し將來發せらるべき行政規則を知悉すべき義務あると共に權限ある機關はその了知を期すべきものである。行政規則を發する權限ある機關の自らの通達は必しも必要としない。一般的形式を採るものは官報公報等の登載による公告方法、特別的形式を採るものは通牒、回章、揭示、印刷物・謄本の配布等何等かの合目的形式による通達を必要とする。行政規則の通達に關し特定の形式を效力要件とした一般的定めはない。特定の行政規則について法規又は行政規則によりこれを定めたものがある。然るときはこれによらざる恣意な形式により通達せられた行政規則は無效である。但し通達の形式の違反は疑はしきときは行政規則を無效たらしめない。(4)

(1) Jacobi, a. a. O. S. 263. Röhrs, a. a. O. S. 32. Arnold, a. a. O. S. 27, W. Jellinek, Verwaltungsrecht, S. 252,

371. Gesetz, Gesetzesanwendung und Zweckmässigkeitserwägung, 1913 S.201.

(2) ロエールス (Röhrs, a. a. O. S. 31) はこの場合共に表見的行政規則 (Scheinverwaltungsvorschrift) として本來の瑕疵ある行政規則と峻別すべきを力説する。尚、Jacobi, a. a. O. Arnold, a. a. O.

(3) Jellinek, Gesetz, Gesetzesanwendung, S. 240. Röhrs. a. a. O. S. 74.

(4) Arnold, a. a. O. S. 31.

(2) 内容の欠缺

1. 行政規則は法規に違反することを得ない。行政規則に對する法規の優位はこれに違反する行政規則を無效たらしめる。法規が禁止する場合に行政規則はこれを有效に命ずることを得ない。法規が命ずる場合に行政規則はこれを禁止することを得ない。法規が自由裁量に委ねる場合に行政規則がこれを無條件に命ずることを得ない。法規が禁止する場合に行政規則がこれを許可することを得ない。(1)

これ等は法規が一般私人の法的範圍を一般に保護せる場合及び行政組織の內部及び特別權力關係の從屬者の法的範圍に關し特別にその義務及び權利を定めたる場合に於て行政規則がこれを規律するときに當然認めらるゝところである。

2.　行政規則は法規の認めた範圍に於ても行政組織の内部及び特別權力關係の目的による限界に止らなければならない。法規が行政組織の内部及び特別權力關係の規律を自らなさず廣い範圍に於てこれを行政規則に委ねた場合に行政規則の内容が如何なる限界を有するか、如何なる場合に内容の違法としての限界踰越が生ずるかは行政組織の内部及び特別權力關係の性質及び目的により決定されねばならない。この點は警察活動について法規の認むる廣い範圍に於てその限界決定が警察の目的による裁量によつてなされると軌を同じくする。(2)

行政組織の内部及び特別權力關係に於ける活動について法規の優位及び行政の適法の原則は無條件に適用せられない。行政規則の内容の法規の牴觸は、時に特別權力關係により、その從屬者に對する効果を阻却されこれをして瑕疵あらしめない場合がある。法規の牴觸は「違法」なる行政規則に瑕疵なからしめ、法規の違反に拘らず「適法」とせらるゝ場合がある。(3)

行政規則の内容が行政組織の内部及び特別權力關係の限界を踰越してその從屬者にこの關係に加入することによつて負擔せる義務以上のものを要求するときは瑕疵あるに至る。特別權力關係の從屬者はこの關係に加入することによつて包括的な義務を負擔し特別權力關係の行政目的に相應ずる範圍に於てその私的範圍の不可犯を放擲するに至りその範圍が狹められるのである。かくて權限ある機關がこの限りに於て從屬者の包括的義務を解離詳細化する行政規則は違法ではない。法規の留保の廢棄は持別權力關係により一般的になされるのでなく、これは一般的權限ある機關により、且つ特別權力關係の目的上從屬者の負擔する包括的義務の範圍に於てのみなされるのである、これが限界は、特別權力關係の活動に總じて然る如く、その性質と目的上一般に法規を以てなさず一般的見解に委ねるのである。たゞ特定の場合に一般的見解に委ねず一定の法的地位を明確にせんとするところに於て法規がその義務を確定的に限界するのである。(5)

かくて法規が特別權力關係の從屬者の權利を確定し義務の限界を確定せる場合にこれに違反するの內容を規律する行政規則は無效である。法規が義務の限界の確定をなさず、權限ある機關の自由裁量に委ねた場合には、客觀的に特別權力關係の目的上の限界を踰越してその必然性と合目的性を缺く內容を規律する行政規則は無效である。

3. 行政規則の內容が違法にあらざるも、重要な規律の對照たる事實の認識を誤つてなされたものは特別權力關係の目的に違反するものであつて無效である。行政規則の內容が事實上の不可能を命ずるもの及びその內容の不明確なるものも無效である。

(1) W. Jellinek, Gesetz, Gesetzesanwendung, S, 245.
(2) Arnold, a. a. O. S, 33.
(3) Röhrs, a. a. O. S. 84
(4) W. Jellinek, Verwaltungsrecht, S. 122. Röhrs, a. a. O. S. 81, 85. 99, 111.
(5) Röhrs, a. a. O. S. 136.

(3) 行政規則の牴觸

行政規則は上級機關の發する行政規則に牴觸せざることを要する。上級機關の行政規則の優位は行政組織段階より當然認められるところであつて、法規又はる行政規則の定めあるを要しない。しかしながら特別權力關係の內部に於てかゝる上級機關の行政規則の優位を一般的に廢し最終の行政規則優位を以て之に代ふることを得る。然るときは行政規則を發する機關の上下の段階を顧慮することなく、最終の行政規則に從ふことを得る。又特別の理由(就中緊急の場合)ある場

合に限り最終の行政規則に從ふことを定め得る。(1)

同一段階にある上級機關の行政規則が牴觸するときはこれに服する下級機關は上級機關に相互の牴觸なからしめんことを請求することを得る。(2) 若し遲延の虞れあるときは義務に適へる裁量によりその何れに從ふべきやを獨自に決することを得る。(3)

(1) この點は上官の發する訓令職務命令について多くの論議の存するところである。美濃部博士、日本行政法上卷七一三頁、磯崎辰五郎氏、「官吏の服從の義務について」(立命館大學論叢第三輯)。Fleiner, a. a. O. S. 95. Brand, Deutsches Beamtengesetz, 1937 S. 12. Röhrs, a. a. O. S. 140.

(2) 官吏服務紀律第二條。

(3) Röhrs, a. a. O. S. 146.

(昭和一九、五、三)

ゲルマンの國家觀念

——君主權の發達に關聯して觀たる——

中村哲

目次

第一章　古代ゲルマンの政治構造……五
一　血族團體……五
二　Völkerschaft の構造……一三
三　古代の國民君主……二三
四　祭司者としての君主……三〇
第二章　支配現象の發生……四〇
一　民會の全體行爲……四〇
二　父權家族と國家……四九
三　民族移動による君主制の發展……五七
第三章　國家構造におけるゲルマン的とローマ的……七三
一　ゲルマンの國家共同態……七三
二　王法と國民法との對立……八四
三　フランク王國のローマ的裝飾……九七
四　Reich の觀念……一〇七

第一章　古代ゲルマンの政治構造

一　血族團體

人は本來共同態の中の一肢員であつて、個的存在者としての人が意識されるに至つたのは歷史の發展の結果である。古代ゲルマンにおける共同態の起源は他の民族におけると同樣に同族Sippeに求められる。[1] Sippeなる言葉はゴート人にあつてはSibja南ゲルマン人にあつてはSippaと稱ばれたものであるが、それは本來二つの意味に用ひられ、一つは特定人にとつて血のつながりのある親族の範圍の全體を意味し、Magen或ひはMagschaftといふ言葉も用ひられて、父方の血屬或ひは母方の血屬が意味されてゐた。之に對して、他の一つは種族團體を意味する、いはば政治的な單位として用ひられたもので、[2]ここにいふ同族はこの後者の意味における共同態を指すのである。前者はSippeが血緣關係を指す言葉として用ひられてゐるもので從つて、特定人は父方の血屬或ひは母方の血屬といふやうに複數の同族に屬す譯であるが、後者は血族團體を意味するものであるから、特定人は唯一の同族に屬すものとして觀られる譯である。血族團體としての同族は民族學者によれば母權團體たることを起源とするものであるといはれるが、(3) インド・ゲルマン人にとつては母權は全く知られてゐないといふのが法制史家の定説であつて、(4) そこでは父系にして父權の原理が支配したとされてゐる。しかしながら、そのことはタキッスの時代について言へることであり、インド・ゲルマン人にあつてはヴェダの時代にはすでに父權社會であつたけれども、それ以前において母權社會の存在したであらうことは未開社會の事例に依つて觀ても推測せられるのである。(5) Sippe はローマの gens 支那の宗族に比せられる男系 agnatisch の血族團體であつてかやうな共同態は同族の仲間の完全な平等を基礎としてゐたのである。支那の宗族は族長なる首長を有してゐたのに對して、(6) ゲルマンの同族は家長的な頭首を有してゐないといはれてゐる。(7) それは農業的軍事的團體であり、祭祀共同態であつて、宗族が攻防的自衞團體であつたやうに、もつとも古い平和團體であつた。同族の一人の仲間が侵害を受けた時は總員に對する侵害と見做され、同族の總員が侵害者の屬する同族總員に對して復讐 Blutrache を以て報ひ、また賠償金を要求したことは知られてゐるところである。(8) この集團復讐の習俗は南支那においては近世においても械鬪として、その名殘りを止めてゐたものである。(9) このやうな集團復讐は强力な國家權力の發生しない社會での自衞的な平和維持の方法であつて、このやうな侵害行爲が個人への加害行爲とみなされるに至れば、すでに血緣社會の中から個人の原理が發展するに至つたことを示すもので、社會段階の新しき發展が認められるのである。

（1）アリストテレスの「人は生れながらにしてポリス的生物である」といふ言葉の意味も彼がたまたまポリスなる共同態を以て、この共同態的存在であることを示したものに他ならない。Aristotles, politics (tr. by Jowett) 1926. P. 28. ドイツでは Sippe は英語の clan に相當する用語として用ひられてゐる。ワランのさらに集つたものが Phratrie である。

（2）Brunner-v. Schwerin, Grundlage der dentschen Rechtsgeschichte, 1930, S. 9.

（3）本稿第二章の二參照。

（4）Brunner-v. Shwerin, op. cit., S. 9. Schröder-v. Künssberg, Lehrbuch der deutschen Rechtsgeschichte 1932, S. 69.

（5）ゲルマンにおいては氷河時代以來ことにケルト人にあつては土地の種族的分配が行はれ、上層部は父權的な牧畜民によつて占められてゐたが、その下の農業民には母權が存してゐた。R. Thurnwald, Economics in primitives Communities, 1932, P. 100. J. Kohler u. L. Wenger' Allgemeine Rechtsgeschichte, 1914, S. 19.

（6）仁井田陞「支那身分法史」（昭和十八年）一〇五頁。

（7）Brunner-v. Schwerin, op. cit., S. 9.

（8）このやうな場合の責任の擔ひ手は行爲者のみでなく、同族そのものであるとされるので、このやうな集團責任は同族の主權と同屬性に根ざすものであるとトゥルンワルトは謂つてゐる。Thurnwald, Werden, Wandel und Gestaltung des Rechts, 1934, S. 24.

（9）中村哲「分類械鬪と復讐」民俗臺灣・第四卷・第四號。

同族を基體としてゲルマン社會においては大少の共同態が形成され、狹き共同態の仲間は更に大きく構成された共同態の仲間であるといふ仕方によつて共同態は幾重にも存した。集團から個が發展したと觀る集團主義の立場を採るイェルザレムは、同族の內部において一夫一婦たる性共同態としての家族が發生したものと見做し、外に向つては分化 Differenzierung の原則に據つて、出生の增加による仲間の過剩は同族の分裂・發展を齎らしたものであるとしてゐる。[1] このやうな同族の分裂を基礎として血緣的な親族の區分がそのまま百人組 Hundertschaft なる廣い共同態にまで發展したものであるか否かについては史家の見解は必しも一致をみないが、[2] 家族は連合して同族を、同族は連合して百人組を形成し百人組は群 Gau を、群は更に部族の集團たる Völkerschaft を形成してゐたのであつた。これらの共同態はそれぞれ共同態としての性質を異にするけれども、狹い共同態の仲間たることは廣い共同態の仲間たる前提であり、 家族の成員たることは直接に部族の成員たることを意味するものとされてゐた。 これらの共同態の大少は權限の强弱を意味するものでもなければ、上位秩序と下位秩序とに分つことも不可能であつて、そこでは今日の法概念たる主權、すなはち團體の權限高權 Kompetenz-Kompetenz を問題とすることは全く不可能であつた。(3) 共同態を全體としてでなく、共同態の個々の機能について觀るならば、權限の强弱を考察することも不可能ではないとも觀られるが、廣い共同態が狹い共同態に一見干渉するやうに觀られる場合、たとへば同族の間に爭ひを生じ、廣い共同態の裁判權によつて、それが處理されるやうな場合には、同族といふやうな狹い共同態の成員としてではなく、廣い共同態の成員として取扱はれたもので、(4) この場合にも大少の共同態の間の權限の問題は生じなかつた。 またそれとは逆に狹い共同態が廣い共同態に優つてゐる場合も稀ではなく、たとへば經濟的な機能については狹い共同態の中に機能が集中されてゐることを知るのである。 ガリア戰記(第六卷第二二節)によればカエサルの時代にあつては土地は群の政廳又は首長より每年土地を「集團的に居住せる血緣關係による血族團體」gentibus cognationibusque hominum, qui una coierient に分與したといつて居り、ここにいふ血族團體が Sippe と同一のものを意味するか否かについては論議の餘地があるとしても、かやうな狹き共同態は土地占有の主體であり、土地開墾の主體であるとされてゐるのであり、經濟的機能は狹き共同態に集中されてゐたのであつた。

（1）F. W. Jerusalem, Der Staat 1935, S. 106.

（2）クノーは最初に血族團體の編成があつて、これが千人組百人組に編成されるのは、戰爭に出てゆく部隊が一望のうちに見渡すことの出來なくなつたときに現はれた區分であるとしてゐる。H. Cunow, Allgemeine Wirtschaftsgeschichte 1927, S. 126.

（3）F. W. Jerusalem, op. cit., S. 105.

（4）Ibid., S. 105

血族の總體を包むより廣い共同態としての百人組は本來は軍事編成の單位であつて、百人の兵士の部隊を意味するものであつたが、そのことを以て百人組が純粋な軍事編成であり親族的團體とはなんらの關係もないとすることは出來ない。十進法による軍の編成はインカ・ペルシアやローマの社會においても、またアメリカインディアンや南洋のパプア族においてもみられるところであるが、それらはまづ血緣的な親族の區分があつてその部族 Stamm や種族 Geschlecht が約千人または約百人の兵士を出し、また、その下の少さな血族團體が十人の兵士を出すものとされてゐるので、(1)ゲルマンにおいても血族の總體を包む血緣團體が在つて、それが百人の兵士を供出したので、この血緣團體がやがて軍事編成の名稱を冠して稱ばれるに至つたものであらう。　タキツスは「騎兵隊或は步兵の楔形隊は偶然の機會或ひは偶然の集合になるものではなく、すべて家族或ひは血緣のもの達が之を構成してゐる」(第七章)といひ、兵制については「その數も已に一定せられ pagus について百名宛、而して彼等は互に「百」と稱ばれ、このためにはじめ數であつた「百」が今では已に一の稱呼であり、一つの名譽となつてゐる」(第六章)といつてゐる。(5)

百人組は軍事編成の單位として、タッキスの記すやうに戰鬪に際しての部隊を形成するものであつたが、戰時のみならず平時においても、裁判事務を處理する基礎として利用されたのである。　兵士は陪審員として裁判事務に召募され、百人組は裁判團體として發達したが裁判團體としての百人組はブルンナーによれば、空間的に封鎖された裁判地域 Gerichtsbezirke ではなく、單なる人的團體であるに過ぎなかつた。(3)　しかしながら百人組は民族移動の後においては、種々なる過程を經て百人組の居住地を意味する地域的な團體となつた。

百人組に對して千人組に當るものはゲルマンにおいては郡であつて、ローマ人によつて pagus と稱ばれた郡は連合してさらに又ローマ人によつて civitas と稱ばれた國民體を形成した。パグスといひ、キビタスといひ、ともにケルト人の憲法的區分として發達した概念であるが、ローマ人は之をゲルマン人の社會に適用したものであつた。ガリア戰記はスウエーヴィ部族について「各々のガウは軍隊のために千人の兵士を出す」（第四卷第一章）と記してゐるが、郡は百人組とは異り、早くから空間的に封鎖された地域を意味するもので、單なる人的團體ではなかつた。それはおそらく人的團體としての千人組の定住の結果、早くから地域的な意味を有するものとして發展したものであらう。

（1） H. Cunow. Allgemeine Wirtschaftsgeschichte, S, 124.

（2） タキッスがパグスについて百名の兵士を出したといつてゐるのは、ケルトにおけるパグスから類推した論であり誤解であつてゲルマンにおけるそれとは異るとブルンナーは謂つてゐる。Brunner, Deutsche Rechtsgeschichte, I. Bd. S. 159.

（3） ブルンナーは謂ふ「百人組は本來百人の兵士の區分と考へらるべきで、この百人組が實際の意味を保持してゐる間は百人組と土地との癒着定着化は起らなかつた。けだし、この區分はその軍事的目的を考慮して時々更新されねばならなかつたからである。その際正確に百人若くは百二十人にはならなかつたであらう。部隊の構成に際しては、種族團體を分裂さしてはならなかつたからである。ゲルマン人の國家では軍隊と國民とは概念的に一致して居たので、百人組への編制は平時にも保持され裁判事務を處理するための基礎として利用されたのである」(Ibid., S. 163)

百人組が獨立の裁判區として存在したことについては疑ひはないが、それが國の行政區劃となつたものか、人的な集團にすぎなかつたかは諸説の對立がある。本文に揭げたブルンナーの談は人的な集團とみるもので、兵團説 Heerstheorie とも言ふべきものである。之に對して、Grimm, Ritschel などは、古代ゲルマンでは各家に一軒分の土地利用權を與へたが、百人組は百軒分の土地の所在する地域であるとし Schwerin などは百の數とはなんらの關係もない集團の意味であるとしてゐる。前者を持分説 Hufentheorie といひ、後者を群集説 Mengetheorie とよぶことが出來る。栗生武夫「法の變動」(昭和十二年)一二三頁參照。

二 Völkerschaft の構造

ローマ人はゲルマン人の部族集團たる Völkerschaft を國家的な統一體と觀て civitas と稱へてゐるが、この Völkerschaft はもとよりローマ人の考へるやうな國家ではなかつた。ゲルマン人の社會はその語系の相違から西ゲルマン人の諸部族と東ゲルマン人の諸部族とに區分されてゐた。西ゲルマン人はその血統の區分に從ひ、それぞれ Ingräonen, Istväoner, Herminonen の群に分れてゐたが、このやうな區分はすでに政治的意味も、法的意味をも有せず(1)、ただ共同の祖神を戴く祭祀及び犧牲の奉仕において結ばれてゐる文化結合 Kulturverband にすぎなかつた。從つてここでは諸部族の分立が著しく目立つたのであるが、之に反して東ゲルマン人の社會では、かやうな部族の分化現象があまり見られず、政治的結合體の範圍はより包括的であつた。(2) 數多くの Völkerschaft の分立がもつとも顯著に目立つたのは、スウェヴィ人の諸部族であるが、タキッスの記すところによれば(三十七章)、諸部族はセムノーネーの神聖なる森を聖地として、そこに共同の祖神を祭り、セムノーネーに住むスウェヴィ人は、聖地の守護者として部族中の第一族たる Sueborum caput として、指導的地位を有したのであつた。(3) かやうな祭祀による諸部族の盟結關係は、その起源において諸部族が同一の部族であつた痕跡を示すものであつた。狹い共同態たとへば百人組の内部において成員の出生による增加がみられる場合、もつとも廣い共同態としての Völkerschaft の擴大・膨張を齎らし、この部族の中の統制組織たる民會がもはや部族の統制機能を發揮し難くなるに及んで、これまでの Völkerschaft は實際の生活共同態 Lebensgemeinschaft たる性格を失ひ、Völkerschaft そのものの分化を來し、そこには古き同族たることと共同の名稱を有することのみが殘り、法的紐帶は消滅したのであつた。(4) かくして幾つかの Völkerschaft が分立し、それらの成員がより廣い統一體を意識するのは少くとも祖神の共同の禮拜においてであり、またそれを要求するのは諸部族が共同の敵に對してであつて、このやうな場合には祭祀に伴ふ供犧（イキニエ）の集會がそのまま共同の軍隊を構成するに至つたのである。(5) ゲルマンにおいては國民 Volk と軍隊 Heer とは全く同義であるといはれ、その政治的構成は軍隊編制の構成であるといはれて謂はれてゐる。かやうな軍事的目的により諸部族がその血縁による本來的な同盟關係を結び、それが繼續的に高き統一體にまで統合せられた場合、ギールケは同盟組共同態 Bundesgenossenschaft と謂ひ、未開時代のザクセン人や後の時代のフリース人に之を見出してゐる。(6)

（1） Sihröder-Künssberg, Lehrbuch der deutschen Rechtsgeschichte, 1932, S. 15.
（2） Brunner, op. cit., 5. 157.
（3） Schröder-Künssberg, op. cit., S. 15.
（4） Gierke, Das deutsche Genossenschaftsrecht, I. Bd., S. 46.
（5） Schröder-Künssberg, op. cit., S. 19.
（6） Gierke, op. cit., I. Bd., S. 47.

Völkerschaft はローマ人にとつては主權的な國家機構として觀られたのであるが、ゲルマン人にとつては、なんらかの機構を示す Staat とか Gemeinwesen といふやうな觀念は存せず、Völkerschaft はその上にいかなる主人も國體をも認めない自由人達の組共同態であつた。Völkerschaft は封鎖された政治的な國民共同態であつて、かやうな國民共同態は人的結合態ではあつたが、すでに流浪社會の上に形成されたものではなく、ギールケは一定の領域 Gebiet すなはち土地 Land を内含する觀念であつたといつてゐる。(1) それはゲルマン人の社會が早くから農業社會として發達してゐたこととの必然的な結果であつて、(2) 遊牧社會におけるやうな純粹に人的結合態として考へられてゐたのではなかつた。(3) Land なる觀念は本來、農業社會を基礎とする「經濟的利用の地面」を意味するものであつた。(4) Völkerschaft の觀念と名稱はかやうに土地を包含してゐたけれども、その本質においては彼らが定住してゐる空間に限定されてゐるものではなく、ギリシアの都市國家のやうに故鄕の圍壁 Mauern der Heimat に拘束されてゐるものではなかつたとともに近代國家の如く一定の領域に不可分に結合されてゐるものでもなかつたのである。トゥルンヴルトは同族或ひは同族の連合體がまづ最初に政治的權力の擔ひ手として現はれ、この政治的權力はいかに無力であるとしても、このやうな集團は領域 Gebiet に對する要求を伴ふもので、一定の領域では他のものを許容しない高權的な要求を生じ、集團の獨立性といふ意味での政治的主權が成立するといつてゐるが、この意味においては Völkerschaft が一つの政治的な集團であるといふことによつてすでに一定の領域に對する排他的な支配の要求を有することは當然であつたと思はれる。(5)

一面において Völkerschaft の性質は血緣的な血族 Geschlecht そのものの擴大されたものではなく、Völkerschaft は傳說の中で共同の血統の追憶 Errinnerung の中に生きてゐるものであつて、血族の中に含れてゐる家族法的組織は取り入れられなかつた。血族の中からは Genossenschaft の觀念のみが純化され、一般化された形態において Völkerschaft の中に繼承されたものにすぎなかつた。(6) ギールケは後に觸れるやうに組共同態 Genossenschaft の觀念に對しそ支配態 Herrschaft の觀念を對立せしめ、支配態の原型は家族の中の親子關係にあり、從つて家族の擴大されたものとしての血族には支配態の要素を認めるのに對して、組共同態としての Völkerschaft には之を認めなかつたのであつた。Völkerschaft はギールケにとつては血そのものの關係を基礎とするといふよりは、共同の血統の「追憶」の中に生きてゐるものであるとされてをり、この考へ方は、後にテンニースが共同態 Gemeinschaft の原型を家族にありとし、母子關係が純粹な本能と適意 Gefüllen の關係であるのに對して、兄弟姉妹の同胞關係は本能的であるよりは、より精神的であつて追懷 Gedächtnis による結合であるとしてゐることとに聯關を持つ。(7) ギールケが Völkerschaft の組共同態たることに觸れて、それを結びつけてゐる紐帶は血の親和性 Blutsfreundschaft ではなく、國民たる親和性 Volksfreundschaft であるとしてゐるのは、(8) すでに Völkerschaft が純粹な血の結合たる家族の原理を離れて政治的な團體としての原理によつて貫かれてゐることを示したものと考へられる。

(1) Gierke, op. cit., I. Bd., S. 29.

(2) ゲルマン人が遊放民族であつたとすることは一般的に否定されてゐる。ベロー「獨逸中世農業史」(堀米譯) 昭和十九年十二頁以下參照。その限りでは、農業民族への遊放民族の征服によつて國家が生じたとするオッペンハイマーの國家起源論はゲルマンには當てはまらぬといへる。

(3) Brunner, op. cit., I. Bd., S. 157. 彼は civitas が空間的に封鎖された土地 Landschaft を含み、それによつてしばしば稱ばれたと謂つてゐる。

(4) Below, Der deutsche Staat des Mittelalters 1914, S. 130,

(5) Thurnwald, Werden, Wandel und Gestaltung von Staat und Kultur, 1935, S. 92.

(6) Gierke, op. cit., I. Bd., S. 29.

（6） Gierke, op. cit, I. Bd., S. 28.
（7） Tönnis, Gemeinschaft und Gesellschaft, 1887, S. 11.
（8） Gierke, op. cit, I. Bd., S. 30.

部族 Stamm や國民 Volk が種族の擴大・分化・併合によつて形成されたのは先史時代においてであつて、かやうな結合態は早くから自然的な統一體として存在し、行動してゐたものであるが、その統一體が內部において自覺され、法的組織を形成するに至る前に、すでに外部からは統一體として把握されてゐたのであつた。[1] Völkerschaft がローマ人から civitas として把握されてゐたのがそれであつて、Völkerschaft はゲルマン人の政治的單位であつたが、そこには目に見える國民、すなはち、フランス人、サキソニア人、フリース人などがあつたのであり、ゲルマンの國家はたかだか共同態國家 Gemeinschaftsstaat であつた。[2]

Völkerschaft は奴隷制の存在することを除外すれば自由人の全く平等なる結合體であつて、自由なる仲間の連合 Summe であつて、このやうな仲間から區別される國家なる抽象體はローマ人の如くには知られてゐなかつたのである。[3] 組共同態の全體意思は、仲間の總員の個別意思の連合から遊離して形成されるものではなく、總員の個別意思が合するときに全體意思は成立するものであつた。總員が合して意欲し、行動するときに、組共同體そのものが意欲し行動するものとみられた。全體意思は總員の獨立なる個別意思の單なる連合ではないが、總員から離れた第三人としての抽象的な全體の意思ではなく、總員の個別意思の連合であつて、しかも、この個別意思の連合の中に、個別意思を拘束し、制限するより高い意思の秩序が具現し、全體意思となるものであつた。(4) 全體意思は多 Vielheit にして一 Einheit なる意思であり組共同態は内部的には多にして、總員に癒着し、總員から遊離した抽象的第三人ではないが、外部に對しては一であつて、獨立の一體として把握されたのである。全體意思は頭數の多く Vielköpfig して、しかも統一的な集會 Versammlung の意思であつた。(5) 從つて Völkerschaft においては、その社會生活の中心たる民會 Landesding が軍隊としてであらうと、裁判所としてであらうと、感覺的な方法において決議し、行動するとき、Völkerschaft そのものが、從つて國民全體が意欲し、行動するものと見做されたのであつた。(6)

Völkerschaft はなによりも平和團體であり、國民平和の所有者であつた。外部に對しては敵對行爲 Fehde に代はる戰爭を以て、國民平和を守り、この戰爭は全體が決議し、遂行したので、國民 Volk と軍隊とは同一の概念であつたとギールケは謂つてゐる。(7) それは又内部に向つては裁判を通じて國民平和を守り、そのことにより裁判團體として法團體として考へられた。(8) Völkerschaft はさらに生活の重要な利害關係のための團體であり、禮拜 Kultus と祭司 Priesterthum の德義的・宗教的團體であつた。かやうな團體の神經ともいふべきものは民會に他ならなかつた。(9) 民會は一般に Ding と稱ばれてゐたが Völkerschaft の民會 Landesgemeinde はローマ人によつて concilium と稱ばれてゐた。多くの Völkerschaft の諸民會は繼續的組織としては本來、供犧の集會 Opferversammlung としてのみ現はれてゐたがもろもろの Völkerschaft の合併から大部族が形成されるに至つて、部族の民會は Lagthing 或ひは Landsthing として現はれた。民會が犧牲の集會であることからいつて、神々によつて淨められた聖地において開かれ、自由人達は武裝して集つたのである。民會は軍隊の集會であり、閱兵式であつた。そこで議せられたのは第一に戰爭と講和であつたが、また君主の選擧と承認を行ひ郡の首長を選定し、戰爭に際しては將軍を決定したのであつた。民會の本來の性質により、その開會は宗教的儀式で、平和の誓約と平和を破壞するものを罰することが司祭者によつて誓せられた。議事の進行はおそらく君主を戴く部族にあつては君主、さうでない多頭政の部族では郡の首長が司祭者によつて行はれたものと考へられる。

（1） Gicre, op. cit, I. Bd., S. 26.

（2） Schwerin, Freiheit und Gebundenheit im germanishen Staat, 1933, S. 6. ギリシアの國家を意味するポリスも人的共同態であつて、そこではアテネ人、テーベ人、コリント人と共同態とは同一概念であつた。

（3） Gierke, op. cit. I. Bd., S. 45.

（4） Gierke, op eit., II. Bd., S. 476.

（5） Ibid., S. 476.

（6） Gierke. op. cit, I. Bd., S. 44.

（7） Ibid., S. 30.

（8） 支那においては司法官は蠻夷のために設けられたもので、禮記に「禮制は下庶人にまで施行されず、刑法は上太夫にまで適用されず」と謂つてゐるが庶人は多く異族であつて、左傳僖公二十五年の頃に「刑は四夷を威するもの」といふ點は變らなかつた。貴族に對する制裁の法は「放逐」のみであつた。刑法の起源を尙書呂刑は「昔の君は喜を以て民を化せずして刑法を制した」と記してゐる。梁啓超「先秦政治思想史」（重澤譯）七八頁以下。

（9） Brunner, op. cit., S. 178.

（10） Ibid., S. 171.

三　古代の國民君主

部族の政治的結合の範圍が包括的であつた東ゲルマンにおいては歴史時代に入るやすでに Völkerschaft は君主を戴いてゐたが、西ゲルマンにおいては民族移動に際して、強大な王政が形成されたもので、平和時代の西ゲルマンでは Völkerschaft の上に如何なる頂點も存しなかつた。少くとも民族移動の以前における東ゲルマンの君主はギールケの言葉を以てすれば國民君主 Volkskönig であつて、その政治の中心は民會にあつた。古い言語をみても國民と君主とは本源的な統一體であつて、國民とそれから生ずる支配者との區別はなく、[1]國民法と支配者法との對立はなかつた。國民の首長と國民とがいかに親和性をもつかといふことは、個々の國民が君主の血族の名を以て稱ばれたことと及び、國民の名稱が時として君主の名稱を冠してゐたことによつても明らかであつた。[2] Völkerschaft の管理と指導は本來は神々と結びついて考へられてゐる由來をもつ支配的な血族に屬してゐた。[3] Amira によれば君主の血族は神の裔であつて、國民に幸福を齎す保證を有してゐると信ぜられてゐた。[4] そのことは國民による選擧の觀念と矛盾せず、國民は支配的な血族の中から君主を選出するものであつた。もともと貴族Adelの觀念は王權と結びついたもので、貴族は王の血族であることを意味してゐた。König なる言葉がすでに高貴なる血統に結びついた概念であつて、ゴートのKuniなる言葉は血族の男子を意味するものであつた。自由人のうちの最高の階級たる血族をローマ人はnobilisと謂つた。タキッスが「君主を選ぶは高貴なる血統を以てし、將軍を選ぶは勇氣を以てする」（ゲルマニア・第七章）といつたのは、この意味であつた。アングロザクソンでは貴族とは國王の血族の男子達を意味し(5)、貴族は男系の血族であつた。貴族の觀念と君主の觀念とが不可分であることはフランク人においては貴族とはメロウング王の血族を意味し、低地フランクの動物譚でも獸の王たる獅子は貴族Nobelと謂はれてゐたことによつても判る(6)。フランクやゴートにおいて示されてゐるやうに君主の選擧は民會の聲の同意や武器の打ち合せによつて行はれた。死せる君主の血族は新しい支配者に選出されたが、王の血族を外れた選擧は無效であるといふ規範は存しなかつた。王の血族に有能なる者が求められなければ、血統に關りなく選擧が行はれた。支配者の襲位の行事は魔術の杖たる支配者杖の讓渡として行はれ、後には投槍の讓渡として行はれた(7)。君主は郡の首長とともに頭髪の様式が他と異つてをり、スウーブの君主はタキッスによれば髪飾をしてをり（ゲルマニア・第三十八章）、波立つた頭髪はメロウイング家の出なるフランク國王を意味した。(8)

（1） 國民と國王、國民と王侯との本源的な區別はゲルマンには存しなかつた。Gierke op. cit., I. Bd., S. 50.

（2） Brunner, op. cit, S. 166.

（3） トウルンワルトは家族の長たる年長者の會議に依存する首長制とともに、この指導權が一定の家族そのもの すなはち王朝 Dynastie の手に發生する場合があるとし、この場合當初は王位繼承の確固たる秩序は缺けてをり、前任者によるか年長者の會議によるかによつて定められるといつてゐることも參考になる。 T. preuss-R.Rhurnwald, Lehrbuch der Völkerkunde 1939, 272.

（4） Schröder-Kunssberg, op. cit., S. 29.

（5） ドイツの多くの國では民族移動後 Adel が出生身分として現はれ、自由人よりもより高い賠償金 Wergeld を以てその身分が保障されてゐた。貴族は戰爭と政治の功績を有しそのために尊敬をもたれた男系の同族であつた。 Brunner, op. cit. I. Bd., S. 139. しかし、君主はそれらを超してゐたので、このやうな定めはなかつた。G. Grimm, deutsche Rechtsaltertumer, 1922, I. Bd., S. 379.

（6） Ibid., S. 137.

（7） Schröder-Künssberg, op. cit., S. 30.

（8） 髮を剃ることは君主の權威にもとることであつた。 （Grimm, op. cit. I. Bd., S. 333.） 髮の装飾の外に君主を表示するものは別になかつた（Ibid., 334）。

Völkerschaft における君主に相當するものは郡におけるる王侯 Fürst であつて、王侯は郡を指揮する下級の君主であつた。君主の權威が王侯の權威に對していかなる點において異るものであつたかは必ずしも明らかではなく、ブルンナーによればローマ人によつて rex と稱ばれた君主と priceps と稱ばれた王侯との區別はその影響力の範圍について觀ることが容易であるが、その內容について觀ることは困難であると謂つてゐる。君主も王侯も軍隊指揮者であつて、君主は全國民を、王侯はその下の郡の成員を指揮するもので、君主も王侯も私兵としての扈從を有してをり、裁判官といふ點でも同樣であるといつてゐる。(1) ギールケは世襲といふ點ではかへつて君主は王侯よりも否定されるとし、王侯にあつてはすでに血統によつて選擧が血族に制限されてゐるのに對して、君主においては國民の選擧によつて血族の成員に世襲制が義務づけられてゐたもので、王の血族が死滅し追放された場合には選擧は全く自由意思によつて行はれたといつてゐる。(2) なほこの兩者の區別は Zöpfl に從へば君主の權威が軍隊の恒常的な指揮職にある點にありとされ Eichhorn によつては全國民を包含する扈從支配 Gefolgherrschaft にあるとされてゐる。君主は軍隊指揮者であつたから、君主を戴かぬ部族にあつては戰爭に際して將軍 Herzog を選出したのは事實であるが、長期にわたる將軍職と大量の屬從者は君主の權威を强めたけれども、ひとり君主のみの特質に歸すべきことではないとギールケは謂つてゐる。ギールケは結局、この兩者の區別を「王侯は仲間中の第一人者であり、君主は國民を超越して、その外に在つて、國民に對立する」ものであるとしてゐるが[3]、このやうな區別はフランク王國の時代はともかくとして、歷史の當初において認めることは困難である。君主と王侯との權力の差違は社會史の發展とともに明らかになつたものであるが、ゲルマンの古代において、この兩者の區別を認めることは容易ではない。トゥルンワルトは未開社會における王侯或ひは首長と君主との區別を前者が同じ貴族の首長中の第一人者であるのに對して君主は身分的仲間を超した決定的な影響力 Machteinfluss を行使することにあるとし、その一つの權力として君主の裁判權が同族やカストの內部における裁判權を超して通用することにも見出し得るとしてゐる[4]。君主と王侯との差違を裁判權に求めることはフランク王國時代はともかくとして、古代ゲルマンにおいては穩當ではなく國民會と君主との關係について觀ても、裁判權の擔ひ手は國民會であつて、君主の如き個的存在者に集中されてゐたものではなく、たかだか國民會に裁判高權が存在したといふ意味において、國民會の尖端にあつた君主が裁判高權に關聯して來るものにすぎなかつた。

古代ゲルマンにおいては國民會から選出された王侯に、それぞれの郡の裁判の執行權が與へられてゐたもので、裁判高權は國民會に在つたがその機能の執行は主としてそれぞれの郡において行はれた。郡の長たる王侯は、それぞれの郡においては統一體な裁判權を行使したといふよりは郡の内部における數多くの百人組會に出張して裁判權を行使したもので、(5)百人組は裁判團體として發展したものであつた。王侯は裁判官たる地位を占め、カエサルもタキッスも王侯が判決を宣告することを記してゐるが、(6)多くの部族では裁判官は法の審問者ではあるが、判決を發見するのはむしろ裁判會全體に屬するものであつた。彼は裁判の進行を指揮し、裁判會全體の同意を得た判決を宣言し之を執行するにとどまり、判決の原案は裁判官或ひは出席者の全體によつて出席者の中から選定された者が之を作製し、又は裁判會の同意を得て作製したのであつた。もとより、部族によつては裁判の決定を行つた裁判官も存したといはれてゐる。(7)このやうな者は中世においては總括して判決發見人 Uteilsfinder と稱ばれたが、それは古來の慣習法の中から適當な法を發見する者といふ意味であつた。

當初は民會に在つた裁判高權が時の經過とともに君主の一身に集中せられ、判決の發見を行ふに至つたことは事實であるが、裁判權の中に君主の特質を見出さうとすることは困難である。ギールケは否定してゐるけれども、君主の祭司的裁判官的職務に、その特質を見出さんとする見解も存するのである。しかしながら、裁判官的職務よりも祭司的職務に注意することは必要であると思はれる。ゲルマンの裁判はもともと祭祀と結合されてゐたもので、裁判の集會は犧牲の集會で、罰令Bannを行ふのは國民會にあつては祭司者であつた。(8) トゥルンワルトも認めてゐるやうに未開社會に最初に現れる第一階級は戰士者ではなくてむしろ祭司者であり(9)君主を出す貴族が神々と結びついたものとして考へられてゐるのはこのやうな貴族が祭司者の階級であつて、君主も最初は祭司者として登場したのであらうことは推測せられる。グリムも君主の權力を最高の祭司者たることに求めてゐるのである。(10)

(1) Brunner, Deutsche Rechtsgeschichte, I. b Bd. S. 169.
(2) Gierke, op. cit., 1. Bd., S. 50

(3) Ibid., S. 51.

(4) R. Thurnwald, Werden, Wandel und Gestaltung von Staat und Kultur, S. 182. 首長が専ら裁判權を行使する民族も、また集會の同意を必要とする民族もあるが、首長には裁判權のないものにアフリカ民族の Borkū Tèla などがあるしかし之は例外といへる。

(5) Schröder-Künssberg, op. cit., S. 44.

(6) タキッスの第十二章はいふ「集會においては、また郡や村落において法を宣告する王侯が選出される。各々の王侯には國民中より百人が彼の權威を強め、その諮問にあづかるために陪席する」

(7) これらの判決提案者は部族によつては Asega, Sapientes, Index なとと稱ばれたが、中世に至つて判決發見人と總稱された。Brunner, op. cit., S. 203.

(8) Schröder-Künssberg, op. cit., S. 47. タキッスは軍隊における刑罰權は祭司者にあるとしてゐる（ゲルマニア・第七章)。

(9) Thurnwald, op. cit., S. 129.

(10) Grimm, ob. cit., I. Bd. S. 338.

四　祭司者としての君主

カエサルはゲルマン人の特徴としてガリアにおいては職業的な祭司者の存在しないことを擧げてゐるが、當時においては未だ祭事と統治との分離が行はれなかつたものであらうとブルンナーは謂つてゐる。(1) タキッスはすでに君主及び王侯とは別に國民の福祉を護り、軍隊にあつては刑事裁判を管理する專門の祭司者のあつたことを傳へてゐる（ゲルマニア。第十章）。かやうな祭司者は部分的には統治權力の補助職であつたが、部族によつては君主或ひは首長が祭司者的地位を備へてゐたところもあつた。北ゲルマンの君主は國民のために神々に犧牲を奉獻する任務を有し、スウーデンでは基督敎徒の君主を放逐して、國民のために犧牲の行事を行ふ他の者を選出し、アイスランドでは政治的權力の把持者と神殿の祭司者とは結合されてをり、ワンダルでは君主血族たるサスデングの祭司血族から生じたものとされてゐた。(2)

かやうな君主の稱號と祭司職との結合は古代イタリア及びギリシアでは通例のことであつたのみならず。(3) ローマ及びラチウムの諸都市では供犧王 Sacrificial King 或ひは聖儀典の王 King of the Sacred Rites と稱ばれる祭司者があり、共和國アテネのみならず、ギリシアの民主國における單なる名義上の王は祭司的君主であつた。ローマでは、君主の廢滅ののちに、さきに君主によつて執行されてゐた犧牲の行事のために供犧王が任命されるのであつた。スパルタの君主國においても犧牲の行事は神の後裔たる王、スパルタでは二人の王のうち、一人がゼ・ウス・ラケダエモン geus Lacedaemon の祭司職を、他の一人は天のゼウスの祭司職を有してゐた。君主が祭司的職務を有することは支那の皇帝においても、マダカスカルの王においても同樣であつた。[4]

かやうな君主はたんなる祭司者として人間と神との媒介者であるのみならず、彼自身が人間を超した神性を有し、犧牲を供進することによつて得られると信ぜられてゐる國民の福祉を、彼自身が國民に與へるものであると考へられてゐたのであつた。國民が農作物を成長させるため適當な季節に雨を降らせ、日を照らすことを君主に要求するのも、そのためであつた。

君主は超自然的な魔術を有するものとされてゐたから彼の力と健康の衰へは國民の福祉と直接關係あるものとされ、國民全體の不吉と不幸を恐れるあまり、君主は殺戮されることとすらあつた。トゥルンワルトはこの關係を象徴 symbol の關係を以て說明し君主は國民の共同態の象徴であつて、象徴するものは象徴せられるものと直接の生命的な關係があるとされてゐるからであるとしてゐる。[5] 君主の老衰と病弱が國民に不吉を與へるものとして、禍ひを避けるために君主が放逐せられる例は多くの未開民族に觀られるところであつて、南アフリカ、東アフリカなどを始めとして、フレーザーは數多くの事例を掲げてゐる。(6) 高地スェーデン人には君主を選擧する權のみならず、放逐の權があるとせられ、ザクセンでは王侯は戰敗の結果神の犧牲に供せられ、スェーデンでは飢饉のために君主が犧牲に供せられたとするのも、その一例に他ならない。 南太平洋の Niue Savage Island では飢饉が襲來すると民衆は恐つて彼を殺害し、つひに何人も王位につくことがなく、王政は絕えてしまつたといはれてゐる。(7)

フレーザーは、かやうな君主の祭司的職務がそれ以前の時代において咒術師 Magician であつた痕跡としてをり、彼が金枝編 The golden Bough によつて宗敎の起源を咒術によつて說明したことに對してはラング、ジェヴォンスなどによつて反駁をうけたことであるが、(8) 君主の起源を咒術師に求めることもたしかに一つの考へ方であらう。

（1） Brunner. op. cit., I. Bd., S. 171.

（2） Ibid., S. 172.

（3） 君主の主たる機能は宗敎的儀式を行ふことで、祭司者たることを失つた君主はもはや君主ではなかつた。この祭司君主は宗敎的儀式を以て王位に上つたのである。 Fustel de Coulanges, La Cité antique (Librairie Hachette) p. 203.

（4） 氏族制はすでに末期にあつたと傳へられるが、商にあつては、商族の長たる王は、全族が祭祀をなすとき、祭司者の下

に立つたのである。揚幼炯「支那政治思想史」（波多野譯・昭和十一年）

（5） Thurnwald, Werden, Wandel uud Gestaltung von Staat und Kultur. S. 171.

（6） I, G. Fraser, The Golden Bough, a study in Magic and religion, abridgd ed., 1925, p. 87.

（7） Ibid., p. 87 なほ詳細な事例はI. G. Frazer, The Dying God（The Golden Bough, III part, III, ed.） pp. 14-46.

（8） フレーザーは最初宗教は呪術の形態によつて始まるとし、漠然と呪術を宗教の形式の如くに觀てゐたのであるが、「金枝篇」の第二巻からは呪術のみの時代が先にあつて、その後に宗教時代が來るといふ呪術先行説を唱へた。

最低の未開なる民族においては首長も王も存せず、そこでは老年の有力者よりなる合議機關によつて統治せられるのが通例であつて、この統治の形態は老人政Gerontocracy と稱ばれてゐる。部族の事務を決議する長老は通常トーテム集團の族長であつて、オーストラリアにおいてはトーテム集團の族長はトーテム增殖のための咒術儀典を執行する重要な職務を有し、咒術師たることが要求せられ、その主なる役割は雨を降らせることであつた。アフリカの諸部族においてはすでに首長制も王制も發達してゐるが、彼らは咒術師ことに雨乞司 Rain maker から發達した痕跡を示してゐるといはれる。首長の權威は彼が雨を作ることの出來ると信ぜられてゐることにあり、首長は降雨によつて富を得るが、旱魃に際しては怒つた民衆によつて降雨を妨げるものは彼であるとして追放せられ、殺害せられるこ

とがあつた。之に反して天候の順調な場合には穀物や家畜が贈物として彼に捧**げられた。**上ナイルの諸部族では首長は呪醫 The medicine man であり、雨乞師であつて、その職は世襲であつた。西アフリカのファン部族にあつては首長と呪醫との間には判然たる區別は認められなかつたと謂はれ、マレイのラヂアも呪術師から發達したと認められる痕跡があり、マレイのセランゴールではヨーロッパ人の地方官に對して稻作の成否の責任が課せられる例をフレーザーは揭げてゐる。(1)

ホーマーに現れたギリシア王の統治は果實の收穫、家畜の増殖と聯關あるものと考へられ、ブルガンディ人は農作物の不作の結果を王に歸して之を追放し、古代アイルランド人は王がその祖先の習慣を守るならば農作物は豐富に收穫せられると信じてゐた。これらの事例は王が呪術師から發達したものであることを裏書きするもので、最初は王は呪術師として出發し、呪術師の階級が社會全體の福祉の源泉であるとして、民衆の信賴を受け、しだひに權力者の地位に上つたものと考へられてゐる。トーテムを増殖することは本來はその集團に屬する男子の職務であるが、トーテムの制度が廢れて來ると、トーテムの増殖を目的とした古い呪術の儀式が男子の集團よりも、むしろ一定の家族によつて行はれる傾向があるとさ

(ヌ)れ、漸次にかやうな儀式の執行權が特定の個人に限られるやうになり、その權利は世襲せられる。　呪術は個人によつて行はれ私的な目的のためにも行はれるが、呪術の儀式が行はれる場合には多少とも集團全體の福祉が祈られ、公的呪術の性格を帶びたものであつて、公的呪術がその部族のために行はれる最も重要な儀式は天候の調節、ことに降雨の保證であつた。　呪術の儀式に部族全體の福祉が懸けられてゐると考へられる場合、呪術師に對する信頼と尊敬は、呪術師の權威を高めるに至ることは當然であつて、就中呪術の行事が一定の個人に集中せしめられるに至つては、部族の中に權威者を生ぜしめる結果となつたのである。　君主政は未開社會が文化的な段階へ發展するための必然的な形態であつたとするならば、原始的な民主政を君主政に轉換せしめたものは公的呪術師の發生であつたとすら謂ふことが出來る。

呪術の虚妄はしかしながら、しだひに人々に明らかとなるのは當然であつて、自然の運行を人類の福祉のために支配せんとする呪術師の企圖は自然の事實によつて失敗に終るに至る。　ここにおいては呪術師たる君主は呪術師たることとそれ自身が自己の民衆に對する信頼の桎梏となり、かへつて君主の權威を危くするものであることを自覺するに至り、自ら天候を整調し、支配せんとする企圖を放棄して超自然的な神を認めて之に福祉を訴へることによつて同一の目的を實現せんと試み、自ら咒術師たる地位から祭司者としての地位に變貌することが有利となつたのであり、宗教はここにおいて發生するといふのが、フレーザーの咒術先行說であつた。ゲルマンにおける祭司者としての君主もそれ以前においてはかやうな咒術師であつたとすることも或ひは可能であらう。

（1） Frazer, The Golden Bough, abridged ed. p. 88.「金枝篇」（永橋譯）昭和十八年・一八六頁、なほ邦譯は採錄本の譯である。

（2） このことと土地所有權の發生は聯關があるらしいとハッドン A. C. Hadden, Magic and Fetishism. 1910.（植木謙英譯八四頁）は謂つてゐる。この咒術能力を持つ家族がゲルマンにおいては神々に結びついて考へられてゐる支配的な血族たる王族として考へられるであらう。

（3） The magic Art and the Evolution of Kings vol. I, (The Golden Bough part.I) 3 ed., p. 371.

König といふ言葉は本來、國民長 Volksvorsteher, Volkshaupt たることを示す言葉であつてベローによれば古代より中世に至るまでも、つぱら國家結合態の長 Vorsteher たる公職者 obrichkeitliche Person を意味したもので、權力的な土地領主 Grundherr の如きものを意味したのではなかつた。König なる言葉が權力的なものを意味するに至つたのは一つには後に記すやうにローマ的觀念の移入によるものであつた。君主は國民の受託者 Beauftragter であつて、Sickel の諺にあるやうに「君主は國民に屬するが、國民は君主に屬しない」ものであつた。すなはち、君主政は國民共同態の利益においてのみ存在したものであつた。

ギールケは先に述べたやうに否定してゐるけれども、君主が他の官職と區別せられるのは、べローの謂ふやうに一つには君主を出す支配的な血族が前提とされてゐることに在るであらう。このやうなカスト的區別は神に近い血族とさうでない血族の區別であつて、おそらく、この君主の血族は祭司職にあづかる血族でなかつたかと思はれる。べローは君主の特質をさらに、平和金 Friedengeld を受納する點に求めてゐるが、これは國民國家においては國民に歸屬するもので、ゲルマンの君主が有してゐた唯一の權利とも言ふべきものであつた。君主は宣戰媾和につい ては、その管理をなすのみで、その意思決定は裁判の判決や役人の選出と同樣に、すべて國民會の手に歸し、君主の裁判權なるものは當初には全く存しなかつたし、君主の平和 Königsfrieden なるものは存しなかつた。その中にあつて平和金の受納は君主の有する僅かな權利の一つであつたが、それは君主の平和と君主の裁判權とが形成される最初の萠芽であつたと觀られるのである。

（1） Below, op. cit., S. 141.

（2） 王侯は貴族から選出されたとしても、一定の定つた血族に拘束されなかつたとベローは謂つてゐる。 Ibid., S. 161.

（3） 3. Schröder-v. Künssberg, op. cit., S. 31.

第二章　支配現象の發生

一　民會の全體行爲

イエルザレムは人と集團との關係に二つの形態を認め、一つは嚴しく構成された集團が在つて、總ての成員が集團行爲 Kollektivakt に協力するときにのみ、集團が機能を現はす場合であつて、この場合、人は集團の擔ひ手であるとし、他の一つは集團の成員が集團精神 Kollektivgeist に則つて行動する時においてのみ、集團の擔ひ手であると共に、集團の内部においてその行爲が通用する場合であつて、この場合人は、集團精神の内容である、といつてゐる。　發展史的には前者から後者へと發展したもので、最初に集團の存在は全體行爲 Gesamtakt にのみ現れ、そこでは成員は精神的統一體の中に自己を融け込むのである。　個々の成員が集團生活の擔ひ手であるのは、かやうな全體行爲の限界内においてであつて、その外においては單なる生物的存在たるにすぎないのであつた。 しかるに社會の發展により全體行爲の外に精神生活が可能となるや、個々の成員は各自集團精神の獨立した擔ひ手となり、集團の存在は擴大されて、集團はあらゆる個々の成員の中に現はれ、成員は個別的に集團の代表者となる。(1) 血族の成員への侵害が血族全體への侵害と見做され、加害者のみならず、加害者の屬する血族全體に對する復讐行爲に出るのは、加害者と被害者との個別的行爲がそのまま血族全體の行爲として考へられ、彼らは集團の代表者と考へられてゐるからに他ならない。(2)(3)

ゲルマンの民會はここにいふイエルサレムの集團行爲或ひは全體行爲であつて、Völkerschaft なる集團は總ての成員が集合するとき、すなはち集團行爲たる民會においてのみ意欲し、行動するものであつた。 組共同態たる Völkerschaft はいはば常時存在する抽象的な團體ではなく、むしろ成員の中に分散してゐるものであつて、成員が集合するときに始めて成立するものであつた。 民會が行動する時に Völkerschaft は成立するものであつた。 しかしながら民會は組合的機關 kollegiale Organ でもなければ、個人の單なる連合 Summe でもなく、民會の集會するところには、個々の成員の個別意思を超えた意思秩序としての全體意思、イエルザレムのいふ集團精神が現れるのである。

（1）フランツ・ウイルヘルム・イエルザレムはシエパンの立場に近い普遍主義の立場に立つもので、これを集團主義 kollektivitisch と稱んでゐる。彼には、なほ Grundjlage der Soziologie, 1930 なる著書があるが、知識社會學のイエルザレムとは別人である。

（2）Franz. W. Jerusalem, Soziologie des Rechts, I. Bd., 1925, S. 382.

（3）一つの群が他の群にとつて統一體として把握され、その一員の行爲がまづ第一に、その個人に對してはなく、彼の屬する群に對して、善きにつけ惡しきにつけ歸せられる。それは群の連帶的拘束性である。（Vierkandt, Gesellschaftslehre, 1928, S. 422.）

イエルザレムは集團の生活において、とくに集團行爲においては總ての成員が同量の關與をなすものではなく、集團の成員の間に强者と弱者との對立 Gegensatz を認めてゐる。集團行爲において主動 Initiative と追從 Anshluss の區別が生れやがて、それは主動と模倣 Nachahmung として明らかに分離するに至る。主動と模倣は相互補充の現象であつて、ここに强者と弱者との緊張 Spannung の關係が生じ、主動は精神的體驗の强者たることを意味するに至る。最初は强者の主動に對する强者の追從であつたものが模倣となり、模倣からやがて服從が生ずる。[1] 主動の擔ひ手はイエルザレムにおいては集團的最大限 kollektives Maximum の擔ひ手と稱ばれ、模倣の擔ひ手は集團的最少限 kollektives Minimum の擔ひ手と稱ばれるが、[2] それは集團行爲が最大限に體現せられる强者たると否たるとを示す概念であるとみられる。かやうに封鎖された共同態の中においても、その成員の總てによつて主動と指導を獲得するための繼えざる競爭が行はれるのであつて、成員が全體に拘束されるのは意思なき單なる道具の意味ではないと謂つてゐる。

弱者が强者に手本を見出し、模倣からやがて服從 Gehorsam が生ずるとしてゐるイエルザレムの見解のうちには、封鎖した共同態の中に、ことに、その全體行爲のうちに、トンニスのいふ「不等」Ungleichheit の關係が生ずるとするのである。ギールケは組共同態と支配の觀念とが相容れぬものとし、支配結合體 herrschaftliche Verband を組共同態から區別してゐるが、イエルザレムはギールケの謂ふ支配結合態を封鎖した共同態の特殊の現象として指導者共同態 Führergemeinschaft と稱んでをり、全體行爲が「集團的最大限」の擔ひ手の中に集中され、之に對して他の成員が全く受身の役割をなすときギールケの謂ふ支配結合態が現はれるとしてゐる。[3] イエルザレムは支配と服從の關係を全體行爲の內に認め、封鎖された共同態の中に本來含まれてゐる關係と觀てゐるのである。

支配結合態はギールケによれば、組共同態における總員に代つて唯一者の現はれる共同態であつて、この唯一者は抽象的な理念の擔ひ手としてでなく、感覺的に生ける人格であつて、主人 Herr であり、結合態の總ての法的統一體を體現するものである。 共同態における平和、法、權力は彼から發し、組共同態においては全體意思、選擧、判決發見人 Urteilsfindung が通用するのに對して、彼の意思、彼の全能、彼の指令、彼の決定が通用する。 彼のみが外部に對しても内部に對しても結合態を代表し、財産法關係においても、組共同態では、全體の權利となつてゐるものが、彼の統一的權利とされてゐる。 かやうな支配結合態は僅かな端緒から漸次に全國民の生活を獲得した。 この發展は組共同態の歴史にあつては二つの關係をとつたもので、第一は支配結合態が古き組共同態と鬪爭し、之を破壞したのであり、第二には支配結合態が組共同態思想を取り入れ、それによつて變化し、最後に融合してしまつたのであつた。 ギールケはかやうな支配結合態の原型を組共同態のそれとともに家族 Familie のうちに發見してゐる。 彼は組共同態が血族 Geschlecht の模倣と擴大であつたやうに、支配結合態は家 Haus の模倣と擴大であるとしてゐる。 自由人はより高き全體の成員にすぎなかつたが、家において彼は主人であり、裁判官であり、祭司者であり、平和と法の擔ひ手であり、防衞者であつた。 またさらに次のやうに謂つてゐる。ドイツの家はあらゆる時代及び民族におけると同様に統一體として構成されてゐる。家長のみが結合態の平和と法の源泉であり、把握者であり、保護者であつて、外に、向つては結合態の統一體を專ら代表する。その保護權 Mundium によつて家族構成員を外部に對して代理し、防衞し、内に向つては家共同態より發する權力の及ぶかぎり家族構成員を支配する。彼は主人であつて、他の者は之に奉仕する。家の裁判權、家の祭司職及び負債と緊急の際に家人を讓渡して之を充す權は彼にのみ歸屬するとしてゐる。(5)

ギールケにあつては家 Haus と家族 Familie とは別の概念であつて、支配結合態の原型が家族のうちに見出されるといふのは廣義の家族の概念に含まれる狹義の家族、すなはち家を意味するもので、支配結合態と對立する組共同態の原型も同様に家族に見出されるとしてゐる場合には、廣い意味の家族を意味し、家族群 Familienkreis 或ひは血族 Geschlecht を意味してゐるのであつた。從つて支配結合態と組共同態との對立はすでに家族のうちに存するが、前者は家共同態 häusliche Gemeinschaft に、後者は血族のうちに見出されるとしてゐるのであつて、一つの家の中に同時に支配結合態と組共同態の原型を見出してゐるのでは無かつた。

（１）F. W, Jerusalem, Soziologie des Rechts, I. Bd., S. 320.
（２）Ibid, S. 383 イエルザレムのこのやうな考へ方の中にはタルドの思想の影響がみられる。
（３）Ibid., S. 384.
（４）Gierke, op. cit., I. Bd., S. 89.
（５）Ibid., S. 15.

ギールケはしばしば組共同態に對立する概念としての支配結合態の觀念に代へて支配 Herrschaft なる言葉を用ひてゐる。(1) この場合の支配とは組共同態に對立する定型の概念として用ひられてゐるものであつて、いはば支配態とも謂ふべきものであらう。しかしながら、このことは定型としての組共同態には支配なる要素が含まれず、支配なる現象は定型としての組共同態の中には成立し得ないものであることをも意味してゐるのであらう。ギールケが定型としての支配結合態から區別される支配なる觀念をいかなるものと解してゐるかは必ずしも明らかではない。テンニースは能力、意欲。權力、權威などの本質的な不等 Ungleichheit の關係の中に支配關係が成立するものとしてゐるのであるが、(2) ギールケにおいては、支配なる觀念が、單なる「不等」の關係としてのみならず、「目に見える」sichtbar 個的支配者を前提としてゐる如くである。少くともゲルマンにおいて支配現象が形成されたと觀る場合には、君主或ひは家長の如き、目に見える」支配者の發生を意味してゐるもので、そこに考へられてゐるのは抽象的な「不等」の關係でなくて、具體的な個による支配であつた。彼はゲルマンの國民君主 Volkskönig において、國民統一體の一部が君主によつて表現せられるや、組共同態的構成はその限りでは侵かされてゐるとしてをり(3)、君主がフランク王國におけるやうな主人 Herr としてでなく、國民君主として裁判官であり、將軍であつた當時においても、組共同態は侵されてゐたものと觀るのであつて、君主なる優越的な個的存在そのものが組共同態とは相容れぬ概念であると觀てゐる如くである。「組共同態的君主政 genossenschaftliche Königtum から支配態的君主政 herrschaftliche Königtum へ」なる表現を用ひてゐるが(4)、眞の組共同態は本來、君主の存在を許容しない譯である。定型としての組共同態は支配なる觀念を容れないものであるが、現實態としての組共同態が支配現象と結合するものであることはギールケの說く所である。

イエルザレムは封鎖された共同態における全體行爲の内部において、すでに强者と弱者との對立による緊張の關係を認めるものであつて、彼に從へば國民君主は全體行爲の内容における强者であつて、共同態の全體行爲そのものの存在は否定されてゐないのである。—之に對してギールケにあつては、組共同態の生活の中心がイニルザレムの謂ふ全體行爲たる民會に存するにもかかはらず、たまたま東ゲルマンの如く君主を戴く部族では、すでに組共同態はその限りにおいて侵されてゐるものと觀るのであるから、純粹な組共同態たることを否定せねばならないのであつた。　全體行爲たる民會が國民生活の中心であつて、君主はそれに拘束せられる場合であつても、君主なる個的存在そのものは、一つの支配現象の發生と觀られて、組共同態たることが破られてゐるものと考へられてゐるのであつた。　ゲルマンの君主はそれが祭司者としてであらうと、軍隊指揮者としてであらうと、ギールケの見解をつきつめるならば、君主の發生はすでに支配態の萠芽を意味し、ゲルマン社會の組共同態的構造を破るものとして考へざるを得ないのである。　しかしながら、ゲルマンの君主が今日の意味での君主たる支配者となつたのは民族移動を通じてであつて、民族移動を基準として、それ以前の君主とそれ以後の君主との間には支配現象の質的な發展を認めねばならないのである。　ギールケは古代より、中世へのゲルマン國家の發展を組共同態における支配結合態の擴大の過程として觀てをり、この發展の過程には支配現象の質的な變化轉換を認めてゐないのである。支配現象に對するこのやうな形式的抽象的なるギールケの把握の仕方は彼が支配結合態たる國家の原型をそのまま家の構造の中に見出さんとしたことにも現はれてゐるのであつた。

(1) Gierke, op. cit., I. Bd., S. 12. 150.
(2) E. Tönnies, Einführung in die Soziologie, 1931, S. 34.
(3) Gierke, op. cit., I. Bd., s. 101.
(4) Ibid., S. 102

二　父權家族と國家

ギールケは支配結合態 Herrschaftsverband の原型が家に求められるとしてゐるが、それは國家の統治現象がすでに家の管理 Haushaltung の中に見出されるとするプラトン以來の見解と共通するものであつて、(1)この見解を詳細に分析して示してゐるのはトンニースであつた。(2) テンニースが共同態 Gemeinschaft の原型と觀た家は父權的家であつて家父の中に「共同態における支配の理念」Idee der Herrschaft in gemeinschaftlichen Sinne を見出してゐるのである。彼は共同態の基礎となる諸關係が出生の血統による結合關係にあるとし、母子、夫婦、同胞の三つの關係を擧げ、この本源的な自然的な關係に、さらに他の要素の加はつた統一と完成の關係が父子關係であるとしてゐる。(3) 父子關係は本能的性質が弱く、深密度と繼續性においても母子關係に劣り、單なる權力と實力の關係として夫婦關係に近づくが、(4) 父子關係がいくらかの強さを有してゐるとすれば、その性質の精神的なるが故にであつて、同胞愛に類似する。父子關係は年令及び精神力を含む諸種の力の「不等」Ungleichheit なる點においてもつとも純粹なる「共同態における支配」であり、この支配は父のための使用處理ではなく、生殖の完成としての敎育と敎へを意味する。(5) テンニースは支配を共同態と利益社會のいづれにも生ずる關係と觀てをり、共同態は本質意思に基く肯定關係であつて、利益社會の如く形成意思(選擇意思)による肯定關係(結合關係)ではないから、對等ならざるものの間に存する結合關係であつても、個的存在の利益のためのかやうな支配關係は「共同態における支配」ではないのである。彼は「不等」は現實には共同態の內部における權利義務の大少によつて現はれるとし、かやうな「不等」には限界があり、それを超えるとき、差別者の統一體としての共同態の本質は失はれるとしてゐる。(6) テンニースが「共同態における支配」といつてゐるものはギールケの謂ふ支配結合態に當るものと觀られテンニースはかやうな支配の原型を父の權威 Würde のうちに見出してをり、その發展したものとして君主の權威を理解してゐる。 テンニースにおいては「血の共同態」は發展して、共同定住をその直接の表現とする「場所の共同態」にまで分化するものとしてゐるが(7)「血の共同態」の內部における自然的な權威が父の權威に集中されてゐるやうに「地緣共同態」における君主の權威が自然的權威であるとしてゐる(8)。 このやうなトンニースの見解を通じて、ギリシア・ローマ以來の國家の支配現象を家の中に觀る考へ方の中には父權家族における父權と君主政における君主權とを同系統のものとして考へる思惟が秘められてゐることを知るのである。

(1) この考へ方は今日の政治學者のうちにも繼受されてゐる。戶澤鐵彥「政治學の本源と其の將來(一)」(國家學會雜誌・第百十七卷第十一卷所載)參照。プラトンはポリテイコス(ポリスの爲政者)、王、家長、奴隸支配者の支配はその本質において同質的で、量の差違にすぎないとしてゐるが、これに對してアリストテレスは「ポリテイカ」の中でこの考へ方に批評を加へてゐる。

(2) トンニースがギールケの思想の影響をうけたことについては新明正道「ゲマインシャフト」(昭和十二年)十九頁。

(3) Tönnies, ibid., S. 10. 母子關係は純粹な本能と適意 Gefallen のもつとも深きものであつて、この精神的結合は溯れば溯るほど肉體的結合にまで至る。母子關係は子の成長するまで養育することにおいて長く繼續する(Ibid., S. 9)

(4) テンニースによれば夫婦の關係の基礎である性慾は繼續的共同生活を必要とするのではなく相互關係よりも自由なく單なる占有の對象たるものへの一方的な隷從の關係であり、むしろ相互的な肯定する繼續的關係の形成のためのなじみ（Gewöhnung）によつて支持されてゐるものである（ibid., S. 9.）

(5) テンニースは支配を共同態或ひは利益社會のいづれかに固有のものと觀てゐるのではなく、そのいづれにも生ずる關係と觀てをり、共同態は本質意思に基く肯定關係であるから、對等ならざる者の間に存する肯定關係を共同態の意味における支配關係とみてゐる。それは支配關係そのもののために要求されるもので、利益社會は形成意思の肯定關係であるから、それが不對等者において肯定關係の存する場合には利益社會における支配であり、それは支配關係そのもののためにでなく、利益そのもののために要求されるものである。之に對する高田保馬博士の批評は「社會關係の研究」（大正十五年）二六三頁・三四九頁參照。

(6) 上に向つては自己の權利があまりに大となれば全體の關聯がどうでも良くなり、無價値となり下に向つて自己の權利があまり少となればそれは、非現實的なもの無價値なものとなると、テンニースは謂つてゐる（Ibid, S. 19）

(7) 場所の共同態はさらに精神の共同態に發展するものとテンニースは謂つてゐる（Ibid., S. 19）。

(8) さらに實力の權威は戰爭に現れるものとしてゐるが、彼は君主を戰爭指揮者として理解してゐるものと考へられる。（Iid., S. 17）

人類社會の起源は家族であつて、それより漸次に國家は發達したと觀るのはアリストテレス・キケロ以來の考へ方であるが、(1) この場合の家族とはギリシア・ローマの現實の家族形態であつた父權的家族を基礎とした思想で、國家を家族の發展と觀る思想は父權社會を前提としてゐるものである。ギールケが團體法論の中で支配結合態の原型を家族に觀たのも、トニースが共同態と利益社會の中で家族の中に共同態の起源を見出してゐるのも、ひとしく父權社會の存在を前提としてゐるものである。　父權社會の以前に母權社會の存在せることはモルガン Morgan マクレナン Maclenan バコーフェン Bachofen、などの主張するところで母權社會においては亂婚と集團結婚によつて家族卽ち親子關係の集團を否定せんとしたのであるが、このやうな集團結婚說はウエスタアーク Westermark ボアズ Boas クローリー Crawley グロッセ Grosse などの著作によつて反駁せられ、今日ではマリノウスキ Malinowski ロウイ Lowie ケルレル Keller など父權家族を社會の起源として主張する學說はむしろ支配的である。　かやうな問題の解決はここでは除外しなければならないが、ゲルマンにおいては、少くともタキッスの時代には父權社會であつてゲルマン國家の形成はこの社會的基礎の上に行はれたものであつた(3)。　國家の形成が父權社會の上に行はれたことは事實であるとしても、そのことを以て國家が父權家族の發展擴大であるとはもとより言ふことは出來ない。　國家の家父長說 patriarchal theory は一つには原始的家族が父系にして、父系の血緣が家長權 patria potestas を有するといふ主張とともに、國家が血緣的な紐帶によつて形成されてゐるといふ一つの政治的主張を伴ふもので、(4)この點においては國家が血緣的紐帶を基礎としてゐるものではないとする批判を當然にうけねばならなかつたのである。

familia なる言葉は古代イタリアの Oscan 族の famus なる奴隷を意味する言葉から生じたやうに、ローマ法においては生ける財產たる妻、子、奴隷及び死せる財產たる土地及び動產を意味したもので、(5)法律關係はその家長の權力によつて表現せられた一つの權力團體であつた。そこでは成員の平等は見出されなかつたのである。權力的な支配團體としての國家をおいてであらうが、しかし、その權力團體としての家の他に類似性を見出すことは出來ないであらうが、おそらくこのことを以て國家が家族から發展、擴大したものであると觀ることはもとより不可能である。

トウルンワルトによれば未開社會においては今日いはれる意味での國家もまた家族も知られてゐないと謂つてゐる。男子が狩獵と捕獲に、女子が收獲と農耕に從事する部族の家族關係は同族 Sippe の中に生じたもので、かやうな同族及び同族の連合體はしばしば政治權力の擔ひ手として現はれたのであつた。(6)古代の氏族制社會においても社會構成の單位は家族ではなく、同族であつた。從つて國家も家族も同族から發展した概念であつた。　父權的家族と國家とが支配結合態たる共通の性格を有するとするならば、それは父權的家族から國家が形成されたのではなく、その一つとしてはこの兩者の經濟的基礎が所有權の形成に關係あるといふ共通の性格にも求めることが出來るであらう。(7)

民族移動に至るまではカエサルの記すやうに血族團體おそらくそれは同族にあたるものと考へられるこの團體が經濟的機能の主體であつて、私所有權は形成されてゐなかつたであらうが、私所有權が個別家族に分割されるに至つて、まづ最初に父權に屬したのは土地所有權であつた。　ゲルマン法の三大法典である。　ザリカ法 Salische Recht リプリア法 Ripuarische Recht ゲルマン法 Thüringische Recht の三大法典はこの間の事情を示してゐるが、動産は母系相續によるのに對して、土地所有權は家長權とともに父權に屬し、父系的相續法が行はれたのであつた。　私有財産制の確立は少くとも父權の支配を好都合ならしめ、個別家族の形成を促進したものであるとヴントは述べてゐる。(8)　このやうに民族移動が孤立家族の成立を前提とする私有財産の形成を促進せしめたとともに、他方においては國家の形成がこの機會に行はれたといふのが多くの學説によつて支持されてゐるところであつて、ここに父權家族の成立と國家の形成とが史的聯關をもつものであることを知るのである。強力な政治的指導體の形成は富の發展に關聯があり、私有財産の成立、少くとも孤立せる家族或ひは同族の財産の成立と、家畜飼養或ひは手工業技術の多少の進歩、などを伴ふ多量の交換財の形成などを通じて政治的指導體が形成されるものであることをトゥルンワルトは記してゐる。(9)

(1) Carlyle, mediaeval political Theory in the West 1930, I. Bd., P. 14.
(2) ヴント「民族心理より見たる政治社會」(平野譯)昭和十三年・一四二頁、
(3) 「ゲルマニア」の第二十章には母親の兄弟たる伯叔父が父と同列なものとして記されてゐるが、これは母系社會の名殘りであるとされてゐる。
(4) 高田保馬「社會學原理」(大正十四年)七二六頁以下
(5) H. S. Main, Ancient Law, 1874, s. 208.
(6) Thurnwald, Werden, Wandeln und Gestaltung von Staat und Kultur, S. 92.
(7) ヴント・上掲書 一四二頁。
(8) 父の權威はあらゆる權威の原型であるがとくに僧侶の權威の原型である。Tönnies, Einführung in die Soziologie 1931, 37ff
(9) .GThurnwald, S. 182.

三　民族移動による君主制の發展

西ゲルマンにおいては君主政が形成されたのは民族移動の經過においてであつて、西ゲルマンの諸部族はそれ以前には君主を戴かず、郡の首長たる王侯の合議が行はれ、平時においては Völkerschaft は共同の頭首を缺いてゐたので、戰爭に際して princeps の中から將軍 Herzog が選出された。(1) この將軍職が民族移動に際して部族を併合した强大な君主として發展したもので、從つて君主權の基礎は軍隊指揮權であるといふことが出來る。本來、君主を戴いて居なかつた西ゲルマンの諸部族では、郡の首長たる王侯は、君主をその上に戴く部族の王侯のやうに君主の下の下級の君主ではなかつた。このやうな王侯は首長 princeps と稱ばれた。首長は國民の成員の中の第一人者として、郡の先端に位してはゐたが、國民の外或ひは上に位するものではなかつた。(2) ギールケによればこの首長は今日いはれるやうな國民の機關、すなはち國民がかやうな機關を通じて統一體として現はれるやうなものではなく、首長は個人として委託された權力と權限を有した個人で、公法的な職務ではなく、私法的な委任 Mandat であつた。自由人の集合した全體が國民平和・國民法・國民權の擔ひ手であつて、かやうな集合せる全體として國民は、外部的にも内部的にも統一體の代表者を必要としたのであるが、かやうな權利の行使を彼とは異る首長なる法主體に繼續的に與へたもので、統一體の強力な機關を創設したのではないと謂つてゐる。(3) ヘーンも指摘してゐるやうにこのやうなギールケの說明は首長が仲間の第一人者であるとする見解と矛盾し、また公法と私法とを古代ゲルマンにおいては認めないとする彼の持論と抵觸するものであるが、(4) ともあれ、かやうな首長の合議による Völkerschaft は今日の言葉を以てすれば、共和政的なるものであつた。かやうな西ゲルマンの諸部族が君主政をとるに至つたのは民族移動を通じて――民族移動の前後において――であつた。これまで國民君主を戴いてゐた東ゲルマンの諸部族も、民族移動を通じて君主政が確立されたのであつて、ここに質的な發展を經驗するに至つたのである。

(1) 平時には首長なく戰時にのみ首長を置く種族は事實上危急の場合、或ひは選擧によつて、その頭首を選び、戰後には平時な仲間にかへることを條件としてゐるものが多い。たとへば印度民族の Apacher, Navojos. Carbien, Abiponer, Moluchen. Peielchen, オセアニア民族の Batak, Tasmanien, 黑色民族の Tumaré, コンゴ民族の Masai, Wakuafi. Wabuni など (Post, Grundriss der ethonologischen Jurisprudenz I. Bd., S. 397.) ゲルマンにおいても將軍職は Dux と稱ばれて、その權威は戰爭終了とともに消滅した (Brunner. op. cit., S 184) 一時的な將軍職と君主との差違は著しいものがある。

（２）ゲルマンの君主も本來は平等なるものの間の第一人者であつた Stahl, Philosophie des Rechts II. Bd. 3. aufl. S. 261.

（３）Gierke, op. cit. I. Bd., S. 34.

（４）R. Höhn, Otto von Gierkes Staatslehre und unsere Zeit 1936, S. 16.

ランケはローマ人を征服したゲルマン人の政治構造の優秀さを第一には宗教的權威の一種としての王位と扈從利に求めてをり、とくに扈從利 Gefolgschaft はローマにおいては形式的にのみ存したのに對してゲルマンにおいては著しく發展したものであつて、(1)ゲルマンの君主政は扈從利を地盤として、つぎのやうな發展の過程をとつたのであつた。ゲルマンの國民君主は民會の有する機能を個々の場合に實行するばかりでなく、繼續的に實行することによつて指導者たる地位を漸次に獲得し、このやうな指導者たる地位は法的なものによつて支持されてゐるといふよりは、このやうな機能を現實に繼續的に實行し得るといふ點に懸つてゐた。君主が一たび得たる權力を繼續的に主張し擴大し得るといふことであつて、(2)直接的な現象は、彼が選擧によつて得た王位を自己の實力によつてその息子に授受し、やがて世襲的な王位繼承を樹立して行くことに現はれたのであつた。(3)選擧より世襲への推移を容易ならしめたのは一つには父權の確立であるとヴントは謂つてゐるが、世襲制は貴族的家族の形成に拍車をかけたことは言ふまでもなかつた。(4) 國民君主たることを繼續的に實行し得たのは、就中軍隊の指揮權であつた。彼は軍隊の指揮者たることを通じて民族移動に際しては恒久的な指導權を掌握するに至つたのである。かやうな指導權はその及ぶ範圍においても擴張せられ、獨立したゲルマンの諸部族國家は戰爭を通じて、さらに大なる結合關係に入ることにより、强大な君主政が形成されたのであつた。軍隊の指揮權は Völkerschaft の君主をさらに廣き結合態の君主へと移行せしめたのであつた。その際、かやうな發展・擴大はこれまでの君主が中心となり、その主動 Initiative によつて實現されたもので、フランク王國の例をとつてみるならば、クロドヴェクの强大な人格の中に諸部族國家の統合が行はれたものであつた。フランク王國においては殊更にさうであるが、たまたま君主を共同に戴くことによつて、諸國家は聯合し、國家の擴大が行はれたもので、いはばその形態は人的聯合 Personalunion であつた。(5) かやうな部族國家の併合によつて君主權が空間的に擴大されるとともに、さらにその扈從制 Gefolgschaft を通じて質的に擴充するに至つたのである。

ゲルマンの扈從制は當初は自由人の加入による家 Haus の共同態の擴大であつた。家への加入者は家の構成員として家長に對しては、妻や子と同様な關係に立つた。(6) 家はゲルマンにおいては一種の權力團體として支配結合態であつて、この統一體は家長によつて體現され代表されたものであつたが、これに反して、この新らたな加入者たる扈從者と主人との關係は相互的な紐帶によつて結合され、そこには生活の外的な共同性が形成された。相互的な拘束性を示す無制限なる對價的忠實 Treu 無制限なる服從と無條件なる歸依による結合態が生じ、そこでは主人の裁判權と外部に對する代表權及び保護權が相互的關係の結果として存した。この扈從制は家の共同態から分離して、獨自の共同態となり、家と竝んで、支配結合態を形成した。このやうな主人と扈從者の全體とが一つの共同態の關係に立つ扈從制はしだひに主人と個々の扈從者間の相互的な結合となり、かくして主人と扈從者とを共に結合する唯一の共同態に代つて、主人とあらゆる個々の扈從者とによつて構成される諸々の共同態、卽ち二人共同態 Zweier-Gemeinschaft と名付けられる諸々の共同態の總合體として現れたのであつた。(7)

この扈從制が君主、においては君主の私兵制として擴大され、戰時のみならず、平時に於いても、君主に對する個人的忠實と服從のための集團として形成されたのであつた。

（1）Ranke, Epochen der neueren Geschichte II. art.
（2）T. W. Jerusalem, Der Staat, S. 102.
（3）T. W. Jerusalem, op. cit., S. 103.
（4）ヴント・上掲書・一四五頁
（5）T. W. Jerusalem, op. cit., S. 108.
（6）扈從者は主人の家庭に入り、そこにおいて寢食を共にした。自由人が他の自由人の家に入つたことには或ひは生活維持のためであり、或ひは保護されるためなどさまざまの理由からであつた。Brunner, op. cit., I. Bd., 9. 187.
（7）JF. W. Jerusalen, op. cit., S. 110

君主の私兵たる扈從制は君主の國民に對する異質的な權力の勃興を容易ならしめたのみでなく、尨大なる扈從の增加は、君主にとつては、私兵達の給與を維持するためにも、かへつて征服戰爭を必要ならしめ、かくして斷えざる戰爭が繼續されたのであつた。タキツスはそれについて「功名は騷亂の間に立て易く、且つ多數の扈從は、暴力と戰爭によらずして維持せらるるは事實あり得る事にあらざればなり」（「ゲルマニア」第十四章）と謂つてゐる。扈從を構成するものは自由人の部將のみならず、奴隷、農奴であつて、彼らは君主の下に新しい地位と名譽と富とが與へられ、彼らはこれまでの血緣的な貴族に代つて新しい貴族たる地位を占めるに至つたのである。軍司令官から君主に變つたフランク王は征服によつて獲得した土地を扈從に贈與し或ひは采邑として授け、國民の犧牲において新貴族の登場を促したのであつた。

擴大された王國の版圖はもはや氏族制の機構を以ては統治し得ず、古い民會も事實上會合することは不可能となつて、同族の首長に代り、君主の側近者たる部將や新興貴族によつて構成されるに至つた。

ゲルマンの諸部族が舊ローマの土地に移動し、土地に定住する被征服者を支配しやうとするとき、もはや自己の氏族團體の中に彼等を吸集することも出來なければ、從來の如く氏族構成を以て支配することも不可能であつた。ことに經濟制度について謂へば、ゲルマン人の粗笨な經濟制度を、より進步してゐるローマ人の民衆に押し付けることは全く不可能であつた。ゲルマン人は征服した土地の住民を驅逐して、自己の從來の經濟制度の中に、その殘留者を奴隷化することも一つの方法であつたが、事實はこの方法が採られず、住民に强制して、その所有する田畑を割譲させ、そこに所屬する移民や奴隷を引繼いで、ローマ人が舊くから行つて來た土地經營の方法を續けたのであつた。(1) かやうな方法は統治の機構にも反映し、ゲルマン人は自己の氏族組織に代へて、征服地に殘存してゐたローマの地方行政組織に頼らねばならなかつた。それは血緣的紐帶による氏族組織に代る地緣的紐帶による國家組織に他ならず、ゲルマンの氏族組織の上にローマ的國家組織による裝飾が施されることになつたのである。血緣的な結合關係の上に形成されたゲルマンの統治體は衰微し、從來のやうな君主と國民との血緣的な結合は弛緩するとともに、之に代つて新らたな地緣的結合態が登場するに至つたのである。

(1) Cunow. op. cit., S. 228.

オッペンハイマーは國家の起源を階級の發生に求め、それは遊放民族と定住する農業民族との接觸による前者の掠奪と殺戮に發するものとし、遊牧民族の民族移動を征服よりも、掠奪そのものを目的としたものであつたとしてゐる。(1) 彼によればこのやうな單純な征服がしだひに彼征服民族の生命を許して經濟的な搾取をすることを思ひつき、農業民族の剩餘物を以て遊牧民族の駐屯所に貢納させる方法を取るに至りかくして次の段階においては、最初全く分離してゐた二つの集團が一定の領域に共住するに至り、この二つの集團關係は對外的なものから、對内的なものに移行し、しばらくはこの二つの民族は分離し、混和してゐたにすぎないのであるが、次第に一つの統一にまで融合するに至る。オッペンハイマーはかやうな異民族の空間的な接觸はいまだ狹い意味の國家的共同態すなはち統一體組織 Einheitsorganisation ではないと謂つてゐる。(2) 彼は國家を狹い意味の國家卽ち統治機構と解してゐるので、國家とは勝利を得たる人間群が他の人間群の上に支配 Herrschaft を及ぼし、且つ内部の反亂と外部よりの攻擊に備へるための唯一の目的を以て、前者の群が後者の群に課した一つの社會的施設 gesellschaftliche Einrichtung に他ならぬと謂つてゐる。(3) 從つて彼は通常意味せられてゐる Gemeinwesen に國家の名稱の冠せられることを排し、之を自由市民態 Freibürgerschaft と稱してゐる。トゥルンワルトも種族的な差別態や同族、種族などの聚結狀態は前國家的なものであつて、カロリン島のクサエの實頭政に現はれるやうな一定の秩序を具へた統一的な制度的な指導が發生して始めて國家と稱せられるとしてゐる。(4)

オッペンハイマーは異種族の空間的な接觸から統治機構としての國家の發生する經過をつぎのやうに記してゐる。牧畜民族がその彼征服民族に對して鬪爭力のない場合、彼等の農奴や奴隷の間に介在して、處々を渡り歩きながら平和な遊牧生活を營んでをり、彼征服民族が反抗を起し易いやうな處では、その支配民族は城廓を築いて、その臣下から貢物の徵收をする以外には全く放任してゐるが、かやうな發展段階の處では未だ眞の國家は形成されてゐない。統治機構が形成されるのは次の段階で、ここでは隣接した村落や郡において爭ひが生じた場合、農民の義務履行の能力が捐はれることを考慮して、支配者集團はもはや暴力を行使することなく、その仲裁者となつて、その言に服せしめる。次にはやがて村落や郡の首長の政廳に代官を派遣して、その施政に干渉し、統制し、罰を課し、強要するなどの強制を行ふに至り、統治の慣例が生じ、最初は並立してゐた二つの集團が次第に融合し、習慣や、風俗、言語、信仰などが一つの統一にまで到達する。

（1） 遊牧民族は捕虜を生捕にすることもあるが、奴隷に仕立てるのではなく、彼らを殺戮し或ひは自己の種族に組入れるものにすぎなかつたが、發達した遊牧民族は捕虜にした敵を殺さずに牧場奴隷として使役するに至る。Oppenheimer, Der Staat, 1919, 24, ff

（2） Ibid., S.46.

（3） Ibid., S. 10, このやうな征服群による支配は被征服群の經濟的搾取以外の如何なる目的をも有しないとしてゐる。

（4） Lehrbuch der Völkerkunde (Preuss-Thurnwald) 1939, S. 275.

オッペンハイマーの國家起源論は階級の起源を示してゐるものであるが、かならずしも國家の起源を示したものでないことはロウィの指摘するところである。(1) オッペンハイマーはラッツェルの人種學の資料により階級が征服によつて生じたことを主張してゐるのであるが、それがただちに國家の起源であるとは言へないのであつて、トウルンワルトも國家形成の過程は多様であり、たんに「征服」のみに求めることは出來ないと謂つてゐる。(2) 征服は國家形成の一つの基因ではあるがその全部ではなく、民族移動の殺戮行爲による征服の場合と、比較的平和な經過によつて行はれる異種族間の合併の場合とが少くとも存在する。 トウルンワルトはイロコイ族に現れた首長の二頭制 Verdoppelungssystem は後者の現はれであると謂つてゐる。(3) 前者においては征服民族は後に至るまで支配階級として殘り、イギリスの貴族はその身振りや話し振りの中にもノルマン征服民の後裔たることを示してゐると謂はれてをり、(4) フィジーにおいても征服者たる首長は君主となり、從者は貴族となり被征服者は平民となつたことが示されてゐるので、(5) この場合にはオッペンハイマーの國家起源論が立證せられる。 しかしながら征服民族と彼征服民族との間にのみ階級構成が發生するとは言へないことで、征服は階級構成の一つの基因ではあつたであらう　しかし、オッペンハイマーの主張を容れて階級構成が征服から生じたことを認めても、統治機構たる狹義の國家は、征服民族が他の民族を征服する以前においても形成されてゐなかつたとは言へないのであつて、フッ及びハミットではすでに或る程度の統治機構を有して居るといはれ、[6]ロウィはこの例證によつて階級構成による統治機構は存しないとしても、もはやそこには或る程度の國家が形成されてゐることを認めてゐる。　オッペンハイマーは國家を以て階級支配を內容とする統治機構と解してゐるので、單なる統治機構を國家と稱んでゐるのではなく、オッペンハイマーの國家起源論は階級支配の起源論であるが、この見解に從へばゲルマンの國家は民族移動によつて形成されたものであると觀なければならない。　ゲルマンの國家が民族移動によつて成立したとすることについては多くの學說の一致するところであり、この段階において國家の形成を認めることは穩當ではあるが、その理由としてオッペンハイマーの說く如く階級支配の成立を認めることは可能ではないと思はれる。　ヴントも、この段階において支配 Herrschaft の現象の發生を觀てをり、[7]支配現象を國家の本質的な機能と觀て、そこに國家の形成を觀ることは穩當であると思はれるが、かやうな支配とは必ずしも階級支配ではない。支配を單なる不等なるものの間の結合關係であるとすることには私は反對し、少くとも異質者間の不等の關係でなければならないことは先に述べたところである。ゲルマンの Völkerschaft が民族移動を通じて國家たる形態を示すに至つたといふのは、扈從制を地盤として、國民からは遊離した君主の權力が擴大され、從來の如く君主と國民とが同質的なものとして止らず、異質的なものとして發展し、ここに支配現象が生じたからであつた。それを以てオッペンハイマーの如く階級支配が發生したものと觀ることも或ひは可能であらうが、むしろ、この場合には、階級支配をもその內に含む上位の概念として異質的なるものの支配が形成されたものと考へることが出來よう。政治を指導するものと指導されるものとが、異質的なものとしての結合關係を有するに至つたのは、一つには、政治の現象が血緣的紐帶を離れて、むしろ地緣的紐帶に移行したからであつたと思はれる。

ギールケは Völkerschaft が血族 Geschlecht そのものの擴大ではなく、それを結びつけてゐるのは血の親和性 Blutsfreundschaft であるよりも、國民たる親和性 Völksfreundschat にありとし、すでに血緣的紐帶以上のものが貫かれてゐることを認めてゐる如くである。(8) しかしながら彼も同族構造を基礎とする Völkerschaft が血縁的紐帶から遊離してゐることを認めてゐるのではなく、ゲルマンの政治構成は血縁的紐帶が存在し、それ故に政治の行爲者と之に隨ふものとが同質性を持つてゐたのである。　イエルザレムの謂ふやうに最初は構成員の全員が政治の行爲者であり、全體行爲の中に政治は現れたのであつて、そこにおいては統治するものと統治せられるものとの區別は存しなかつたのであるが、君主政の發展は國民の全體行爲たる民會を否定し、國民が國民を統治し、決定するのではなく、國民を統治するものは民會の外に立つ君主となつたのである。　かやうな君主の出現は血縁的紐帶に基く氏族組織とその政治構成である民會とを否定することによつてのみ可能であつて、かやうな血縁的紐帶に代るものは必然的に地縁的紐帶に他ならなかつた。

ローウィは統治する君主に共同して服從することは地縁的結合を確保する方法であると謂つてゐるが、(9) 君主の出現は地縁的結合の形成に有利であるのみでなく、また、地縁的結合の發展は君主政の擡頭を有利ならしめたものと考へられる。血縁的紐帶に基く氏族組織は異質的なる支配者と被支配者との對立を前提とするものではなく、同質性の原理に基く國民の全體行爲の上に存立したもので、民族移動を通じて現はれた君主政は氏族組織を地緣的な構成に再編成することによつて展開されるに至つたのであつた

（1） R. Lowie, The Origin of the State, 1927, S. 37.
（2） Thurnwald, op. cit., S. 245.
（3） Ibid., S. 242. トウルンワルドは未開社會における政治的發展の最も重要な現象として異種族の集團間の接觸をあげてをり、「支配」はその起源を接觸した定住に求められるとし、異種族の集團が隣接するとき婚姻の方法を通じて多くの場合にはFrauentausch の形態を通じて闘爭狀態に入るが結局、敗北者の側から他の優越を承認する休戰狀態が齎らされるとしてをり、かやうな「支配」はまた精神的な基礎なしには繼續され得ないものであるとしてゐる（Ibid., S. 93）
（4） ヴントは國家の發生が他種族の優越した少數者によつて行はれた征服に基くときは、自己の階級が擴大せられるのを嫌ひ、被支配階級との血の混合を恐れ、自己の部族が異部族であるとの意識は社會階級の差別を作り、婚姻も原始的部族結合の場合の族內婚とは異る形態の族內婚となるとしてゐる。
（5） Lowie, op. cit., S. 38.
（6） Ibid., S. 36
（7） ヴント上掲書一二三頁
（8） Gierke, op. cit. I. Bt., S. 30.
（9） Lowie, op. cit. S. 116 集團復讐を認めるパンツウと異り、パンツウでは殺人や暴行はその被害者や家族への不法行爲ではなく、王に對する犯罪であつて彼のみが賠償を請求する權があるとされてゐる。

第三章　國家構造におけるゲルマン的とローマ的

一　ゲルマンの國家共同態

ゲルマンにおいて國家と觀られたものはローマ人によつて civitas と稱ばれたで Völkerschaft であつた。ローマにおける civitas は市民の全體すなはち國民の全體を意味するものであつて、市民 cives の聚合したものが civitas に他ならず、それは市民の外に、或ひはその上に存するものではなくて、市民そのものであつた。(1) この關係は同族團體たる cens がその肢員たる centilen に對する關係となんら異ることなく、その構成員を超する第三人としての國家なる團體が認められてゐたものではなかつたのである。市民の全體が政治的行動をとり、行動の主體として發動するときに、この市民の全體が法的には civitas と稱ばれたものであつた。かやうな場合、あらゆる權利の主體は市民を超した獨立の人格たる國家ではなくて、むしろ市民の全體、すなはち國民の全體に他ならなかつた。從つてそこでは主體の區別によつて私法と公法の概念が別れたのではなかつたとイエーリングは謂つてもゐる。私法と公法との區別は專ら個人にのみ關係ある私事を規律するものであるか、總ての人に關係ある公事を規律するものであるかによつて分たれたのであつた。のちに獨立の法人格としての國家が res publica なる觀念のもとに現れたが、それは civitas の如き主體としての國家ではなくて、國家の財產を意味するものに過ぎなかつたのである。(2)

ローマ人によつて civitas と稱ばれたゲルマンの Völkerschaft は自由人の平等なる聯合體であつてたかだか共同態國家 Gemeinschaftstaat ではあつたが、近世におけるやうな權力の機構としての狹義の國家觀念とは無關係であつた。かやうな國家はギールケの謂ふやうに、その成員の全體の中に現れるもので、イエルサレムはさきに述べたやうに全體行爲 Gesamthandlung と稱んでゐるのであるが、かやうな全體行爲は機構的に觀るならば「民會」に他ならないのであつた。ゾームはこの點を重視し、近代の國家觀念よりの類推により、國民がその中に出現する裁判會として の百人組會及び一般統治の組織としての國民會を近代的意味の統治機構として把握してゐるのであるが、これはゲルマンの國家生活の本質を把えたものといふことは出來ない。民會は常設的な機構として把へらるべきものではなくて、いはば國民の聚合狀態であつて、その本質は平等なる國民そのものに他ならないのである。近代における狹義の國家觀念たる統治機構は統治するものと統治せられるものとの異質的な對立を前提とするものであつて、少くとも統治するものと統治せられるものが制度的に區別されたところに、これを組織化し、恒久化する機構の存在が必要となるのであつた。統治機構としての近代的な國家觀念はかやうな治者と被治者との制度的對立を前提とするものであるのに對して、ゲルマンの民會にあつては、それがたとへ永續的機關ではないとしても統治の機構として把握されるのであるが、統治する者は國民全體であり、統治せられる者も亦國民全體であるといふ同質的な關係の上に立ち、所謂、支配現象が認められないものであつて、この兩者を同一視することは著しい混同である。

古代ゲルマンにおいては異質的なるものの支配現象は現はれてゐないのであつて、君主すら國民全體に拘束せられた國民君主であつて、君主と國民との間には對立は存しないのであつた。支配なる現象が異質的なるものの間の上下關係であるとするならばゲルマンの國家においては支配現象は發生してゐないのであつて、支配を國家の本質的な標識とするならば、國家そのものが古代ゲルマンにおいては未だ形成されてゐなかつたといふことが出來る

（1） Gierke, op. cit. III. Bd. S. 43. R. v. Ihering, Geist des römischen Rechts, I. Bd., 1924, S.210. Müllenhoff もゲルマンの civitas を Volk (thiuda) としてゐる。(Below, op.cit., S. 130)

（2） 完全な市民權を有する市民團體たるキイビタスに對して、レス・プブリカは國民團結にまで結合したものを意味し、ギリシアのポリスに對するト・コイノン To Koinon に相當するものであつた。伊太利及び諸縣は都市の同盟者か、その附屬地にすぎなかつたので完全な市民權は市民團體に屬するもののみが所有してゐたが、政府の命令權とローマ國とが同一視されるに至り、レス・プブリカに代つてインペリウムなる概念が用ひられるに至つた。そこで國民よりも國家權力が國家の主要な要素として考へられることになり、國家は人民團體 res populi から、統治團體 res imperantis に變じたのである。
Jellinek, Allgemeine Staatslehre, 1929, S. 129.

（3） Jerusalem, Der Staat, 1929, S. 129.

もともとゲルマンの國家は權力の機構として形成されたものではないのみならず。ギールケの謂ふやうに自由人の連合 summa から區別される抽象的な國家なる統一體としては把握されたのではなかつたのであつた。

總員の中に統一體は分有され。總員が合するときに統一體は意欲し、行動し、國民を超越し、國民に外より與へられる法は存せず、總員の中に生きつゝある法が國

民の生活を規律したのであつた。ゲルマンの國家は正に國民共同態そのものであつた。ギールケはかやう國民共同態の國家が中世に至るまで存じ、それは家族、村落共同態、ツンフト、同業組合などと同様に組共同態として竝存し、そこには自由人よりなる大小の組共同態の系列があるのみであつたとしてゐる。(1) かやうな諸團體に互して、國家はもつとも大きな組共同態であるにすぎなかつたが、國家の有した特有の機能としては、本來祭祀團體であつたことから來る宗教的機能がその一つであつたと思はれるが、これは早くから形式的、儀式的なものとなつて本來の機能を失つてゐたことと思はれる。

成員の增加により、Völkerschaft そのものがいくつかの團體に分裂したとき、古き Völkerschaft としての紐帶は共同の部族神の禮拜によつて結ばれてゐたといはれゐることによつても宗教的機能が Völkerschaft の固有の機能の一つであつたことが判る。しかし、それが時代の經過とともに形式的なものとなつたとき、國家の特有な機能として殘されたものは軍事と裁判の機能であり、この二つが中世においても國家と他の諸團體との區別せられる標識であつた。(2) この二つの機能は Völkerschaft が國民平和の所有者として、外に對しては戰爭を以て、内に向つて裁判を通じて國民平和を護つたことから生じたものであつた。ゲルマンにおいては法と平和とは全く同義だつたのである。

ゲルマンの國家は軍隊編成になる軍事國家であり、その中心の神經ともいふべき民會は軍隊の集會であつて、かやうな軍事的團體である點に他の團體から區別せられる國家の特徴が求められる。ことに軍事上の最高指揮權は君主が掌握してゐたのであるから國家の下の郡や百人組はその分隊たる點において軍事的團體たる性格を帶びてゐたもので、それ自身が自主的な軍事上の指揮權を有してゐたものではなかつた。かやうな軍事的團體たることと共に、つぎに考へられるのは裁判團體としてである。

（1） Gierke, op. cit. I. Bd., S. 150.
（2） 粟生武夫「法律史の諸問題」（昭和十五年）二〇頁以下

裁判の機能は郡の首長を裁判官とする人的團體としての百人組に集中されてゐたもので、百人組はフランク時代以前において早くから裁判權の擔ひ手であつた。（1） しかし、裁判高權の主體は集合した國民、すなはち Völkerschaft の民會たる國民會 Landesgemeinde に在つた。通常の裁判事務は百人組において行はれたが、國民全體への敵對行爲である重罪に關する裁判事務は國民會によつて行はれたといはれる。[2] 死刑は國家によつて行はれる犠牲として、死罪に値ひする犯罪は國民全體への敵として國民會によつて執行せられたのである。從つて國民會や郡會においては裁判機能はあまり行使されず、百人組會が裁判團體として發達したけれども、これは機能が事實上、集中されてゐたもので、かやうな裁判高權の主體は依然として國民全體であり、從つて、裁判權はここにいふ意味でのゲルマンの國家に內在したのであつた。

ゾームはゲルマンの國家が近代國家における如く國家權力は諸種の機能を有するものではなく、法規 Rechtsgesetz の實現といふ唯一の機能を有し、この機能こそは國家の獨占たるものであつて、他のあらゆる機能から區別せられるものとし、裁判機能を以て國家の特性としてゐるのである。ゲルマンの國家は內に向つて不法の克服のみに限定され國家はかやうな機能をそれ以外の團體目的のためにではなく、國家そのものの目的のために行ふものである。かやうに法の防衞のみが國家の獨占 Monopol であつたといふのがゾームの主張であつた。[3] 彼によればまた國家が、他の團體の如くに組共同態たるものではなく、この兩者の基本的な對立を前提とし、國家は他の團體と同列なものではなく、法の防衛といふ點に關しては、各團體の自主權をも侵し得たものであつたと謂つてゐる。組共同態たる總ての團體は、それ〴〵固有の組織法、統治組織、法、裁判權を有するが、かやうな團體の權力はなんら國家權力を弱めるものではなく、國家の公的裁判權は、いかなる場合にもその團體の行つた裁判に拘束されずに、獨自の判決を下しうるもので、團體の裁判權によつては決して弱められないとするのがゾームの持論であつた。この考へ方の中には國家が組共同態ではないといふ主張と、國家が他の團體の上に位し、その權力が「主權的」であるとする主張が含まれてゐるのである。[4] かやうなゾームの見解は國家權力が伸張したフランク王國時代の觀察としては正當であるとしても、それ以前のゲルマン社會には必しも當て嵌まらぬものであつた。ギールケがゾームに對して批評してゐるやうにゾームはそれらの主張を基礎づける證明は少しもしなかつたのであつた。[5]

ゾームが、國家權力はすでに「主權的」であつたといふのは、他の團體を干渉し得る權力が國家にあつたといふ眞意味であつて、かやうな權力はそれらの團體にとつては異質的なる權力であり、異質的なるものの支配に他ならない。かやうな異質支配を内容とする主權的權力が、ゲルマンの古代より存したとすることは正當ではない。もとよりゲルマンの國家權力が主權的であつたといふのは、今日とは異る意味での法の實現のみを唯一の實現目的とするゾームの謂ふ「法治國」としてであるが、少くとも法の領域においては他の團體への干渉權があるとされてゐるのであつて、「フランク王國の時代は別問題として古代ゲルマンにおいて、かやうな團體間の裁判權の抵觸の問題が生ずるとすることは問題であつて、この點については、私はすでに述べたところである。(6) ギールケにあつては、かやうな裁判權の抵觸が最初から問題とされてゐないと觀られるのであつて、それはゲルマンにおける諸團體の間には權限の大少、强弱が問題とならず、Völkerschaft と他の諸團體との間には異質的要素が最初より認められないものであつた。

（1） Brunner, op. cit., I. Bd., S. 202.
（2） Schröder-Künssberg, op. cit., S. 49.
（3） Below. Der deutsche Staat des Mittelalters. S. 53.
（4） Ibid., S. 54.
（5） Gierke. op. cit., II. Bd., S. 17.
（6） 本稿第1章の1參照。

支配者群が村落共同態に對して紛爭の仲裁者として、その權力を浸透させ、國家組織を形成して行くことはオッペンハイマーの擧げてゐるところであり、トゥルンワルトも君主の裁判權が國家組織の形成に役割を持つと謂つてゐる。[1] オッペンハイマーはインカ帝國の事例について述べてゐるのであつて、[2] この點ではゲルマンの事情は必ずしも同一ではない。ゾームによれば、ゲルマンの村落共同態にとつては公的な官吏は關係なく、村落領域にとつては公的權力は存しないのである。マルク共同態は起源的には百人組共同態と地域的に一致するけれども、マルク議會は百人組議會ではない。百人組は百人組としては公的組織法の一肢體であるが、マルク組共同態としては公的組織法の外にある。百人組共同態はそれ自身裁判共同態であるが、經濟共同態ではない。この點についてシュベーリンもマルクと百人組とは概念的に分つべきもので、この兩者が偶々合致してゐる場合もあるが、これは偶然の事情で、マルク組共同態 Markgenossenschaft ではなく、マルク共同態 Markgemeinde はたしかに政治的意味をもつが、これは同時に百人組たるものだからであると述べてゐる。[3] マルク組共同態はあくまで、公的組織法の外にある純粹に經濟的な存在であるが、百人組は―それがマルク共同態と稱ばれようとも公的組織法の内にある政治的な存在である。帝國憲法 Reichsverfassung は郡や百人組において實現する以外には現れないもので、百人組は公的な、政治的な團體の系列の中の最後の肢體であるといふのがゾームの主張である。シュベーリンも國家有機體は百人組を以て終るといふホイスラー Heusler の見解を支持してゐる。(4)

ゾームは自治體 Ortsgemeinde が國の憲法において百人組の下部區分ではなく、自治體の組織法は全く自主的に發生したものであるから、公法にとつては自治體組織法なるものは存在し得ないと說いてをり、かくのごとく、彼はギールケとは反對に、組共同態たる諸團體の法が私法であるのに對して、國家の公的組織法が公法であるとして公法、私法の區別をすでに古代ゲルマンに見出してゐる。ギールケはゲルマンの古代には公法と私法との對立を認めず、組共同態たると支配結合態たるとを問はず、つねに一種類の法によつて貫かれてをり、今日の概念を以てすれば、それはある時は公法的であり、ある時は私法的とみられるもので、どちらかと言へば公法的性格の強いものであるとしてゐる。(5) 彼はゾームの見解に觸れて「ことに私は憲法の發達を專ら私が用ひてゐる組共同態の概念から導き出したのではなく、むしろ同時にフランク時代には既に重要となりつつあつた支配概念及び、この兩概念の結合から導き出さうとしたのであつた。私は國家の抽象的な概念や、公法・私法の意識された區別は否定したが、そのことは國家的なものと公的なものとの潜在的な存在を否定したのではない。むしろ、ここでは、多くの他の關係におけると同様に我々の熟知してゐる概念上の二系列に代つて、簡單な一種類の概念が存するのであつて、それは正に今日の如何なる概念も該當せぬが、しかし今日では互に分離してしまつてゐる概念の萠芽を含んでをり、その具體的な適用によつて我々の今日の概念のいづれかに外形的には近づくものである[6]」かやうに、ギールケによれば公法・私法の二系列の萠芽がすでに國民法及び王法のそれぞれの中に混入されてゐたもので、國民法と王法との對立は今日の意味での公法・私法の對立とは異るものであつたと謂ふのである。

(1) Thurnwald, op. cit, S. 182.

(2) Oppenheimer, op. cit., S. 49.

(3) C. F. v. Schwerin. Die altgermanische Hundertschaft, 1907, S. 107.

(4) Ibid., S. 102.

(5) Below, op. cit, S. 34.

（6） Ibid., S. 57. Gierke, op. cit., II. Bd., S. 18.

二　王法と國民法との對立

國王を生人 Herr とする扈從者の私的な結合は漸次、その範圍を擴大し、それは全國民の上に及ぼされるに至つた。[1] 國民の總てが國王の扈從者の如くに觀なされ、ひとしく忠誠と服從の義務を負ひ、君主の保護の下に立つものとされるに至つたのである。メロウンガ王朝においては國民は leudes 或ひは homines と稱ばれて、國王の扈從者と同等のものと觀なされ、[2] やがて、それには臣下 Untertanen, subditi なる言葉が代へられるに至り、後期カロリンガ王朝においては臣下關係なる言葉が今日いはれる國權の擔任者と國民との關係とは別のものとして用ひられたのであつた。扈從者がその主人に對して爲す忠實の誓 Treueid を模倣した臣下の誓ひ Untertaneneid が國民の全體に及ぼされ、國王は扈從者に對すると同樣な關係を國民に要求するのみならすし、この忠實義務の履行の要求に反する不誠實 Untreue に對しては生活と財産とを剝奪したのであつた。しかしこの臣下義務は本來の扈從者に對するよりは、幾分緩やかであつて、本來の扈從者におけるやうな無制限にして一方的なものではなかつた。 扈從者に對する如く總ての領域において完全なる服從の義務を要求したのではなく、國王の意思に對して敵意が表明されると不忠誠 Infidelität が問題となつたので、かやうな全國民の忠誠義務は國王の新しい刑罰權の基礎となり、これまでは國王が國民法の限界内においてしか有してゐるにすぎなかつた刑罰權の機能が國王の任意に行ひうるものとなり、忠誠の喪失に對しては死刑・罰令・罰金など任意の刑を課し得ることとなり、八一八・九年の勅令 Kapitulor では君主の財産への侵害は Infidelität として、それに對しては任意の刑罰が課せられた。

最初は裁判機能と軍隊指揮權とを行使するものにすぎなかつた君主が漸次、國民會から、各種の機能を自己の手に收めた時においても、理念的には王法は國民法に從屬してをり、國民會には形式的ではあるにせよ、同意權があつたのみでなく、彼は國民平和を守り、國民軍隊を指揮し、國民領土を管理し、國民官僚を任命するものとされてゐたのであつた。 しかるにフランク王國においては王の平和・王の財産王の軍隊、王の領土の觀念が形成されたのであるが、それはまづ、君主に對する國民會を有名無實とすることに依つて行はれたのである。 國民會は王の職務を擔任する大官の集會となり、その固有の機能を發揮するものではなくなり、これと並んで國王の機能に參加する機關として三月野 Märzfeld など稱ばれ、のちには五月野 Maifeld と稱ばれる軍事集會が形成され、國民會に代る全體行爲が成立したのであつた。これは國王の意思への同意を行つたこともあれば、意思決定を行ふこともあり、また場所によつては裁判會としての役割を行つたところもあつた。國王は大なる王領を所有し、鑄貨權を有し關稅權を有したのみでなく、國民會が有してゐた平和破壞者への刑罰權を自己の手に收めるに至つたのである。(4)

(1) Jerusalem, op. cit, S. 111

(2) フランク王朝時代には就中 fidelis なる言葉が特に用ひられ、われに忠誠なる者 fideles nostri なる言葉が最初に現はれて、やがて帝國に忠誠なる者 fideles imperii なる言葉が用ひられるに至り、そのほか fideles Dei et nostri, fideles sanctae Dei ecclesiae et nostri, christi nostrique fideles, christi imperiique nostri fideles などといふ言葉が用ひられた。Below, op. cit., S. 211.

(3) アングロ・ザクソンにおいては君主への服從が契約によつて生ずるものとされ、またゴートにおいては君主と國民との對立の關係が存し、ここでは國民のみならず、君主の側においても誓ひを行つたのであつた。

(4) Jerusalem, op. cit., S. 116.

扈從制國家においては、君主の支配權は量的にその機能を擴大したが、なによりも顯著な發展はゲルマンの國民國家を質的に根本から否定したことであつて、そこでは國民全體を超えて、之に對立するものとしての君主の支配權が確立されたのであつた。扈從制國家の基本構造は國民國家のそれと全く相容れないものであつたが、ただ事實上は國民國家の構造は部分的には殘存し、扈從制に基く君主の強力な支配權に壓迫されつゝあつたのである。この二つの要素はフランク王國においては國民法 Volksrecht 君主法 Königsrecht との對立として現はれ、この二元主義は法制史上、フランク王國の基本問題とされてゐるのである。ボレチウス Boretius とくにゾームはこの二つの對立をローマ法の市民法 Jus civile と名譽官法 Jus honorarium との對立と同視してゐるのであるが、この兩者の關係はローマ法とはなんら關係のないものであつて、國民法と君主法とは二つの國家構造の差違に基くものであつた。(1) 國民法は民間の慣習であり、或ひは國民全體の同意に依つて君主が制定したものであり、國民の意思によつて成立した法であつたのに對して、王法はフランク國王が、その支配權の擴張によつて國民から獨立した立法權を獲得し、之に基いて單獨に發した法の總稱であつた。國民法と王法との對立は國民裁判所 Volksgericht と國王裁判所 Königsgericht との對立として現はれ、百人組裁判所は前者に屬し、その中には定期的に開かれる定期裁判會 (echtes Ding) と臨時に召集される gebotenes Ding とが在つた。之に對して國王の滯在するところ、主として王府の一つにおいて隨時開かれ、裁判官には國王又はカロリング王朝時代には國王の代理として宮中伯 Pfalzgraf が任じ、判決人には宮庭出仕の大官貴族及び國王の召集にあづかる者の中から任じ、その裁判管轄の範圍には制限は存しなかつた。未だ國王裁判所の判決を下さざるものは、國王の裁判所において取上げることが出來たのみならず、帝國の貴族に對する死刑罪、軍隊脫走罪など特定の事件は國王裁判所の專轄事項とされ、このやうな專轄事項の範圍は次第に擴大されるに至つた。裁判にさいしても國王裁判所ば國民法を準據としたけれども、必要の場合には國民法に拘束されることなく、國王の命令と衡平とに從つて裁判を行つた。國王はさらに巡察使を派遣して地方に巡察使裁判所 das missatische Gericht を開會したのである。

國民法は一般に古き法であり、古代法であつたのに對して民法は若き法であり、近代法であつた。國民法は嚴格なる硬化したる法であるのに對して、王法は衡平 Billigkeit と彈力性ある法であつた。(3) フランク王國においては保守的な國民法を進步的な王法が變更・補充するといふ形で法形態の發展が行はれ國民法に對する王法の侵害は法の著しい進歩を齎らしたのである。國民法といつても、それは個個の部族法 Stammesrecht であり、部族の成員を拘束する屬人法であつてその法が事實上支配的に妥當してゐる地域においても、その上の他部族のものは拘束されなかつたのであつた。かやうな部族法は Fehde の通用を認めてゐたことは、當然のことであるが、王法はまづ之を否定し、實力を以て禁止を强制したのであつた。ブルンナーは國民法と王法との對立はしばしば實力問題として解決されたと謂つてゐる。(4)

(1) Jerusalem, op. cit., S. 113.
(2) ゾーム「フランク法とローマ法」(久保・世良譯) 昭和十七年、解説參照。
(3) Brunner, op. cit., S. 412.
(4) Ibid., S. 411.

王法は一面において、かやうな部族法を壓迫しつつ之を改造し、他面においてこれらの部族法を包むより高き統一法として屬地的な法の通用を實現することになつた。王法は統一的な法の形成のための主要な要素であつたのみでなく、近代的な國家形成を實現する地盤となつたのである。フランク王國內においては數多くの部族法とローマ人法とが分立し、そこには屬人法主義 Personalitätsprinzip が支配したのであつて、フランク法はこれらの部族法のうちの一つの部族法にすぎなかつたが、漸次諸部族に作用し、フランク法化 Franconisierung の現象を來たすに至つた。

王法は主としてフランク國王の勅令の形式を以て、メロヴィンガ朝においては edictum, praeceptio, decretum, decretio, auctoritas と稱せられ、カロリンガ王朝においては capitula 勅令の範圍が擴大せられ capitulare, capitula と稱せられた。勅令は神事勅令 capitula ecclesiastica 俗事勅令 capitula mundana 及びこの兩者の混合勅令 capitula mixta の三種に大別せられ、そのうち俗事勅令は部族法附加勅令 capitula legibus addenda 獨立勅令 capitula perse scribenda 巡察使勅令 capitula missiorum の三者に分たれる。部族法附加勅令のうちの一部族及び數部族に付加せられたものは屬人法であつたが、全部族附加勅令 capitula omnibus legibus addenda は部族から獨立した帝國法 Reichsrecht ではないけれども、全部族に適用せられるものとして、事實上屬地法たるものであつた。[1]獨立勅令は成文たる王法で、本來の勅令たるもので、王の罰令に基いて發せられる屬地法であつた。部族法附加勅令は國民法たる效力を持たしめるためには、國民の同意を必要としたものでそこには國王は專斷に國民法を變更し得ないとする思想が、とくにフランク人には存してゐたのであるが、獨立勅令は罰令が國民の同意を必要としないと同様にそれを不要とし、國王が一方的に發しうるものであり、眞の意味の勅令であつた。全部族附加勅令と獨立勅令はカロリンガ王朝の官權法の主たる內容をなすものであつた。部族單位の國民法を超えて通用する王法の發達は、部族單位の屬人主義を破壞する屬地主義の展開として現はれ、この屬地性を地盤として近代的な統一國家への途が開かれるに至つたのである。それは血緣的紐帶に代はる地緣的紐帶の擴大であるが、それは亦他面から觀れば、百人組の如く狹い共同態に集中されてゐた機能、たとへば裁判機能が、機能の本來の主體たる廣い共同態の Völkerschaft に回收されることによつて、このやうな國家的共同態の先端に位する君主が、その權力を自己の手に收めたのであつた。(2) 從つてここでは、第一段階としては狹い共同態から機能が廣い共同態に移行したといふこと、近代的な表現を以てすれば分權的なものが中央集權的になつたといふことであつて、それは統一國家的な機能の集中が實現されたといふことである。このことはゲルマン社會の血緣的紐帶に代はる新らたなる地緣的紐帶を基礎として實現されたのである。その際、部族國たる多數の Völkerschaft はフランク國王を共同の國王として戴き、各部族はその中にあつて指導的地位にあつたフランク人の部族に同化されつつ、フランク化することによつて諸部族を超えた統一國家の形成に拍車をかけたのであつた。それはまたサリカ系フランク法が他部族の上に、擴大されたことを意味するのであつて、サリカ法の優勢はメロヴィンガ朝の初頭に現はれたが、帝國内に併合された諸部族に對してはなほ寛恕な態度がとられ、法的統一化はたかだかに公法の領域に現れたものにすぎなかつたといふことが出來るかやうに七世紀後半には分權主義が優勢となつたのであつたが。カロリンガ王朝においては中央集權主義が再び興隆したのであつた。第二段階としては、かやうな新しき國家構成の内部において國民會より諸種の機能が國王の一身に集中し國王は國民に内在する機能の單なる行使者としてでなく、やがて國王自身に内在する機能とするに至つたのである。このやうな王權の充實に與つて力あつたものとしては國王の御料地の出現であつた。從つて國民法と王法との對立は一面においては部族法と統一國家法との對立として現はれるとともに、國民會と君主との對立として現はれたのであつて、かやうな二元主義は近代的意味における公法と私法との對立ではなくて、二つの國家構造の對立、すなはち古き國民國家と新しき扈從制國家との對立であつた。從つてギールケが謂ふやうに、國民法或ひは王法のそれぞれの中に、今日の公法私法の觀念は混入してゐたものであつた。

（1） Brunner, op. cit., S. 544. C. Schwerin, Grundzüge der deutschen Rechtsgeschichte 1934, S. 52.

（2） Jerusalem, der Staat, S. 114.

フランク王國における古代國民國家と扈從制國家との對立をギールケは彼の持論である組共同態と支配態との對立として把握してをり、そこにおいては、有史以來のこの對立はもつとも明瞭な形態をとつて現はれ、組共同態は崩壞へ、支配態は上昇開花の過程をとりつつあつたと謂つてゐる。この二元主義はフランク王國の基礎であつたが、ギールケはなほ「組共同態的要素が帝國 Reich の本來の基礎」であつたとしてをり、Genossenschaft たることが基本構造であつて、Herrschaftsverband の構造はいまだフランク王國においては基本的ではなかつたとしてゐるのである。（1） 彼は「帝國の內の個々の國民や部族は古き意味において國民と部族との自由な成員から成る大なる平和團體及び法團體として妥當してゐたものであり、自由な農民にとつては今なほ帝國はもつとも廣き組共同態であつた」と謂つてゐる。

彼はフランク王國には眞の「國家」Staat すなはち統一的國家理念によつて支配され、一つの國家權力が存して、一つの國家組織がその成員と全體との關係を統制するやうな國家は形成されてゐないとし、フランク王國の全盛期に Staat の外觀を現はしたのは、二つの相競ふ時代思想がより高い統一によつて融和された如くであつたが、この高き統一體は帝國の內面から生じた調和ではなくて、偉大なる國王の力ある人格、すなはちカール大帝によつて、偶然に外面的にのみ混合されてゐたものにすぎず、この二元主義の對立は解決されてゐたのではないとしてゐる。(2)

フランク王國は Reich として稱ばれたものであるが、未だゲルマンにおいては Staat なる觀念は存しなかつたのであつて、この言葉がイタリアの都市國家に發したものであることは後に述べる如くである。 Reich は régne, regno, reign の語源たるラテンの regnum に起源をもつ言葉で、支配を意味する言葉であり、(3) Herrschaft, Gewalt, Obrigkeit などと關聯あるもので、それは一人の支配者 Herrscher を前提とした概念であつた。(4) この Reich なる觀念は同じく國家を意味するものではあるが、後においては Land に對立する法的意味をもち、前者が支邦の聯合態を意味するに對して、後者はその支邦を意味するものとされたのであるが、Reich なる觀念が、その起源においても Land とは異る觀念であつて、Land の觀念が土地利用に關聯あるのに對して、もつぱら人による支配現象に關聯ある觀念であることは興味をいだかせられる。部族を超えVölkerschaftを超えて形成されたフランク國王の下の政治的統一體がLandの觀念から區別せられるReichとして表現されたことは、フランク王國の形成の地盤が、それまでのゲルマンの社會構成の基礎たる土地利用關係とは別個の新しい紐帶の上に存したことを物語るのであらう。少くとも、このやうな新しい政治的統一體がフランク王國において「支配」の觀念を、その要素として含むReichとして表現されたことは支配現象がフランク王國において形成されたことを意味するといつて過言ではあるまい。

Landなる觀念は本來、經濟的利用のための地面の意味と、Gegend. Landschat, Vaterland, Gebietなどと一聯の聯關ある領域の意味とに用ひられ、この二つの使用法が交錯して來たのであるが、(5)少くともReichとは異る要素を含んでゐたのであつた。Landが稀には王國の全體に及ぶものとして使用されてゐたこともあるが、政治的にはより狹い領域を示すものとして用ひられたのである。それはLandが土地利用の經濟的觀念を內含してゐたので、直接に土地利用の關係に結びついた下級の政治團體に用ひられたもので、十三世紀に至つては領主の領地を示す觀念として使用されるに至つた。中世においては、このLandなる觀念が土地Grund und Boden

を重要な政治要素とすることによつて、やがて前面に現はれ、國家が Land の觀念を以て表現されることが支配的となつたのである。このことは中世の國家觀念が人的團體としてよりも、地域的團體として形成されつつあつたことを物語るもので、ローマの civitas なる觀念が中世においてはもつぱら都市國家を意味するもの、となつたが[6]、その場合においても、ローマにおいては、それが人的團體としての觀念であつたのに對して、ここでは地域的團體としての觀念として發達したのであつた。このことは中世において地域的團體の觀念が全面的に現はれたことを物語るものであつた[7]。

（1） Gierke, op. cit., I. Bd., S. 150.
（2） Ibid, S. 149.
（3） G. Jellinek, Allgemeine Staatslehre. 1905, 9. 124. ラテン語の Imperium（支配權）より發した Imperio なる表現が Reich と同義である。君主政と共和政を通じて通用する用語は十六世紀までは現はれなかつた。
（4） Below, op. cit., S. 130.
（5） Ibid, S. 130.
（6） Gierke, op. cit, III. Bd., S. 356.
（7） G. Jellinek, Allgemeine Staatslehre, 1929, S. 131.

三　フランク王國のローマ的裝飾

フランク王國がゲルマン國家に固有な組共同態的構造を排して、支配關係を擴大せんとするに際し與つて力あつたのはローマ的觀念であつた。(1) 蠻族の頭首たるフランク國王がローマ皇帝の稱號を得んとあらゆる努力を傾けたのはその一つであつた。ここにフランク國王がローマ皇帝の稱號を獲得した過程を觀る必要があると思はれる。ローマ法皇によつてなされたカール大帝 Karle der Grosse の戴冠については、その戴冠の四世紀後にローマ法王廳と神聖ローマ帝國との權限の死活の問題が爭はれたときに、多くの解釋が現はれたのであるが、(2) 法王は本來は他の僧正と同じくローマ皇帝の臣下であり、その確認により就任してゐたのであつて、事實上の獨立に慣らされて優越的地位を占めたのである。ラヴェンナ駐在の東ローマ太守が殺されてのち、ロンバルヂア族の王リウドプランドが東ローマ皇帝の同盟と稱してローマを刧掠せんとしたとき、法王グレゴリー二世はフランク國王カルル Karl に救援を求めたのであるが、彼は事前に死し、その子ピピン Pipin はフランク人の古來の選擧法に加へてローマの冠冕 diadem とヘブライの塗油式 Anointing とを附加して王位に就き、ロンバルジア族を破つて、北伊太利の東ローマの代官領全地域を「神及び聖ペートルの愛のために」pro amore Dei et Sancti Petri ローマ法王に贈つたのであるが、之に對して法王は功勞に報ひるためパトリシアン patrician なる尊稱を與へたのである。パトリシアンは本來は官職の名稱ではなく、位階の名稱であつたが、皇帝 Emperor 及び執政官 Consul につぐものとして第一流の地方總督に與へられるもので、ローマ皇帝に阿諛する蠻族の王に與へられたことがあつたとされてゐる。(3) この廣大にして明かでない權威を含む官職はローマ敎會を監督する義務とその世俗的利益を增進する義務とを含んだものであつて、この官職はローマ皇帝に屬する官職であつたから、法王が之を與へたことは、それ自身皇帝への叛逆であり、從つて正當な權利からではなく、ロンバルヂアの敵やローマ敎會に援助と防衛の義務を負はしめる資格として、之を選んだのである。從つて、この職名は patricius romanorum であつて、單なる patricius ではなく、つねに防衛者たることが結合されてをり、防衛とは之によつて利益をうけるものに服從するものであることが意味されてゐたのであるが、多少ともローマ法皇やローマ皇帝のローマにおける積極的權威を讓渡したものと考へられたのである。(4) カール大帝はローマ市の政治をパトリシアンの名義によつて行つたが、東ローマ皇帝の名義上の主權は認め、文書の日付にも、その治世の名義を記したのである。七九六年法皇レオ三世はローマ寺院の聖者の墓鍵を彼に贈つたのであつた。

西ローマ最後の皇帝が六老院に反逆を起して以來、東ローマ皇帝のみが唯一の皇帝となつて、すでに三百二十四年、伊太利は名義上東ローマ皇帝に屬してゐたがゴール、スペイン、ブリテンなどでは東ローマ皇帝の權力は記憶にすぎなかつたのであつて、ローマ帝國の觀念は世界秩序の必要な部分として消えず、この觀念を破壞しつつあつたかに觀られる人々によつても、また敎會によつても承認されてゐたのである。チユートン人はすでに失はれてゐたこの制度に自己を合せんと試み、ブルグント人もフランク人も執政官やパトリシアンの名稱を求め、英國のアングル人やサクソン人はローマの高官の名を用ひ、のちにはブリテンの imperator 或ひは basileis と名乘るに至つた。東ローマ皇帝の權利は觀念的には存して皇帝はローマ市の名義上の主權者だつたのである。

（1） Gierke, op. cit., Bd. I., S. 102.

（2） （イスワビア家出身の皇帝は王冠をその遠祖が征服の勝利品として獲得したもので、ローマ市民と僧侶とはいかなる權利をも有しないとし、(ロ)ローマ愛國黨は皇帝は古い歴史によれば、ローマ人の權威の一時的な管理人であるから、ローマの元老院と人民の聲によつて設置されるものとし、(ハ)ローマ法王はレオが王冠を授けた事實を以てこれを授けるのは法王の權利中にあると主張しだのであるが、この最後の說が勝利を得たのであつた。ブライスは之を批評して、チアールス大帝は征服せず、法王は與へず、ローマ人選擧せず、超法的の事柄であつたといつてゐる。J. v. Bryce. The holly Roman Empire, 1928, p. 57.

(3) Odoacer, Theodorich ブルグンド王 Sigmund Clovis 自身も東ローマ皇帝からパトリシアンの名稱を受け、後年に至り、サラセン族、ブルガリア族の王にも與へられ、六・七世紀に入つてはイタリアの東ローマ太守にも與へられた。(Ibid., 40-41)

(4) Ibid., p. 46, 41.

(5) Ibid., p. 45.

紀元八〇〇年、フランク人の軍隊はローマに侵入したが、法皇レオに對することの反逆は奇蹟によつて許され、法王は質撲なるフランク流の服をパトリシアンの靴と長外套に代へたカール大帝にさらに「カエサルの王冠 diadem of Caesar を與へ、ローマ民衆は「神によつて戴冠せられ、偉大にして平和を愛する皇帝チアールス、アウグスタス Charles Augustus に生命と榮光あれ」と叫んだのである、この戴冠は選擧によつてでなく、ローマ人の喝采によつて行はれたのであるが、それは超法的な、東ローマに對する西ローマの叛逆に他ならなかつた。(1) ローマ帝國は世界史上に存在し得るもつとも價値ある唯一の帝國で、蠻民の腦裏にも、その華やかな回想がなほも深く印象づけられてゐたものであつた。ドイツ諸部族ことにフランク部族は歴代の國王が忘れ難たく目指してゐた皇帝の王冠をカール大帝が獲得したとき、彼ら自らが偉大となつたもののやうに王者たるの喜びを味つたのである。(2) カール大帝の帝國は一の異敎國から基督敎的世界帝國にまで擴大されたものであるだけに、その點においては、ユリウス、カエサルの帝國を凌駕する價値を有してゐたのである。國家と敎會との親しき聯關はカロリンガ王朝がメロウィンガ王朝に對立する新しき要素であつて、後者において支配してゐた國家の敎會に對する中立はカロリンガ王朝においては皇帝が、その帝位の故に國家統治のみならず、敎會統治の權限を有するものと自覺されるに至つた。カール大帝はローマ皇帝の名稱が本來有する軍事的な權力のみならず、(3)民政についての權力をも獲得したので、後年の法學者のうちには、ローマ皇帝としての權力をフランク國王としての權力から區別し、ローマ皇帝たる戴冠はローマ首都を彼に與へたのみであつたと主張する者もあつた。鷲印の旗の嘗つて翻へつたことのない地方でローマ帝國を語るのは無稽であるといふのであるが(4)、彼が紀元八〇〇年に獲得したのはローマ市の統治ではなく、彼の父がすでにパトリシアンとして行使してゐたかやうな權力を超した權力を獲得したもので、それは正に世界の帝王たる權力であつた。しかしながらカール大帝の皇帝としての權力は二つの點において障害があつたことを否定し得ない。それは第一に法王は授與した王冠を剝奪して、法王の下のローマ教會をして彼に反對せしめることが可能であつたのみでなく、ローマ皇帝として新しき世界帝國の統治を行ふために、諸民族の言語、風俗、慣習の統合を企る企圖はすべて失敗に終つたことであつた。强固なる中央政府を建てんとする彼の努力は實現せられず、ギリシア・ローマ的な專制政は行はれず、かへつて各部族は世襲の首長と自由人の民會によつて行動してゐたのであつた。(5)カール大帝はローマにおいては古希臘風の短外套を着てサンダルを穿いてゐたが、フランク國王としてフランク人の軍隊の陣頭に立つときは、依然としてフランク族の慣習を守つたのであり、彼自身は偉大なる皇帝アウグスタスであつたとしても事實においてはフランク族の頭首であつた。フランク人によつては彼が自己の部族の傳統と慣習を最もよく守るとして信賴せられてゐた偉大なる人格に他ならなかつた。(6)ギールケの謂ふやうにゲルマン人にとつては彼の國王が同時にローマの皇帝たることを知つてはゐたが、しかし彼らにとつてはカール大帝は國王のみであつた。(7) あらゆる事に支配者が干渉するローマの國風はゲルマンには移入されず、ローマの國風とゲルマンの國風との內的融合はいづこにも見出されず、それはただ外面的にのみ結合されてゐたものにすぎなかつた。 のみならず、ゲルマン帝國それ自身がギールケによれば農民にとつては全く昔ながらの組共同態であつて、その內にはさらに數多くの組共同態が構成されてゐるものとして、これらの團體の組共同態的幹部にすぎないものとしてゐる。 ギールケは一種の多元的國家論者として、フランク王國の組共同態的要素を多少過大視してゐるので、(8) ローマ帝國の形態はフランク王國にとつては、單なる外裝に過ぎなかつたのである。 フランク王國における、ローマ帝國的要素を過大視することは不當であつて、ことにそれがすでに古代ゲルマンの國民國家とは變化してゐる原因をローマ的なるものの影響に求めること出來ない。(9) ギールクはフランク王國の組共同態的基礎を重視してゐるが、すでにそこにおいては國民國家的構造は止揚され、扈從國家の構造はその下部構造にまで及び、さらに封建國家の萠芽すら兆してゐたのであつた。 フランク王國における權力支配の發展はローマ的なるものの外在的原因に求められるものではなく、それ自身に含まれる社會經濟的な內在的原因に基因するものであつたことは言ふまでもないのである。

(1) Bryce, op. cit., p. 54, 49.
(2) Ibid., p. 55.
(3) 船田享二「羅馬元首政の起源と本質」（昭和十一年）二四六頁以下參照
(4) Putter, Corning, David Blondel などの說。
(5) Bryce, op. cit., p. 71.
(6) R. W. Carlyle & A. J. Carlyle, A History of mediaeval political Theory in the West, 1930, p. 196.
(7) Gierke, op. cit., I. Bd., S. 150.
(8) ギールケが多元的國家論者によつて支持されるのはかやうな點にあつた。H. Laski, Studies in the Problem of Sovereignity 1924, S. 5.
(9) ローマ的觀念の影響を重視するものとしてはヨハン・フオン・レールス「獨逸農民史」（永川譯）五八頁。

國王の支配權が擴大された基礎となつたのは、租稅收入ではなくて、侵略によつて、收奪した大所有地であつたが、メロヴィンガ王朝においては、嘗つてのローマ人の國有地、王領及び無主地は新らたな王領とせられ[1]、この茫大な王領に對しては國王の官僚が任命せられ、これらの官僚は國王より屢、所有地と各種の特權とが與へられて、フランクの自由人よりは遙かに高い地位を有したのである。　これが包括的な官僚機構の基礎であるが、メロヴィンガ王朝においては、その王領の一部は官僚によつて管理されたが、他の大部分は國王の親族及び寵臣、宗教團體に贈與し、また兵役義務を誓つた臣下に贈與されたのであつた。これらの土地は完全な財産 ad proprium として贈與されるとともに、彼らが國王に對して奉仕した報酬として封與されたもので、受贈者及び受封者が國王及び帝國に對して大逆罪を犯した場合には取戻されたのであつて、國王に對する忠誠の對償として發生した形式であつた。(2) 舊フランクの相續法に依つて、受贈者の息は父の義務をも引受けるといふ條件の下に土地は世襲的に封與されたものであるが、かやうにしてフランク人の有力者の中には廣大な土地を所有するものが生ずるに至り、ここに新らたな領主階級が發生したのであつた。これらの領主は國王とは vassaticum なる從屬關係にあるものとされて、後世の家士制 Vasallität の基礎となつたのであるが、クノーに依ればメロウンガ王朝において既に、新しき領主は自己の土地の上にフランク人の小農やローマ人の移民を移植し、または自由人に對して陪封地 Unter-od. After-lehn として封與し、この陪臣 AfterVassall と稱ばれた轉借人はその采邑を受領するとともに、私的領主が國王に對して持つ服從義務と同樣の關係を設定するに至つたのである。私的領主は國王が有する領主高權 Lehnshoheit に對して采邑支配權 Lehnherrlichkeit を有するに至り、封建的臣下關係はメロウィンガ王朝においては廣範圍に形成されるに至つたのであつた。

カロリンガ王朝においても土地侵略によつて次第に擴大された新王領の上に、メロヴィンガ王朝におけると同樣に、その王位を確保するため、多くの僧侶や寵臣や家臣に、その土地を封與したが、ここにおいてはフランク帝國の舊部分たる耕地を從來の如く贈與することなく、之を宮廷の需要にあてるとともに、之に代はつて新しい侵略地を贈與したのであつた。(3)

かやうな封建國家は國王がその君主權の機能を家臣に委讓し、家臣は更に之を陪臣に委讓するといふ仕方によつて封與の位階制 Hierarchie が形成されたのであつて、國王はその尖端にある采邑支配者 Lehuherr であつた。國王が恩給 Beneficium として贈與した目的物は最初は土地であつたが、次第に君主權のあらゆる範圍に及び、關稅權、鑄貨權も含まれ、九世紀以來は伯 Graf の如き地方官職をも對象とされるに至つた。(4) もとより帝國の全領域が封與化したものではなく、就中國王の裁判權の一部は國王のもとに留保されてゐたのであつた。(5)

(1) H. Cunow, Allgemeine Wirtschaftsgeschichte, 1927, S. 342.
(2) Ibid, S. 346.
(3) Ibid, S. 387.
(4) Jerusalem, Der Staat, S. 119.
(5) このやうな國王の裁判權は恩赦權として、國王の下に留保されたのであつた。中村哲「恩赦權の史的基礎」(國家學會雜誌・第五十八巻第五號)

四　Reich の觀念

帝國 Reich なる觀念はさきに述べたやうに人による支配現象、すなはち支配者を要素として含む觀念として現れたものであるが、ヴィッはすでに九世紀においても支配者たる國王より離れて帝國なる觀念が成立し得るに至つてゐたと謂つてゐる。(1) 古くより「國王及び帝國」なる用語が用ひられたが、そこにおいてはすでに國王と並行して、之と別個な帝國の觀念が形成されつつあつたもので、この場合の帝國なる觀念は本來の權力的な國家概念とともに、むしろ國家に歸屬する財產の意味に用ひられたものであつた。(2) 國王より區別せられる帝國は目に見えざる抽象的な團體としてではなく、目に見える國家財產として國庫 Fiskus なる概念と一致したのであつた。本來は帝國なる觀念は現實の生ける支配者たる國王と不可分の觀念であつて、國王の交迭、ことに王朝の交替にもかかはらず、依然として同一の帝國として把握されることは困難であつた。ことに新らたなる王朝の支配者が前の王朝の私的權益を全く否定するに至つた場合においても、なほこの二つの王朝が同一の帝國として把握されたのは、とくに帝國財産の領域に關してであつた。[3]斷絶し交替した王の血統の問題と帝國の制度的な繼續性の問題とが區別されたのは、帝國財産に關してであつて、王朝は交替しても帝國財産は繼續して存在したため、そこには依然として帝國が存するものと見做されたのであつた。この場合には帝國が國庫の意味に理解されてゐたのであつた。

ギールケはかやうな帝國の繼續性が客觀的な狀態の永續性に求められ、國家の主體の同一性に求められなかつたとして、そこにおけるローマ帝國の觀念の役割を重視してゐる。すなはち彼によれば帝國は神の設定になる最高の世俗的支配權を有するものであつて、この帝國の擔ひ手が何人であらうとも、いかに變遷しようとも帝國そのものの神より與へられた本質は動かされなかつたのである。その擔ひ手は移り王朝は斷絶しても、帝國が依然として中世社會の世俗的支配權を有するものとして妥當したのは、ギールケの言葉に從へば客觀的統一體の觀念に基礎を持つからであつた。(4) 帝國とはすでに、その「支配者」に結びつく觀念であるよりも、この意味ではすでに「支配の狀態」に結びつく觀念となつてゐたのである。帝國に內在する世俗的な最高の支配權は、古代ゲルマンの君主や王侯の支配權とは別個の起源をもつもので、そこにはローマ的な觀念が與つて大であつた。すなはちローマ帝國の觀念によれば神は敎會とともに帝國を設定したものでこの支配權は神の地上に及ぼす世俗的な劍に基くものとされてゐたのである。帝國がその內容において依然、ゲルマンの蠻族の國家的共同態であるにもかかはらず、ローマ帝國 Imperium の名稱を冠せられたことに據る唯一の收穫は、このやうな神的秩序との觀念上の結合であつた。「帝國」の支配權の觀念的基礎はもはやゲルマン社會の諸團體の權力が有してゐたものとは明かに別個の基督敎的なものであつた。かやうに、ローマ帝國たる名稱を得たゲルマン人の國家は、ローマ帝國の觀念そのものより繼受することなく、かへつてローマ帝國に附加せられた基督敎的觀念を獲得したのであつたといふことが出來る。しかしながら、ドイツ帝國の具體的な政治構造を觀察するとき、ローマ帝國なる抽象的觀念は一つの裝飾であるにすぎず、ローマ帝國たるドイツ帝國の政治構成の現實の基礎となつたものは、土地と國民に對する最高の主人たる權 Dienstherrlichkeit であり、最高采邑支配權 Oberlehnherrlichkeit であつた。この封建制の構成はいかにしてもローマ的なものではなかつたけれども、このやうなドイツ帝國は神より封與されたる官職であるとして、その封建的構造の觀念的基礎は神の秩序に基くものと見做されたのであつた。この方法は世俗的な裁判權にも軍事權にもまた保護權 schirmherrlichen Befugniss にも適用せられ、かくして「帝國」が、その變遷・轉變にもかかはらず、繼續性と恒久性の中に觀察せられたのは、その根底に神の秩序を認めたからに他ならなかつた。神によつて設定されたる「帝國」は、その權力の擔ひ手が變らうとも、依然として同一の帝國と觀られたものであつて、かやうな意味においても、帝國なる觀念は支配者に結合した觀念としてよりも、すでに、それを離れた客觀的なものとして把握されるに至つたのである。(5)

（1） Below, op. cit., S. 182.

（2） Gierke, op. cit., II. Bd. S. 562.

（3） Below, op. cit, S. 185.

（4） Gierke, op. cit, II. Bd., S. 513.

(5) Ibid., S. 514.

帝國なる觀念が國王なる觀念より區別せられた場合においても、いまだ目に見えない全體としてではなく、たかだか國王より區別せられる財産としての國庫としてであつた。古代ゲルマンにおける國家共同態たる Völkerschaft も目に見えない抽象體ではなく、それは現實の國民會に他ならなかつた。國民の總てが集會し、決議するときにゲルマンの國家は成立したのであつて、それは目に見える國民の總體以外の抽象體ではなかつた。支配及び財産の主體はかやうな現實の國民總體であつたが、やがてその一部が現實の支配者たる國王に移行し、諸部族の合併により帝國が形成されるに至つて、國王のみが支配と財産との主體となつたのである。十二世紀までのフランク王國においては國王の私的財産は帝國の財産と全く一致し、國庫 Fiskus とは國王の財産 Königsgut であつて、(1)それはゲルマンにおいては國王の宮廷に屬する總てのものが意味せられたので、國庫なる用語がすでに狹い意味のものではなく、帝國の財産の全體のみならず、しばしば、その財産の一部分、すなはち金庫、財寶、特別の權能、村落 Villa のみならず、國王の所有地などが意味せられたのであつた。(2)かやうな國庫はギールケの言葉に從へば主觀的統一體ではなくて、客觀的統一體であつた。[3] ローマにおいては國家を意味する respublica は aerarium, publicum と同樣に國體の財産を意味し、同じく國家を意味する civitas の觀念と對してゐたが、ローマの帝政末期においては財産法上より把へられたる國家としての國庫は法人格を有したのであるが、ゲルマンに繼受された國庫の觀念は[4]決して、それ自身が一個の法人格を有する完結體とは考へられなかつたのであつて、國庫として把握された物と權利とは、國王の物であり、權利であつて、それ自身が法上の主體ではなかつたのである。[5] ゲルマンにおいては國庫のみでなく、國家そのものの觀念が十三世紀に至るまで人的觀念に關聯のない客觀的な事物であつて[6]、國家とはそれ自身が法上の主體となることはなく、國王の支配の對象物であつて、物の領域に屬するものであつた。ワイツは republica とか imperium とかと謂はれるものは、かやうな支配者の人格から區別せられる國家的共同態と秩序における繼續的にして一般的なるものであるとしてゐるが、そのことはドイツの國家が Land と或ひは Reich と稱ばれやうとも同樣であつて、ゲルマン人の共通の考へ方であつたと謂つてゐる。[7] 初期において「國王及び帝國」Kaiser und Reich なる慣例語が用ひられた場合の帝國とはこの意味の客觀的事物を意味したのであつた。

(1) Gierke, op. cit, II. Bd. S. 565.

(2) Ibid., S. 566.

(3) Ibid., S. 565.

(4) 國庫なる觀念はすでにサリカ法の中に現はれてゐる。

(5) ローマの帝政末期においては、このやうな國庫は財產權の主體として法人格を有するものとして、私法上の權利、義務の主體であつたが、この觀念が移入されたドイツの中世前期においては法人格としての國庫なる觀念は發達せず、むしろ財產上の收入の歸屬を主張し得る權利として國庫權 ius fisci なる觀念に變貌してしまつた。この國庫權は神聖ローマ皇帝のみが有してゐたが、次第に各邦の領主の手に收奪され、國庫權は領主の高權とされるに至つた。山內一夫「國庫說の歷史的發展」(國家學會雜誌・第五十五卷・第四號)參照。

(6) Rehm, Geschichte der Staatsrechtswissenschaft, 1896, S. 171.

(7) Below, op. cit. S. 163. 183.

古代ゲルマンにおける Völkerschaft は外部的には一個の統一體であつたけれども、內部的には國民の多數の聚合狀態であつて、國民にとつては、この聚合狀態は別個な第三人的な統一體として意識されてゐたのではなかつた。國民には目によつて知感しうる現實の狀態のほかには意識されなかつたのである。財產と權力の主體はかやうな國民の聚合した多數であつて、決して、この多數から區別せられる國家なる統一體にあるとは考へられなかつた。しかるに君主政の發達によりやがて財產と權力の主體は君主にあると考へられるに至つたため、知覺的なるものの以外のものを認めなかつたゲルマン人にとつては、あらゆる關係は君主と臣下との支配狀態であると意識せられ、君主と臣下とを包む目に見えぬ國家なる統一體は考へられなかつたのである。　この場合においても君主と臣下との支配結合關係とともに、農民にとつてはなほ多くの關係においてゲルマン古來の組共同態が存するものと考へられてゐたことはギールケの主張するところである。　かやうなゲルマン人の政治的團結は外部的には、帝國として、ことにローマ帝國を繼承したる imperium として表現せられたものであるが、この帝國なる觀念は君主の觀念と竝んでかへつてそれと區別せられるものとして漸次國民との內部關係においても、國王の觀念より區別せられる觀念として、意識せられるに至つたのである。あらゆる權力と財產の主體として Kaiser und Reich なる慣例語が用ひられたばかりでなく、やがて Reich なる表現が單獨に用ひられるに至り、前者の表現における帝國とは帝國の全體 Reichsgesammtheit たる等族 Stände のみを意味し、帝國の首領 Reichshaupt たる國王よりは區別せられるに至つたのであるが、帝國なる表現が單獨に用ひられたときは、そのうちに國王が含まれたものとして表現されてゐたのであるが、この場合には、國王のみならず、帝國の等族の總體との結合における國王が權力と財產との主體であるとせられたのであつて、ギールケによれば、それは國王の選擧制が確立されて後のことであつたといはれてゐる。この場合の等族とは封建的な封地を有する等族の個人としてでなく、國王よりその權利を受ける等族の總體の意味であつて、それは、結局のところ帝國會 Reichsverssammlung であり、帝國議會 Reichstag を意味するものであつた。たゞし「國王及び帝國」なる慣例語をギールケの如く異る二つの概念の結合であるとすることにはスメンドの反對があり、この兩者は根底において共通なるものを意味してゐると謂つてゐるが、[2]この慣例語も歷史の發展とともに意味內容を著しく變化したもので、フランク王國の前期においては國王と竝立する等族からなる帝國議會はもとより形成されてはゐなかつたのであり、本來、帝國と稱せられたのはさきにも述べた如く非人格的な客觀的な事物の意味であつた。ことに「國王と帝國」なる慣例語が新しい意味を展開したのは、敎會との權威が爭はれるに至つた時代で、敎會と王侯に對して國王が自己の權威を主張するために、この表現が使用されたのであつた。[4]國王の權威が Reich と結びつくことによつて主張されるに至つたことは、すでに國王の權威が Reich の觀念によつて强められることを意味し、Reich の觀念が國王を超えて通用せんとしつつあつたことを意味するであらう。

（1） Gierke, op. cit, II. Bd., S. 569.
（2） Below, op. cit, S. 182.
（3） Ibid., S. 183.
（4） この考へから、國王が法の主體ではなく、帝國がその主體であつて、國王は國家權力の擔ひ手 Träger であるといふ思想が展開されたのであつた。

もともと Reich とか Imperium とかといふ言葉は多様な意味に用ひられたもので、ザクセン鑑などでは空間的な領域を意味し、或ひは直轄の帝國領土を意味したこともあり、今日の王位 Krone の觀念の如く、それに件ふ特權と義務とを意味したこととすらあつた。(1) かやうな客觀的な物として把えられたのみでなく主觀的意味においては帝國の總體 Reichsgesammtheit を、すなはち、最廣義には總ての國家構成員の全體を意味し、またさらにまた直屬の帝國國民を意味し、最も狹義には帝國の政治的權利をもつ積極的な國民のみを意味することもあつたのである。 この最後の場合には、さらに國王がその中に含まれる場合と否とがあり、前者の場合には、帝國議會と共にある國王、帝國陪審官と共にある裁判官としての國王、帝國軍隊と共に在る統帥者としての國王が意味せられ、のみならず、しばしば、帝國の名の下に帝國の統一體の代表者として國王のみが意味せられてゐたのであつた。之に對して國王から帝國が區別せられ、對立するものと考へられるに至つた場合には國王と帝國議會或ひは等族が意味せられてゐたので、この場合には帝國なる名稱の下に國王の個人の人格と國家の人格とが對立するものとして考へられるに至つたのである。國王の目に見える人格から離れて帝國の觀念が形成されるに至つたことは抽象的な目に見えない國家人格の觀念が形成される第一歩であつたとギールケは謂つてゐる。(2)

（1） Gierke, op. cit., II Bd., S. 570.

（2） Ibid. S. 571.

（附記） 本稿は完結的なものではなく、豫定の研究の一部分であるため、本稿には結論を付することもしなかつたのである。多少纏らない感じのあることとは、諒とされたい。この續篇としては中世の都市國家及び領主國家の構造が問題となる譯である。

刑法における道義性の要求

植松　正

目次

一、社會防衛主義刑法學の主張……五
二、近時における刑法の倫理化運動……二一
三、刑法の道義的性格とその不可缺性……四〇

一　社會防衞主義刑法學の主張

近代刑法學は、周知の如く、古典學派と實證學派との鋭き對立においてその歴史を展開した。その對立は或る場合には不必要であり、不當でもあつた。一定の殊に既成の主義にかゝづらふ者が往々自說を持するに急なるあまり、反對說の立場を強ひてその極端なる形態に擴張してこれを攻擊し、また本來多義的な事實を捉へてはこれを自說に附會せんとする態度をとり易きは、ひとり刑法學の分野におけるのみのことではない(一)。かくて刑法學におけるこれら兩學說の對立は、立法に司法に行刑に、或は刑事諸科學にまで導入せられたのである。しかしかゝる對立は本來あるべからざるものであつた。そのことを最も雄辯に立證するのは、今日對立せる兩學說が互にその步を近づけつゝあるといふ事實である。いま兩者を折衷することが許されるのではない。綜合を行ふべきことを主張するのでもない。たゞ分裂以前に橫たはる唯一の眞理をこそ求むべきである。現代のあらゆる刑法學説をこの二派に分屬せしめることは出來ない。(2)(3)このことについては勿論別に稿を起して評論しなければならぬのであるが、現に刑法の基本問題に觸れるに當つて、根本的態度を開示しておく必要を感ずるので、一言卑見に觸れた次第である。

さて、刑法學における古典學派は、根本においてカント、ヘーゲル等のドイツ哲學の色彩を濃厚に帶びて出發したものであるから、刑法の道義性については當初よりこれを肯定し强調するの態度に出た。今日においても古典學派の思想家達がすべて刑法の道義性を肯定するの態度に出てゐるのは當然のことであるといはなければならぬ。刑法學において、古典學派は自由意志(4)の是認を前提とし、所謂客觀主義に立脚して行爲者よりは行爲に注目し、從つて行爲の結果を重要視し、責任の道義性を强調して、刑罰論においては應報刑論になづむものであるが、かうした一聯の思想體系は必ずしもその體系を構成する各思想分肢と論理的必然關係を有するわけではない。これらの思想分肢によつて古典學派の思想體系が構築されてゐるといふのは單なる學説史的發展の結果として成立した「歴史的事實」に過ぎない、必ずしも各思想、分肢がかく結合してかゝる思想體系を形成せねばならぬ「論理的必然性」があるのではない。されば古典學派が責任の道義性を强調したといふことと從つて現在もこれを堅持してゐるといふことは必ずしも古典學派の持つ他の根本的特徴たる客觀主義、應報主義乃至意志自由理論等と、論理的性格を同じうするものではない。これらの諸思想分肢間に論理的聯關を求めることは、もとより不可能ではないし、またそれが可能なればこそ、それらが一聯に結合して古典學派なる一の思想體系を築き得たのには違ないが、それはすべてが「必ずしも然るべき」ではないのである。純論理的にいへば、古典學派のこれらの諸特徴のうちには實證學派の主張とも結びつき得べきものを多分に保有してゐるのである。從つて、いま古典學派が刑法の道義性を强調したといふ事實があるからといつて、直ちにそれが意志自由論、應報刑論乃至客觀主義等と必然結合すべきことを指摘せんとするものではない。こゝではたゞ古典學派がその哲學的思想背景との關係上、刑法の道義性を肯定し强調するのは極めて自然のこととして理解されるといふことをあきらかにすれば足るのである。決して他の諸特徴に論及するものではない。

これに對して實證學派は一般に刑法の道義性を否定せんとする。最近實證學派の立場に立ちながら、その思想の團體主義的なるを理由として、實證學派こそ眞に全體主義的なる道義を基調とするものなることを主張する議論がなされてゐるが、それはこの學派の一般的傾向ではない。その特異なる論旨については後に論及することとして、差當り實證學派の一般的見解としての道義性の否定について考慮を拂ふことにする。

實證學派は意志自由を否定し、所謂社會的責任を唱導して、特別豫防と敎育刑とを主張する。それはその根幹において自然科學的因果觀に依據するものであるから、實證主義と呼ばれるのである。從つてその所謂實證主義なる稱呼は、通常その名稱によつて意味されるところとは大いに相違し、現實の事實によつて實證して立論するといふ意味はなく、たゞ自然科學的因果觀を基調とするといふ點において、實證を基礎とする自然科學とその揆を一にするがために、實證主義と呼びならはされてゐるに過ぎない。[5] 刑法學における實證主義はかくの如く自然科學主義であるから、沒價値論的思想を支柱とするものであり、從つて道義性の如き價値的觀察よりする評定から遠ざからんとする傾向を伴ふ。こゝにおいて實證主義が、刑法に道義性の概念を導入することなくして、その體系を建設せんと努力するに至るのである。それは刑罰を道義的要求によつて基礎づけようとせず、却つて社會防衛の必要といふことから理由づけようとする。

實證學派は所詮前世紀の自然科學萬能思想の時代を背景として生れたものである。實にロンブローゾを祖とする犯罪に關する事實學的研究の精神を基本とし、犯罪を遺傳と環境との所産なりと觀じ、やがてはその一面において、「犯罪は社會の産物である」となすに至つた。すなはち犯罪は犯罪行爲者の責任に出づるにあらずして、社會の責任に由來すると見られ、「すべてを知るはこれすべてを許すなり。」(Tout comprendre c'est tuot pardonner)との標語をさへ生ずに至つてゐる。かくて實證學派にあつては、責任といふことが、古典學派における如く「行爲者の道義的非難に値する性情」とは解せられなくなつた。犯罪人に刑罰が科せられるのは、その行爲が道義的非難に値するからではなく、社會を犯罪人の侵害から防衛するために必要なるがためであると說かれる。これが實證學派の採る刑罰理論の簡約された措定にほかならない。そこでは道義性は驅逐され、社會防衛が刑罰の基礎として前面に登場してゐる。已にあきらかな如く、刑法における道義性の問題は刑罰の道義性を中核としてゐるのである。

一〇

この社會防衞主義刑法學は刑法の道義性を排斥する。さうして道義的に無色な、いはば自然科學的認識に、終始せる刑法學の體系を築かんとする。その窮極の論據は、犯罪は遺傳と環境との所產なるがゆゑに、犯罪人の道義的責任を追究し得ぬといふにある。これはおのづから意志自由の問題に關聯する。しかし意志自由に關する巨大な問題を暫く切離しつゝも論旨を進めることが出來る。いまはまたそれを分離しておく方が好都合である。人の意志は自由であるから、犯罪は遺傳と環境との產物ではないとして、犯罪人に對する道義的非難に基礎を與へてゆくことも一つの方向である。しかし人の意志が形而上學的意味において自由であることを論證することは刑法學本來の領域の外にある。本來の領域外にあることを論じてはならぬといふのではないが、いまその領域を超えて事を論ずるには適切ならざるものがあるのである。いつたい、意志自由があるか否かといふ問題は刑法學においても久しく爭はれて來た哲學的背景に屬する論題であるが、それは刑法を道義と結びつけようとする要求に由來するのである。論理上は、意志が自由であるといふことを前提として、刑法を道義的たらしむべしとの要求を引出すこともその可能を豫想される方向の一つではあるが、刑法學における發生的見地からすれば、これとは逆の方向がとられる。すなはち、人は、刑法は道義性を有すべきであるとの要求を提題として、その道義的性格を維持せんがために、意志自由の存在を缺くべからざるものとして證明せんとする。萬一刑法にとつて道義性が必要でないならば、意志自由の存否の如きは刑法學上論ずるに當らぬこととなるであらう。この意味において、意志自由の存否といふことよりも刑法においで果して道義性が要求さるべきや、否やといふことの方が、先決を必要とする問題であるといへる。勿論意志自由の理論と道義性に對する要求の問題とは密接の關聯を有し、角度を更へてこれを見るときは、却つて意志自由の問題こそ先決を要求するものと見得ることは曩に指摘した如くであるが、刑法なる社會秩序の規範は、意志自由の存否といふ事實の決定よりは、意志自由の要否といふ規範的要求に本質的な關聯を有する。であるから、意志自由の論議に先立つて道義性の問題を吟味する必要があるのである。道義性が不必要だといふことになれば、意志自由への要求は自然に消滅に歸するであらう。しかし道義性が必要であるとしても、必ずしも直ちに意志自由の必要が自明とされるわけではない。そこには若干の論證が要求される。意志自由の有無に關する議論を離れて、まづ刑法における道義性の要求を論定しようとする理由はこゝにある。道義性はこれを缺くべからざるものなりとせらるゝとしても、その道義性を維持するために意志自由を必要とするか否かは第二段の問題である。かくて最初に、道義性の必要を論證し、次いでその道義性がいかなる性格を有するかといふこと、換言すればその道義性の全き維持のために意志自由がいかなる意味を持たねばならぬかといふことに論及すべきである。

刑法における道義性の問題は、犯罪人に對して道義的非難を加へることが果して合理的なりやといふことを中心として展開する。換言すれば、刑罰は犯罪人に對して道義的非難として科せらるゝものなりや、はたまた社會を侵害から防衞するために加へらるゝものなりやといふことを論點とする

嘗て實證學派の誕生せざる以前において、古典學派は勿論刑法の道義性を必要とした。しかしそれは近代犯罪學の濫觴以前のことに屬し、犯罪を遺傳と環境との所産なりとする觀察方法の批判を受けてゐなかつた古い時代のことである。この時代の古典學派の思想が刑法の道義性を要求したとしても、一種の獨斷論的思索の産物であつて、いま改めて多くを論ずるに當らない。問題は實證學派の出

現以後の論議である。刑法における道義性の要求なる主題に關し、吾人が最初に實證學派によつて代表される社會防衞論に注意を向けるのも如上の理由によるのである。

社會防衞主義とこゝに呼ぶところのものは、曩に述べた如く、刑罰の基礎を社會防衞上の必要に置くものであつて、刑罰權の根據を行爲に對する道義的非難の可能性に求める立場とはまさに對蹠的見解を示すものである。前者すなはち社會防衞主義は社會的責任論の立場をとり、後者の道義的責任論に對立するものといはれてゐるのであるが、本來「道義」といふことは社會生活を前提とするものであつて、全くの孤立人には眞の「道義」なるものはあり得ないから、所謂道義的責任論が社會的にあらずといふことはいへない。道義的といふことのうちには社會的意味が當然包含されてゐる筈であるから、道義的責任が個人主義的でなければならぬ理由は毫も存しない。苟も責任といふことを論ずる以上それは社會的なるものである。(7) この意味においては、社會防衞主義のみに社會的責任といふことを結びつけるのは聊か僭稱の嫌さへある。かくの如き名稱の不當な點はあるが、ともかくも上敍の意味において社會防衞主義の刑法理論は所謂社會的責任論を主張し、所謂道義的責任論を排斥せんとする立場に立ち、完全な對立關係が兩責任論の間に形成されてゐると見られてゐるのである。そこで道義的責任論は刑法の道義性就中刑罰の道義性を肯定するに對し、社會防衛主義の説く社會的責任論はこの道義性を全然排斥し去るところにその中心的特質を有する。

社會防衛主義は實證學派の主張に伴ふものであるが、その刑法學上における理説の完成者として最も重要なる地歩を占めるフランツ・フォン・リストにおいて既に明白に道義性の否定が提言されてゐる。曰く「法的(社會的)價値判斷を人倫的・美的價値判斷によつて置きかへようとするのは間違つてゐる。もし立法者が刑罰を犯罪人の『破廉恥なる』『卑劣なる』もしくは破廉恥ならざる心情に從つて定めようと試みるなら、彼はこの過誤を犯すものである。名譽と法とが隣接關係ある概念であつた時代は過去つてしまつた。立法者はこれを遺憾に思ふかも知れぬが、それを變へることは出來ないのだ」[8]と。これは偶社會防衛主義刑法學の代表者の一人が甚だ鮮明に道義性の要求を否定するの言辭を連ねてゐるに過ぎぬのであつて、同じ思想系統に屬する諸家は、その思想體系の基調との調和からいつても、當然にこれと同種の見解をその表現章句の間に滲透せしめてゐるのである。

これについては敢て一々例證を掲げる必要もあるまい。

社會防衞主義の理論によれば、刑罰は行爲者に對する道義的非難として是認せられるにあらずして、自己の秩序に對する侵害から社會を防衞するために課せらるべきものなりとする。 それはひたすら應報とか贖罪とかの觀念を排斥し、刑罰の目的從つて刑法の目的を社會防衞に集中する。 それは本來少しでも道義的色彩を帶びた概念はこれを排除しようとするのである。

いかにも刑法は社會秩序の維持を目標とするものであり、犯罪人を減少せしむることによつて社會をその侵害から防衞せんとする目的を有する。 生命刑によつて犯罪人を永久に現實の世界から葬り去るのも、自由刑によつて一時犯罪人を社會から離隔するのも、社會防衞に非常な效果を與へることは疑を容れない。 拘禁中の教化はもとより、財產刑すらも、それを科することによつて、犯罪人の行爲の動因に對して反對動機を設定し、畢竟犯罪行爲を防遏するに役立つものである。 實に刑罰の社會防衞的任務は到底否定すべくもない事實である。 社會防衞主義の理論が刑法の防衞機能を强調してゐるのは決して不當でない。 しかしながら、それが直ちに道義性を否定すべき理由とはならない。 道義性に對する社會防衞主義の排斥態度はその自然科學的因果觀を基調とするところから生じてゐる。それは飽くまで自然現象としての事實の範圍において事を論ぜんとするものであつて、些も價値的見解をこれに導入することを嫌ふのである。それはむしろ價値に對して盲目なのである。

社會防衛主義思想によれば、刑法は社會を犯罪人の侵害から防衛し得ればよいのである。刑罰權の行使が道義的に正當視せられるか否かはその問ふところでない。こゝに刑罰法令に觸るゝ行爲―正確にいへば、社會秩序を害する行爲―をなす者があつたとする。さうすると、社會防衛主義の刑法理論は、その者の行爲が道義的に非難せらるべきものなりや否やは全然問はない。少くとも行爲者個人としてのその者の心理的契機を顧慮して、その行爲の道義的非難の可能性を論定しようとしない。その非行に對し刑罰を以て臨むべきや否やは全く社會防衛上の必要からのみ論定されることになる。この關係を圖式的に表現すれば、所謂道義的責任論をとる立場においては、行爲者に道義的非難に値する所爲があつたことを理由としてその者の法益の或るものを剝奪しようとするに對し、社會防衛的責任論の立場にあつては、行爲者は何等道義的非難に値するものではなく、非行についてはむしろその重要な原因となつた社會制度そのものが責任を負ふべきであるが、行爲者はその社會に都合の惡い存在であるから、その法益を剝奪するといふことになる。前者は道義的要求に基いて人を罰せんとするに對し、後者は社會の便宜のためといふ全然功利的理由に從つて人を罰しようとするものである。

目前の防衛目的からだけ見るならば、ともかくも社會の便益になるやうに刑法を立法しまた運用することで足りる。單に足りるだけではなく、その簡明直截な刑罰權の行使は頗る敏速に治安目的を達し得るの長所がある。しかも個人の利害を顧慮することなく、社會防衛の必要といふ「全體」のために、敢然として社會の成員なる「部分」を犧牲にするといふことが行はれるのであるから、一見いかにも全體主義の倫理に照應するが如くである。現にそのゆゑに社會防衛主義こそ進歩的なる全體主義倫理の思想に照應するものなりと主張する論旨が近頃現れて來てゐる(9)ことは曩にも一言した如くである。それは社會防衛主義の倫理化ともいふべき新傾向であつて防衛主義の通常の所見ではない。そもそも道義性を無視して考想された刑罰權運用の理法が果して眞實の防衛目的を十分に達し得るであらうか。非常特別の事態において拙速を尊ぶ處置としては、個人に關す顧慮を無視し、また道義の問題に目を蔽うても、目前の秩序維持のために努力しなければならないこともある。しかしそれは所詮一時の方便たるに過ぎぬ。眞に強力にして不動なる防衛の城塞は、その法規範を支持する社會乃至國家の成員の法感情に照して矛盾なき方策によつてのみ建設せられ得る。單なる社會防衛の必要といふ理由で、道義的に非難に値すると認め得ざる或る者に對し、死を要求しまたは自由の拘束を加へる等のことを行つても、人々は滿足するであらうか。理性の覺醒を以て生命とする人類、殊には近代文化の開明期以後に生活する近代人がそれを是認するやうな感情を一般に持合せてゐるであらうか。單なる社會防衛の必要といふ功利的目的による處置に對してでも、それが一時のことであれば、民衆は時の權威に服從するであらうが、それは決して恒久の制度たり得ない。不動の指導原理たり得ない。そのことは東西の史實の證するところでもある。

刑法は理性的存在たる人間を對象とする。その人類は、また感情の動物ともいはれる。刑法の體系は理性の承認し得べきのでなければならない。それと同時に刑法の對象たる民衆の法感情を背景として矛盾なく構成されなければならない。目的の對象たる秩序を維持するに便宜であつても、人間の本質に觝觸するものであつては久しきに亙る堅實な秩序の確保者として役立つことは出來ない。殊に刑法のやうな規範的體系の取扱に當つて、社會防衛主義の基盤たる純自然科學的な因果觀にはそれ自體多大の批判を要するものがある。

社會防衛主義の刑法學說は一般に刑法の道義性を否定する。しかしそれによつて維持される功利的な防衛理論が果して久しきに亙る强固な治安維持目的を達成せしむるに足るであらうかといふことが、後段において闡明を要求する事項である。

註

（1）物理學者も決定論と非決定論との不當なる抗爭について嗟嘆してゐる。Planck, Max, Determinismus oder Indeterminismus?, 1938. S. 5.

（2）Gretener, X., Die Zurechnungsfähigkeit der Gesetzgebung, 1899. S. 8.

（3）佐伯千仭「刑法に於ける人間觀の問題」法學論叢、四七卷七六〇頁に同旨の思想を見ることは甚だ心强いことである。

（4）「意志」を「意思」と書かないことについては、植松正「法律と心理學」（河出書房「現代心理學」六卷植松正外六名共著「法律・政治の心理學」昭和一八年所收）二一頁以下。

（5）木村龜二「刑法解釋の諸問題」昭和一四年、九六頁以下。

（6）Gerland, H. P., Deutsches Reichsstrafrecht, 2. Aufl., 1932. S. 94.

（7）Klemm, Otto, Verantwortung, American Journal of Psychology, Golden Juvilee Volume, 1937. S. 164.

（8） Liszt, Franz v., Die Psychologischen Grundlagen der Kriminalpolitik. Strafrechtliche Aufsätzeund Vorträge, II.Bd. 1905, S. 191 Anm. 1.

（9） 木村龜二「刑法と國家的道義—敎育刑の道義性について—」法律時報、一五巻四三四頁以下。

二　近時における刑法の倫理化運動

社會防衛主義の刑法理論は一時自然科學萬能時代の潮流に乘つて非常な勢力を得た。特にそれがこの時代の一般的風潮であつた意志自由否定論と歩調を合せ、全く沒價値觀的立場に立つて、刑法を道德から切離して說かうとした。また一方においては、それは唯物主義思想、社會改良論と協調し、根本においては一切の邪惡を以て社會制度の缺陷(殊に資本主義的階級組織)に歸せしめんとする思想とも多分に共通するところのものを持つてゐる。勿論、今日社會防衛主義の刑法學者がみなマルキシストだといふやうな妄論を敢てするのではない。その思想の緣由するところに否定すべからざる共通性があるといふに過ぎない。しかもその共通性があるから直ちにその學說が誤謬だといふのでもない。要は社會防衛主義と表裏一體をなす社會的責任論は、「社會制度に罪あり」との根本思想を前提として誕生したものである。この點において、その基本たる思想は十分法理論的研磨を經たものであるといふよりも、當時有力なりし唯物主義的思想體系の影響下に育成されたものであり、その意味では、思想的流行の波に押流されて來たものだともいへる。これはあきらかに法理的な弱點である。

これと同じやうな脆弱部を持つて最近起つて來たのは、まさに從來の社會防衛理論と正反對の立場に立つ刑法の倫理化運動である。その主なるものは明瞭に社會防衛主義刑法學の沒倫理觀に對する反動であるが、しかもその法理的薄弱性に至つては相似たるものがあるのである。それは主としてドイツおよび日本における共通の傾向であり、前者にあつてはナチス結黨以後の民族運動として現れ、後者にあつては滿洲事變以後の日本主義運動の一翼として登場したものである。兩者を比較すれば、ドイツにおける刑法倫理化運動は諸種の立法の上に國家的權威と結びついて現れてゐるに對し、わが國のそれは學說を主とし、判例を從とした運動であつて、未だ立法の面にはあまり注目に値する顯著な形態を示してゐない。大正十五年臨時法制審議會の決議によつて成案を見た「刑法改正ノ綱領の冒頭第一項に「各罪ニ對スル刑ノ輕重ハ本邦ノ淳風美俗ヲ維持スルコトヲ目的トシ、忠孝其ノ他ノ道義ニ關スル犯罪ニ付テハ特ニ其ノ規定ニ注意スルコト」を掲げ、以後この指導原理は昭和十五年の「改正刑法假案」を得るまで立法の根本方針に參酌された筈であるが、そこにはさう劃期的な具象化の事實を觀取することが出來ない。從つてドイツにおける運動は極めて徹底的であり極端であり、急激であるに對し、わが國における運動は漸進的、隱和的にして、且或る意味では微弱であるともいふことが出來るのである。しかしわが國における刑法の倫理化運動もその學說の面においてはかなり鮮明なものとなつて來てゐることを見逃し得ない。殊に從來は凡そ道義性の要求とは正反對の立場に立つてゐたところの社會防衛主義刑法學の陣營においてさへ、刑法の道義性を强調する學說の現れたことには大いに注目せねばならぬ。

ナチスの刑事立法にあつては、その初期において既に、刑罰法規の類推適用を許し、また犯罪事實の擇一的認定を行ふ等の方法により、所謂「健全なる國民心情」(die gesunde Volksgesinnung) から見て道義上許すべからざるものに對する刑罰權の行使を確保せんとした。なるほど「健全なる國民心情」といふことはその言葉自身道義的な意味を表してはゐないし、類推や擇一的認定の如きも、强ひていへば、それ自體必ずしも道義性への要求の端的な表現だとはいへないであらう。しかしナチスの改革運動の全般を把握し、ナチス刑法改正運動の基本精神を理解するならば、それら個々的な改修事項が、所謂倫理化運動であることは疑をいれない。ナチスのこの運動は刑法の全域に亙つて展開されたのであつて、決して前記二大改修に止まるものにあらざるはいふまでもないが、こゝでその倫理化運動の具體的成果を列擧することは、主題の性質上から必要でない。たゞ最近のドイツにおいてかかる運動が熾烈に展開せられ、いやが上にも「刑法における道義性の要求」は高められて來たといふ事實をこゝに引合に出せば足るのである。メッゲル教授はナチスにおける刑法倫理化運動について、ほゞ次の如き論旨を以て要約してゐる。

「一九三三年一月全ドイツを吹きまくつた嵐は何よりも人倫的方面における淨化運動であつた。道徳は人類の最も内奥の中核である。國民道徳は國民にとつて内實的核心であり、文化の道徳は文化概念の内實的核心である。……かくて刑法の倫理化は必然的結論であり、必然的要求である。……この刑法の、倫理化そのものについては意見の不一致はない。かうして結局犯罪を直ちに價値に關係なき『自然的なもの』として、『社會的現象』として認識しようとすることは捨て去られたのである。……刑法の内的强化は倫理化によつてこそ達成し得る。刑法の倫理化とは、刑法法規および判決を國民意識のうちに宿る人倫・文化的價値に關聯せしめることである。これが全體への關聯である。全文化への關聯である。個々の人が國民共同體のうちに調和的に分節(eingliedern)してゐる如く、刑法も人倫・文化的價値の大きな圈內に分節してゐるのである。かゝる『刑法の倫理化』は形式的な法規を生命に滿てる內容を以て滿たし、抽象的な法を具體的な事件において切斷し、權力を初めて價値にまで高める。その結果は法が國民意識に近づき、また反對に國民が法感情に近づくことになる。國民社會主義の綱領に基く刑法の倫理化は……刑法の權威と國家の權威とを强化し、權威刑法を招來するが、刑法は生活相卽なものとなり、生々として國民確信を高次の價値段階へ高め、『社會的名譽』を最高の尺度とするに至る。」(一)

この所說によつてもあきらかな如く、ナチス・ドイツにおける刑法の倫理化運動は國民社會主義綱領を基本精神とするものであり、具體的にはナチスの刑事立法によつて指導されつゝまた新にはそれを指導しつゝあるものである。かく立法そのものが主導的役割を演じてゐることが、この國における倫理化運動の實行上の一つの重要な特色をなしてゐる。しかしこの運動にとつて最も大切なことは、何がゆゑにかゝる倫理化運動を必要とするかといふ原理上の理由である。それは直接には「道義性への欲求」にほかならない。この欲求はナチス・ドイツの國是をも形造つたものであつて、ひとり刑法の領域に限ることではない。それがなにゆゑにかゝる重要なる國是として現在のドイツ思想界を支配してゐるのであらうか。周知の如く、ドイツは第一次世界大戰の慘禍を嘗め、革命の動亂によつて國力を消耗し、さらに彈壓的條約に苦しめられた。かゝる逆境のうちから立上るためには是非共思想淨化運動が必要であつた。ユダヤ人の追放もそこから起つた。共産主義や性欲に關する學藝書の焚滅もそれに由來した。一切は今日あるための準備であつた。腹背に强敵を控へてなほ敢然と戰ひ得べき高度國防國家の建設のためにあらゆる努力が拂はれた。こゝに道義立國の强力性が自覺せられずにはゐなかつたであらう。國家治安の確保のためにはかくて刑法にも變革が要求されずにはゐなかつたのである。

從來の刑法と刑法學とは啓蒙時代の自由主義を基調としたものであつた。勿論その自由主義なるものは由つて來るべき理由があつて、フランス革命を先驅とする尊き犧牲により、血を以て獲得したものであつて、そのすべてが不當なのではない。その正當な歷史的必然性は今日もなほ生かされねばならぬのであるが、この數年前までの世界の各文明國は自由の過剩に惱んでゐた。個人的自由の不當なる擴大强化によつて、その個人をして依つて以て存在せしむる基本たる全體がやゝともすれば無視されようとしてゐた。その時敗戰の苦痛のうちから起ち上らなければならなかつた必要上、ドイツは最も切實にこれに氣付きヒットレルの勇氣を得て最も早くこれを實行に移したのである。刑法の領域において、啓蒙期以來の最も重要な公理となつてゐた罪刑法定主義がまつさきに批判の對象となつたのもまことにゆゑなきにあらずである。罪刑法定主義が既にナチス以前からその極端な固執を捨去られつゝあつたのは事實であるが、ナチスがそれを最も明瞭な形式において、立法上に宣言したのである。すなはち曩に擧げた類推の許容に關するドイツ刑法二條なる規定の新設がそれである。刑事訴訟における犯罪事實の擇一的認定の容認の如きも全くこれと同趣旨の改革である。

刑法においては、類推解釋を全然許さずとするか或は少くとも著しく困難なりとする風潮が從來支配的であつたため、往々道義上の甚しき不德と見るべき脫法行爲すらこれを處罰すること能はざるの結果となり、免れて恥なきの輩をして徒に横行せしむるの弊があつた。類推の許容はこの弊を矯め、道義と刑法との間に矛盾なからしめんとするものである。犯罪事實の擇一的認定もその精神において全くこれと同趣旨である。たとへば或る事實が甲の罪に當る事實なのであるか乙の罪に該る事實なのであるか明確を缺くが、いづれかに該當することと疑なき場合、これをその一方に確定し得ざるのゆゑを以て無罪を言渡すが如きは健全なる道義意識に合致しない。かゝる事態においては甲乙兩事實についていづれか一方に該當する事實ありとの擇一的認定をなすことによつて立派に有罪判決をなし得ることとしたのである。やはり道義と刑法との撞著なからしめんとの趣旨に出づる改正である。

こゝでは改革の甚だ基本的な論點についてのみ言及したが、この精神は爾餘の諸點にも隨所に現れてゐる。さうしてナチス・ドイツの刑法倫理化は今日では殆んど無反對の狀況において全面的にゆき亙つたかの如く思はれる。それは國防目的のための淨化運動であつた。刑法がなぜ道義的でなければならないかといふことについては理論的支柱を缺いてゐる。そこにはたゞ現實に倫理化運動が熱情を以て遂行され、さうして多大の成果を收めたといふ事實あるのみであつてなぜ刑法が倫理化せねばならぬか、なぜ刑法には道義性の要求があるかといふことに至つては解明頗る足らざるの憾がある。その倫理化運動は一つの信念の發露ではあるが學理の展開ではない。

しかしこゝに吾人が特段の注目をなすべき事項がある。それはドイツが國防目的達成のために、國家の富强再興を謀るために、目前の防衛目的の充足のみを以て事足れりとせず、人間性の深奥に觸れる道義性への欲求をあきらかにしてゆかうとしたことである。よし、それは十分理論づけられてゐなくとも、いかに道義性への欲求が人間性の内奥に由來するものであるかを證明するには甚だ有力なる證左となるといはなければならぬ。

然らば眼を東亞の大帝國に轉じてみよう。こゝでも刑法の倫理化が叫ばれてゐる。それが國家の精神的國防の一翼として重要な役割を演じつゝあることにおいてはドイツのそれと相共通したものを持つてゐる。ひとり國家的道義といはず、廣く一般に道義の覺醒によつて、國内の精神的秩序を强化し、强力なる國防國家體制の確立に寄與せんと企圖することにおいて、日本とドイツとはその刑法倫理化運動の根本目標において一致してゐる。しかしながら、曩に指摘した如く、その實行の具體的形態においては大なる相違がある。その差異的形相ももとより大いに注目されなければならぬ。

わが帝國近年における思想界の一般的轉換に關しては、いまこと新しく述べたてる必要はあるまい。それが刑法學（わが國においては刑法そのものにおけるよりも寧ろ刑法學の位相においてやゝ顯著な運動を見せてゐる）において現れたところによると、著しく復古的なものを基調とする。それは良い意味においても亦惡い意味においても復古的である。それはわが國が古來思想の中核となすべき道義性を持つてゐることに多大の關係があるのは疑を容れぬことがらである。江戸時代末期における國學者の復古運動が、支那的文化によつて見失はれようとしてゐたわが國固有思想の復興を目指したものであつたのと同樣に、いままた西洋的文化によつて毒せられんとするかに見えた日本精神の顯揚が企圖せられるとき、再び「古へ還れ」の合言葉が唱へられるのも亦ゆゑなきにあらずである。この傾向は果然刑法學の分野にも現れた。記紀宣命祝詞のうちに伺はれる刑事思想の探究が行はれ、多くの學者によつてこれこそわが刑法の根幹をなすべき精神なりと説かれるに至つた。それは刑法に對して何よりも道義性を要求するものとして現れた。 いふまでもなくわが國古來の刑事思想が常に道義への要求と相即不離の姿において展開して來てゐるとの認識に基くものである。 刑法學における而してまた刑事司法における日本法理運動は、そのうちの若干は甚だ單純無批判なる復古的信念に終始するの誤謬を含むものではあるが、その根本において刑法倫理化運動の重要なる一翼を擔ふものである。

わが小野清一郎教授は、夙に刑法の道義性を説くことにおいて甚だ熱烈であり、それが同教授の刑法學説の根本基調をなしてゐることは顯著なる事實であつたが、今やそのさらに深き思想背景をなすところの東洋的佛教的色調と東洋法制史に對する蘊蓄と西洋に發達せる緻密なる思索方法とを驅使して、まさにこの運動における主導的地位に立つものである。 その主張の重點が日本刑法の特殊性を强調し、西洋諸國のそれに對する差別相、個別性をあきらかにせんとするにあるところから、刑法における道義性の要求ももつぱら歴史的事實のうちに追求されてゐる[2]。「日本における『罪』の觀念は道義的である。上代においてすでに『邪き心』が其の核心を爲すものであつたことは古典の敎ふるところである。 支那法繼受以後故意・過失の觀念は法律上における罪そのものの要素として發達して來たのである。佛敎の罪業意識がわが國民思想における犯罪觀念を深化したことも忘るべきでない。(3)」との論旨はまさに道義性をわが國の刑法について歷史的に把握したものである。この刑法における道義性を歷史的事實のうちに把握せんとすることが、實にわが國における刑法倫理化運動の中心的特徴なのである。同じやうな傾向が本來全く反對の立場にある學者の主張のなかにも見出される。

社會防衞主義の刑法學は從來は道義性の原理を刑法の分野から驅逐し、價値的に無色なる刑法の建設をこそ目指して來たものである。從つてその論旨は曩に引用したリストの明瞭なる定言的表現を俟つまでもなく、この思想傾向にある諸學者の言說のうちには甚だよく滲透してゐたところであつた。さればこそ社會防衞主義の刑法學は責任理論において所謂社會的責任論をとり、この點においてあきらかに所謂道義的責任論と對立するものと觀念されて來たのである。然るに最近わが國一般思想の潮流はこの學派の學者をして自說も亦道義性への要求に應ふるものなることを主張せしめずには置かない狀勢となつた。その最も犀利にして卓越せる思索の跡を木村龜二敎授において見出すことが出來る。その論旨によれば「わが國家の道義性は公共性と全體性の價値を基本的なものと考へ、國體的正義を重んずるものであることは、わが上古の古典における種々の表現に照して明瞭である。(4)……『邪き心』とは今日の刑法學上の用語でいへば、反社會性・社會的危險性・惡性・反社會的情操と稱せられるものに外ならぬ。……かく見ることが日本的犯罪觀に完全に一致する。(5)……歐米に於ては、道德と謂へば個人道德を意味するのが一般であり、道義的刑法と謂へば個人の自由意思と應報とを基礎とするところの個人主義的應報刑法を意味するのが普通である。これに對して、社會倫理といふ場合には往々にして社會功利主義的道德が意味せられ、社會的刑法といへば更に一切の道德的要素を排除したところの單なる社會學的刑法論を意味するかの如く解せられ、眞の社會倫理又は社會的道義の本質に徹底し、その根幹としての國家的道義の自覺に到達せるものが甚だ少い。私の考へでは、かゝる歐米思想の一般的傾向に影響せられ、又はこれを無批判に採り容れることの結果、我が國に於ても亦道義的刑法と謂へば直ちに歐米流の應報刑法でなければならぬと考へられるのではないかと思ふ。これも亦、從來の歐米的思想の影響、その無批判的攝取の事實から見れば已むを得なかつた事實かも知れない。然し、それは、今日では、もはや、單に已むを得ないとして許さるべきではなからう。我々は、飽く迄日本的自覺に徹し、眞の日本的道義の見地に立つて事を考へ理を明かにせねばならぬ。（6）と。その所説は社會防衛主義刑法學の建設者ともいふべきリストなどとは著しく異つてゐる。　社會防衛主義は道義性と無關係なることをその特色とするものとして理解されて來たに拘らず、今や「日本の」社會防衛主義刑法學の有力なる代表者の一人によつて、俄然道義に結びつけられようとしてゐる。　人或はそれを矛盾と呼ぶかも知れぬ。　しかし木村教授によれば、恐らくは、社會防衛主義こそ日本古來の全體主義的刑法思想に符合し、わが國の道義と最もよく合致するものであるといふことになる。　その防衛主義と道義との結びつきの細部については幾多檢討の餘地あるものありとするも、その然く日本的なる展開の企圖されたことに對しては敬意を表さねばならぬ。　さうして同時に、こゝでも刑法の道義性といふことがわが國の古典に則つて歷史的事實により把握されんとしてゐることをわが國最近の刑法倫理化運動の一の特色として注意しておく必要がある。　かやうな把握のしかたは法制史家の間にも勿論行はれてゐるが、それは史家本來の職責とする歷史的認識の方法に立脚することであつてあまりにも當然である。

かくの如く、わが國における刑法の倫理化運動は、古典に現れた歷史的事實によつてわが固有の刑法思想が甚だ道義的色彩の濃厚なることを理由とし、少くともわが國の刑法は現代においても亦道義的でなければならぬと說くのである。本來道義的責任を主張して來た學者は勿論のこと、從來社會防衞主義的な社會的責任論を信奉して來た學者さへも「さへも」と解するのは一般的理解を前提としての言葉であつて、木村教授等によれば、反對に「なればこそ」と說かれるわけであるに刑法と道義性との離るべからざることを强調してゐるのである。もとより兩學派はそれぞれ理論構成を異にしてゐるとはいへ、その道義性を古典に現れた歷史的事實乃至民族的確信のうちに求め、その事實の存在を以て直ちに刑法理論における當爲となさんとする點においては共通の傾向にある。しかもそれは主として學說上の顯著なる傾向たるに止り、立法、司法の分野にはまだこれほど著しくは現れてゐない。僅に若干法文や判例のうちに「道義」の强調を瞥見し得るに止り、學說におけるが如く熾烈な運動をなしてゐない。

これに反してドイツにおける刑法の倫理化運動は、いち早く立法のうちにそれを體現した。いふまでもなく、いかなる立法と雖もそれに先行する思想的構成なくして成るものではないから、學者の主張がなかつたのではないが、たゞかの國における嵐の如き變革の必要は、僅な思想的前哨戰の展開が行はるゝと共に、いち早く、立法において夥しくその鋒鋩を現したのである。そこでは倫理化の實行が先に立つた。その良否を論議する遑もなく、變革は進展し、反對論者は黜けられ、從つて理論の貧困を結果せざるを得なかつた。

しかしながら、刑法倫理化の運動は社會防衞主義刑法學の沒倫理觀に對する反動として、まさに當然豫期されるものが現實化したといふべきである。さうしてそれはわが國とドイツとにおいて恐らくは最も顯著な形態を呈してゐるといふことが出來よう。かゝる刑法倫理化運動は道義を見失はんとする刑法にそれを取還さうとするものであり、それ自體最も端的に刑法における道義性の要求を表現してゐるのである。刑法のために道義性を必要とするとの信念はそこに生々とした欲求として示されてゐる。しかし、なぜ道義性が必要なのであらうか。萬一刑法が道義性を沒却しても立派に構築され得るとしたら、刑法を道義によつて裏付けんとするが如きは、まさに蛇に足を添ふるの類であらう。刑法にとつて道義性が不可缺のものなりとするためには、それが當爲としても然る所以が論證されねばならぬ。刑法倫理化の運動は、日本においてもドイツにおいてもそれが信念の問題として語られてゐるのは甚だ遺憾である。「刑法は道義的でなければならぬ」とは說かれる。それはまことに熱情を以て語られてゐる。けれども「なにゆゑに刑法に道義性が必要か」についてその論辯の跡を辿るとき、甚だ寂漠の感なきを得ない。惟ふに、これらの先蹤は刑法の道義的たるべきことについては證明を要せざるの公理と確信したのであらう。さうして少くともわが國の刑法については、歷史的に過去に遡つて古典の記載を徵することにより、「刑法の日本的特質」をそこに求め、その「日本的特質」として理解せらるゝところのものを以て現代の日本刑法の理論のうちに生かす「べき」ものとするの信念が支配してゐるやうである。道義へのかくの如く切實なる要求を見ることは、いかに道義といふものが有力なる國家的支柱であるかを如實に感得することゝともなるのであるが、刑法において道義性がなにゆゑに缺くべからざるものであるかといふことは、やはり自明のこととして放置さるべきではない。既に一方において道義性を排除すべしとの議論がある以上、さうしてしかもそれが刑法學の歷史に一時代を劃し、刑事立法の領域においても非常に有力な思潮として確實なる地步を占むるものである以上「道義性の要求」はその正當性が是非とも檢覈されねばならぬもしこの「道義性の要求」の正當なることが論證せられざるにおいては、たとへ刑法倫理化の運動がいかにナチス一黨の政治的方策に好都合なスローガンであらうとも、それをわが國において學び取るべき理據とはならぬ。またいかにわが古典のうちに刑法と道義との不可分な姿が記述されてゐようとも、かゝる復古を謳歌すべき理由とはならぬ。刑法と道義とは古代においては、未開民族におけると同様に未分化の狀態において、習俗的慣習のうちに一體をなしてゐるのが常であるから、その未分化なる事態に再び歸入することが直ちに正當なりとはいひ得ない。復古必ずしも正道を踏むものにあらざることは何人も承認せざるを得ざるところである。

要は、刑法において道義性が果して必要なりや否やを檢討するにある。曾て近代刑法學の濫觴期における古典學派は獨斷的に、盲目的に刑法の道義性を信じてゐた。それは形而上學的意志自由論に裏付けられるものであつて、なんら自然科學的犯罪研究の成果による批判を受けてゐなかつた時代のことである。それは文字通り「信念」の問題であつて「學理」の問題ではなかつた。これに對して有力なる批判のメスを向けたのは近代犯罪學であり、それを基礎とする實證學派の刑法理論であつた。そこには社會防衛主義が主張せられ、犯罪に對する責任は本來それを生んだ社會が負ふべきものであるが、社會は、自己を犯罪の侵害から防衛するために、已むなく本來の責任者にあらざる犯罪人をして刑罰を受けしめるものであるとなし、從つて犯罪人に責任なく、これに道義的非難は加へらるべきでないと説かれた。まさに道義性は刑法の領域外に追放されんとした。これを救はんとするのが近時の刑法倫理化運動にほかならぬ。それは「刑法は道義的ならざるべからず」と主張する。果して道義的ならざるべからざるものであらうか。いまやその論辯に向つて進まねばならぬ。

註

（1）Suer, W., Die Ethisierung des Strafrechts. Deutsches StR, Bd. 1, 1934, S. 177-180.

（2）小野清一郎「日本法理の自覺的展開」昭和一七年、九八頁以下。

（3）小野清一郎「刑法に於ける道義と政策」（前掲「日本法理の自覺的展開」所收）二三三頁。

（4）木村龜二「刑法と國家的道義―教育刑の道義性について―」、法律時報、昭和一八年、一五卷四三八頁

（5）同上、五〇一頁以下

（6）同上、六〇九頁

三　刑法の道義的性格とその不可缺性

刑法は社會規範である。その近代的な組織化された國家においては國家の秩序維持の規範である。これは疑ふ餘地のないことである。道徳も亦あきらかに社會規範であるのであるが、道徳のうちには往々「個人道徳」といふことがいはれ、共同生活にとつて比較的間接的な意味を持つに過ぎぬものがあるが、法はそれに比して一層顯著に「共同生活的」な性質を帶びてゐる。刑法がこの意味において第一義的な社會規範であることは何人も疑ふところでない。しかもこの社會規範が人の內部的態度よりは外部的行動に多くの關心を有してゐることなどからみても、道徳よりも現實的・具體的に社會秩序の維持を目指すものたるはあきらかである。こゝに刑法の社會防衛的機能が否定すべからざる現實性を以て吾人の前にその姿を表すのである。

文化といふものの最も原始的な發現段階において既に、人間の共同生活には何等かの秩序が形成されてゐる。　またその秩序の形成なくしては到底共同生活は維持されない。　複數人が共同生活を營まうとすれば、必然そこには相互的な恣意の制限が伴つてくる。　その人數が增へ、機構が複雜となり、所謂成層社會をなすに至れば、この恣意の制限が立派な一つの制度として構築されることとなる。(2)　近代國家の有するところの發達した刑法もかやうにして形成され、かやうな機能を保有するものであることは多言を要しない。　國家はその秩序を維持することによつて初めて全きを得る。　秩序を維持するためには、時に一部に現れることある秩序の侵犯者に對して適切な處置を講ずることが必要である。　その直接處置の一つとして最も强剛な力を有するのは刑法である。　すなはちその秩序侵犯に對して刑罰といふ强力なる手段に訴ふることにより、或は一般豫防の目的を達し、或はまた特別豫防の目的に添はうとする。　いづれも秩序維持のために行はれる。　一旦秩序が侵犯されたといふ事實は覆ふべくもないのであるから、この秩序侵犯は歷史的事實としてはもとより恢復すべからざるものであり、從つて刑罰賦科によつてそのものが復原されるわけではない。　しかしながら、それが將來起ることあるべき侵犯に對して豫防的效果を期待するものであることは否定し得ない。　刑罰の目的が應報にあるか教育にあるかといふことは久しく論爭されてゐる問題であるが、その問題の解決如何は暫くこれを措くとしても、刑罰の豫防的效果存在の事實は自明である。換言すれば、刑法はあきらかに社會をかゝる秩序の侵犯から防衛するといふことがいへる。それは事實として自明なのである。何となれば、少くとも生命刑によつて犯罪人の生命を永久に奪ふ場合には當該犯罪人による再度の秩序侵犯は起り得ないし、また自由刑によつて犯罪人を一定の施設內に拘禁する場合にはその拘禁期間中社會は當該犯罪人による秩序侵犯からあきらかに免れることが出來るからである。これは最少限度の社會防衛效果であるこの限度の防衛效果はいかなる反對派の理論も認めなければならない自明のことである。

しかし勿論刑法の社會防衛的機能はこれを以て盡きるものではない。刑罰そのものの性情の如何によつてはなほ諸種の防衛效果を期待し得るし、現に近代刑法の組織は幾多の有效なる防衛機能を發揮し得るやうに目的化されてゐる。その尤たるものは近代刑罰制度の中核をなす自由刑の執行によつて犯罪人敎化の目的を達せんとするところにある。犯罪人を敎化し健全なる國民として社會に復歸せしめるといふことは、たしかに一つの有效なる社會防衞である。これによつて犯罪人は無害化されることになるからである。これは刑法學の思想史の上では實證學派と結びつき、敎育刑論の主張としてこの學派の最も强調するところであり、まさにこれも現實の行刑上の事實として否定すべからざるものである。然るにこの學派のあまり好んで指摘せざる防衞機能ではあるが、ぜひとも掲げておかなければならぬものがもう一つある。それは一般豫防的機能である。從來刑の敎化的作用が殆んど全く特別豫防の意味において强調されて來てゐるが、刑罰の一般豫防作用もあきらかに敎化目的に添ふものである。刑罰は當該刑罰の受刑者に對して敎化作用を營み得ると同時に、かゝる科刑の行はれたといふ事實によつて受刑者以外の者に對する警告的效果を期待し得る。所謂一般警戒も亦疑もなく社會防衞的機能の發露である。

かくの如く種々の角度から見て、刑法が秩序の侵犯者に對して社會を防衞するものであることは明瞭である。それは犯罪人を社會から離隔し、犯罪人を社會人に接觸ぜしめないといふ消極的方面においてばかりでなく、犯罪人や一般人を敎化して將來の侵犯なからしめるといふ積極的方面においても、社會防衞の機能を發揮してゐる。また發揮し得る性質を有するものである。さらにまた、さういふ機能を發揮すべきことが國家の要請でもある。刑法は治安維持の根幹をなす法體系であらねばならぬ。一定の秩序あるところ、その秩序の維持は缺くべからざるものである。されば、その秩序を侵犯する者に對しては種々の社會的處置が講ぜられる。その侵犯の重要なるものに對しては刑法的手段によつて秩序維持が計られる。それは刑法がこの秩序維持のために有效なりと信ぜられて來たがゆゑにかくあるのである。刑法の社會防衛的意味は刑法の本質に屬する。刑法は必ずしも社會防衛のために誕生したものでなかつたかも知れぬ。しかし發達した社會の現實においては防衛的機能を營んでゐる。それは事實であるが、しかも單なる事實たるに止るものではない。既に防衛效果の存在が現實の社會における刑法の重要な機能となつてゐるの事實ある以上、それは當然刑法の目的のうちに算入されなければならぬ。この意味において刑法の社會防衛の機能と目的とを認むるに吝であつてはならぬ。しかし問題は次のことにある。(一)刑法は社會防衛のみを目的とするを以て足るか、また(二)刑法はその社會防衛の目的を達成するにつき道義性を要求すべからざるものであるかといふことが問題なのである。

秩序の侵犯から社會を防衞するために國家權力の發動を求めるとすれば、それには必ずしも道義の裏付を伴ふを要せずと見ることも一應の理由なしとしない。秩序侵犯者を社會から離隔し、或は絕滅しさへすれば、それが道義に合致すると否とに拘らず、社會はそれだけ防衞される結果になる。曩に掲げた最少限度の防衞、消極的防衞はこれで一應達成されるかに見える。この外觀上の達成あるがために、社會防衞主義の刑法學は道義性を刑法から驅逐しようとするのである。否驅逐すべきものであると妄想するのである。なるほど、社會にとつて有害なる成員に對してはこれを離隔し、絕滅すること、恰も有毒物質に特殊の鎖鑰を施して藏置し、或は狂犬を撲殺するが如く取扱ふことによつても、社會はこれらの有害なる成員による秩序の侵犯を免れ得るであらう。しかし果してそれが合理的なりとして理性ある人間の集團により承認され得る制度であらうか。「汝に責任なし。汝は不正にあらず。汝を非難すること能はず。されど汝は社會秩序に合致せざる存在なるがゆゑに、牢獄に繫がれざるべからず」といふことでも、ともかくも一時社會を秩序侵犯から防衞するには役立ち得る。しかし、深き人間性の欲求を滿足させることは出來ない。人間性の根柢に撞著するが如き制度は永き生命を保障することは出來ない。

人間は自由を愛好する。それは所謂自由主義に特有な思想ではない。人間が自由を愛することはその本性に屬する。否、自由の愛著は人間にのみ存することではない。禽獸と雖も彼等に理解され得ざる方法を以てその自由を拘束されることを甚しく忌むものである。況んや、人間がその意に反して自己の生命を、自由を、財産を奪はれるといふことについては、當然そこに相當の理由がなくてはならない。刑罰は、たとへいかに安樂な方法を選んでこれが執行を行はうとも、またいかに美しい名稱を以てこれに置換へようとも、所詮は一の法益の剝奪である。「汝の存在は社會にとつて不便である。汝の存在は社會の欲せざるところである。」といふだけの理由で、その者に刑罰を科することが一般に是認される筈がない。科刑の直接對象となる者は勿論のことその他の第三者と雖もかゝる國家權力の運用に對して滿足の意を表することは出來ない。

刑罰の如き强力なる法益の剝奪は人間性の本質に照して是認せられ得べきほどの正當の理由ある場合においてのみ許さるべきである。それなくして科せられる刑罰は、よし目前の社會防衛目的はこれを達し得たとしても、到底永きに亙る效果を期待し得るものではない。

人間はこよなき理性的存在である。狗兒と雖も飼主に非ざる者の繋留を行はんとするに遭へば、必死の抵抗を試むること屢〻である。雛雞もその慣れざる舍屋には容易に收容し得ない。人間の如きは、これを權威の暴力を以て壓伏し、單に「社會の必要」なる名目のもとに、その法益を奪はうとしても、眞の治安を確保することは不可能である。人間はその理性に訴へて承服し得べき理由なくして、單なる社會功利的必要に滿足し得るものではない。受刑者にとつても、他の者にとつても、その法益剝奪が眞に正當視され得るだけの强力な理由がないならば、その刑罰は單に一時の方便でしかない。理性的存在たる人間が十分理解し納得し得るだけの理由を具へた刑罰權の發動にして初めて、能く有效にして生命ある秩序維持の目的達成に寄與し得る。人間がその本性において欲して止まざる「自由」を奪ふところの刑罰が、公共の是認を以て支持されるためには、それが人間の深き心性に根ざした理由あるものでなければならぬ。その深奥なる心性の欲求とは、これを端的にいへば「道義性の要求」にほかならぬ。

刑法はたしかに社會防衛の目的を有する。しかもそれは刑法にとつて本質的な、極めて重大な目的である。しかし「社會防衛のため」といふ一語を以て社會成員の重要なる法益の剝奪を、彼等自身をして是認せしめ支持せしめることは出來ぬ。さういふ社會功利的理由も一應は一つの理由となるが、それは人間性の本源に根ざすものと見ることは出來ぬ。そのことを最も雄辯に物語るのは倫理學の歴史であり、人間の現實の生活體驗である。倫理學の歴史は道義の尊嚴性を追求する人間の眞摯なる努力の歴史であり、そこに若干の紆餘を經たりとはいへ、畢竟するに人間文化にとつて道義の缺くべからざる所以を諸の角度から論證するに終つてゐる。そこには人間の捨てんと欲して捨つること能はざる「道義性の要求」が最も確實なる形態においてその實相を現してゐる。いま倫理學の學說史にあらはれた諸の論證が正當であるか否かは置いて問はずとするも、そこに道義を求めて止まざる人間の本性が事實として語られてゐることは何人も看過し得ざるところである。倫理學は人間行動の最高の實踐原理を追求して、その歴史は人類の歴史と共に古い。實に人類は道義なくしてその秩序ある文化を維持することが出來ないのである。人間は孤立して生活し得ない。その集團をなすところ、大なり小なり必ずや秩序がなければならぬ。この實踐生活の秩序の最高原理は道義である。かゝる實踐原理の探究が學的形態を以て展開したものが倫理學である。倫理學はもとより道義そのものではないが、それは道義性に對する人類の欲求の體現であり、從つてその欲求のいかに熱烈なるものであるかを如實に語るものであるといはねばならね。こゝで注目しておくべきは「道義への欲求」が實に人間性の本質に屬するといふ事實である。カントが天上の星にも比して憧れ求めたといふ著名な哲學史上の事實も、畢竟人間の本性に横はる强烈なる「道義への欲求」を物語るものとしてこゝに援用することが出來る。

眼を身近き周邊に轉じよう。倫理學の歴史が何にも增して雄辯に語るところの「道義への欲求」は、今日我々の現實の生活體驗をも支配してゐる。道義は吾人の社會生活實踐の原理として、意識を彩り、行動を方向づけてゐる。人間の日常の生活體驗は善なるものへの欲求に滿たされてゐる。それは決して善人の生活體驗にのみ現れる現象ではない。惡人のそれをも支配してゐる。善といひ惡と呼ぶことを暫く避けるとすれば、人間は社會秩序に適合した行爲をなすについては勿論、これと矛盾する行爲に出でんとするについても、この矛盾を意識し、これを克服せんとする。犯罪人と雖も自己の犯行を徹頭徹尾不正なるものとして、完全なる秩序背反なりとして意識しつゝ實行するものではない。精神異常者にあらざる限り、自己の犯行につき主觀的に見て何等か正當なりとなすべき理由を附會してゐるものである。よしや當面の法規に反するとしても、犯行に及ばざるを得ざる理、由または犯行に及ぶべき理由を見出さうとしてゐるものである。自己の行爲の犯罪たるを意識しながらも、何等かそこに、少くとも主觀的には相當の理由ありとして容認するに足る犯行の動機乃至誘因を見出さうとしてゐる。(3) これはさうせずにはゐられない人間心理のあらはれである。まさに「良心の微光」とでも稱すべきものである。しかし現下の主題にとつてこれが所謂「良心」でなければならぬわけではない。またそれが人間の本具的なる性情に屬さなければならぬとなすのでもない。環境論を强調する者はいふであらう。「犯罪人のかゝる心理傾向は單なる後天的敎育の結果である。道德が社會生活の秩序を維持するに有效な手段なるがゆゑに、犯罪人も亦道德的價値を注入されて來た結果犯行に際して多少なりともかゝる道義的反省を伴はざるを得ぬのである」と。この言もとより一理あることであるが、たとへかゝる生活體驗が犯罪人の後天的敎養の結果として生じたものであつても、現にその行動に對して有力な影響力を有するものであるならば、やはり刑法の基盤として無視することは出來ない。道義は吾人の生活の實踐的規範である。それは犯罪行爲に際してすら、何等か「正當化」を試みることにより、自己みづからに辯疏しなければ濟まぬほど、强力に我々の生活意識を動かしてゐる規範なのである。こゝにも「道義への欲求」が前と異れる形態において顯現してゐる。その由來の如何はこれを問はぬ。またその事實が當爲に合するか否かもいま問題とする必要はない。こゝではたゞ現實に吾人の生活體驗が著しく道義によつて規制せられてゐるといふ「事實」が注目されればよいのである。

もつと刑法に直接した事實のうちから「道義への欲求」を摘示するならば、曩に述べた如く、最近の所謂刑法倫理化運動においてこれを見ることが出來る。この運動はわが國においてもドイツにおいても等しく、なにゆゑに刑法が道義的でなければならぬかについてその論證に頗る足らざるものありとはいへ、刑法に對して道義による支柱を與へんとする運動であることにおいて變りはない。曾て隆昌を極めた社會防衛主義の刑法理論によつて危殆に瀕した刑法における道義性が、いま澎湃たる國家思想の擡頭と共に挽回せられんとしてゐる。これも一つのあきらかな事實である。　道義の基盤なくして刑法は堅持せられ得ぬとなすことが、その主張の根幹を形造る信念である。　前世紀の末葉から今世紀の初頭にかけて、刑事學ならびに刑法學の領域において實證學派が華やかに登壇し來つた當時にあつても、一方において社會防衛主義の立場から刑法の道義性を否定せんとする主張がなされたに對し、なほ他方においては自然科學的因果觀の主張する意志決定論が決して道義を頽廢せしむるが如き性質のものにあらざるを辯解する者の多數存したことを想起せねばならぬ。　いふまでもなく、實證學派は犯罪行爲の心理的機轉に關しては意志自由論を主張し、責任理論については所謂社會的責任論を唱へ、刑法の任務を以てもつぱら社會防衛に奉仕するものなりとし、道義性の要求を刑法の範域より追放せんとしたのである。　このやうな理論體系は自然科學的因果觀が全盛を極めた時代において歡迎せられずにはゐなかつたのであるが、それにも拘らず、他方において人間生活の實踐的原理としての道義を捨つるに忍びずとなす欲求も依然として大きな力を持つてゐた。　そのため意志自由の否定といふことに對しては、延いて道義の頽落を結果するものにあらずやとの疑惑が提起され、そのゆゑにこそ强硬な反對論も行はれたのであつた。　これに對して、決定論者の側からは、意志決定論も何等道義秩序に有害なものにあらざる旨の反駁が繰返されてゐる。(4) 從つて、當時にあつては刑法と倫理學との關係問題として、決定論も亦倫理を危からしむるものにあらざることが中心論點となつてゐる(5)くらゐである。このことたるや、その論旨の當否は別としても、道義を維持せんとする欲求、刑法を道義から遊離せしめざらんとの要望は絶對に蔽ふべからざるものたるを證して餘ありといはなければならぬ。然るに社會防衛主義の刑法理論は刑法における道義性の否定に向つてその歩武を進めた。決定論と道義性とはたとへば性格責任の理論を媒介として結びつき得る(6)としても、社會防衛主義と道義性とは普通には結合し得ないものと考へられた。そも〳〵社會防衛主義は、犯罪につき犯罪人に何等道義上非難すべき責任なしとの前提より出發してゐるのであるから、發生的に既に道義性拒否の立場に立つものであるが、その後における刑事立法の諸事實は次第に古典學派より實證學派へ重點の移動を行ふかに見えた。學說にあつては未だ必ずしも實證學派の勝利を豫定し得るほどにはなつてゐなかつたけれども、やはり實證學派が一歩々々古典主義の牙城に切込んで來つゝあつたのは事實である。刑法および刑法學の動向が「客観主義より主観主義へ」にあると説かれたのもこのためであつた。　殊に刑法における保安處分や不定期刑の導入は益刑法の社會防衛的性格を濃厚に表現する重要な趨勢であると見られた。しかしいまや世界思潮の一大轉換期に際會して、社會防衛主義の沒道義觀は俄然反省の機會を持つに至つた。　洋の東西に、響の聲に應ずる如く相呼應して起つた刑法倫理化の運動はかうした雰圍氣の産物である。　それは一般思想の革新の一端を占めるものであるだけに、法理論としては甚だ論證の足らざる憾はあるが、一般思想界の動向とその基調を一にするものなるがために、またそれだけ却つて根柢の深きもののあるを知らねばならぬ。　刑法倫理化の運動はたしかに社會防衛主義刑法學の沒倫理觀に對する反動たるものではあるが、それは單なる反動として、社會防衛理論のもとに發達した刑法學上の諸概念を妄に拒否せんとするものではない。　むしろそれらの進歩的なる多くの成果を別箇の立場において包攝した上で、それを超えて新なる「道義性の要求」に應へんとするものである。　その最も適切なる包越への努力の例證を、社會防衛主義刑法學をすら道義に結合せんとする主張の存在のうちに見出すことが出來る。　さうして或は、刑法の道義的たらざるべからざるを全く自證の事實として確信し、前提としてゐるか、然らざれば、古典に現れた刑法の道義的性格に向つて直ちに復歸せんとし、古典の示す事項を以てそのまゝ「刑法の有りかた」として範とすべきものと信じてゐるか、そのいづれかである。こゝでも我々はかゝる信念の正否を批判する必要はない。たゞかゝる强烈なる信念擡頭の事實に注目すればよいのである。これはあきらかに「道義性の要求」の最近における刑法の立法と學說とにおける眞相を語るものであるといはなければならぬ。

道義はかくの如く人間によつて希求されてゐる。「道義への欲求」について、倫理學史の諸事實はそれが人間の本性に屬することを立證し、日常の生活體驗はそれが現實の人間生活を支配してゐることを證明し、最後に刑法の倫理化運動はそれの刑法ならびに刑法學の分野における顯現を摘示してゐる。實に「道義への欲求」は人間生活の諸相を支配してゐる事實である。この事實の存在を出發點として、刑法がなにゆゑに道義的性格を持たねばならぬかをこゝに論定すべき段取となつた。

如上の諸事實だけで道義への欲求が人間生活にとつて本質的な意味あることを語るに十分であらう。上敍の論述はまだ道義が人間生活を支配すべきだといふことをいつてゐるのではない。單にそれが人間生活において不可缺の役割を現に演じてゐるといふ事實に注意を喚起したまでである。しかもそれだけのことからさへ刑法が道義的ならざるべからざる所以を論じ明すことは容易である。

道義はかくの如く、人間の切實なる欲求に根ざしてその共同生活の指標をなしてゐる。法は如何。法も亦共同生活の準繩である。殊に刑法は、前敍の如く、共同體を犯罪人の秩序侵犯より防衛するの任務を有する。この防衛といふ言葉は功利的原理に立脚する社會防衛論に親近せる用語なるがために、道義を說かんとする學者は往々その言葉の卑近なる現實性の響を忌む傾向があるが、刑法の社會防衛機能は到底否定すべからざるものであると共に、それは道義性の要求と決して矛盾するものではない。たゞ所謂社會的責任論と稱する功利主義の責任理論を基礎として說かれる社會防衛主義の刑法學が、從來道義性の排除を事として來たに過ぎぬ。刑法はことがらの深き意味においては、却つて眞に社會防衛的機能を持たねばならぬ。それは刑法が社會規範たることとの本質に屬する。刑法は共同體を規律する規範として、道義と等しく行動實踐の規準をなしてゐる。今さらここに事新しく法と道德との關係問題を論じ、また法と道德との區別に關する敍說を復習する必要はない。　それは法哲學や法學概論の殆どすべての教科書のうちに述べられてゐることである。　こゝでは法と道義とがいづれも共同生活の規範として存在するものであることについて想起しさへすればよい。　さうして法は或はその規範としての要求の範圍において「倫理の最低限」であると說かれ、或はその實效性の力量において「倫理の最高限」であるといはれることも亦援引に値する。　これらの短簡なる表現は、　そのまゝ瑕瑾なきものとして承認されてゐることではないが　いづれもよく社會規範としての法と倫理との關聯をそれぞれの面において表示し得てゐるといはなければならぬ。　しかもこれらのことは法一般にはあらずして刑法と道義との關係において就中明瞭に示されてゐる。　蓋し刑法は最も有力なる現實的强制手段を持つといふ點において「最も法らしき法」であるからである。　かくて、刑法はあきらかに社會防衞機能を營むものであるけれども、その防衞を行はんとする對象は犯罪人と稱せられる共同體秩序の侵犯者であり、道義はこの共同體秩序の尤たるものにほかならぬのであるから、刑法も道義も抽象的には同一のものの維持を目指してゐるのである。　刑法の始源においては道義も法も宗敎も慣習もすべてが一體をなして一つの習俗を形造つてゐることは周知の事實である。この未分化の習俗が機能的分化を遂げて一は道義となり、他は刑法ともなつたのである。そこに窮極における目標の同一性を把握せねばならぬ。道義は共同體の秩序そのものの基本であり、刑法はこの秩序の侵犯を排擯するための第二次的な手段である。共に同一の共同體秩序の維持を目指してゐることにおいて表裏一體をなすべきものである。兩者は綜合的に作用せねばならぬ。もし道義の目標とする共同體の秩序と刑法の防過せんとする秩序背反の所爲との間に齟齬があるならば、共同體の成員は歸趨に迷はざるを得ぬ。ここに兩者の撞著の許されざる根本的な社會機能としての理由がある。刑法の指導理念のうちから道義性を完全に排除してしまつても、目前の治安目的は一應これを達し得ることは、恰も社會を猛獸の危害から防衞するためにこれを檻の中に投ずれば足るのと同理である。しかしその間に、横たはる重大な相違は、刑法の對象が人間であるといふことである。それは理性のある人間を對象とする。理性あるところの人間なる存在は、その最高の實踐の原理として道義を置いてゐる。一切を道義を基本として規律してゐる。このことは前に詳しく述べたところである。かゝる性質を持つた人間は、こと行爲の實踐に關する限り、道義に基礎を置いてその是認または否認を行ふ。實踐上の一切の批判は道義にその根源を發する。かくあればこそ[7]「法感情」といふことが屢やかましく論ぜられるのである。これは嚴格にいへば勿論單なる感情ではない。もつと複雜な法的情操である。ただそれが「法感情」として法律家の間に呼びならはされてゐるのは、それが直覺的な漠然とした意識活動なるがために「感情」と呼ばれやすい性質を持つてゐるからである。この法感情と稱せられるところの心理活動は刑法における道義性の問題を論定するにつき決定的な役割を演じてゐる。

法感情は實に實定法規の基盤である。國民の漠然たる直覺のうちに罰すべきものと罰すべからざるものとは意識されてゐる。それは理論以前の直觀的な意識活動であるが、法的思惟の基礎をなすものである。法律家は事態の最終の決斷を屢「條理」に求める。或は「文化規範」にまた「公の秩序善良の風俗」にそれを求めようとする。これらは結局國民の法感情に訴へて是認せらるゝか否かによつて事を決せんとするにほかならない。通常の法理論で解決し得ないやうな窮極に逹したとき、理論はこの直覺に步を讓るのである。これは或る場合には法學上の議論の逃避所ともなるが、また缺くことの出來ない最終の決定者でもあるのである。

法學といふ特殊な學問の性格として、結論は直覺によつて與へられることが多い。一つの法的事態を處理するについて、まづ所謂「條理」がその解決を示唆し、その條理に叶つた解決に達するための法理を構成することが法律家の任務となることは珍しくない。否、徹底して考へればすべての法事態がさうであるともいへるのである。それは共同體の秩序維持に奉仕するといふ法そのものの本性に由來する。共同體の成員の總意がすなはち「條理」なのである。法感情なのである。從つてその總意に符合するやうな結論が直覺によつて與へられるならば、法理はその結論の正當性を理論づけるために追求される。法規が法感情を無視して定められたとき、すなはち法規が條理に背戻するとき、更に卑俗にいへば、法規が常識に合はないとき、それは社會規範としての力ある法を持つことの出來ない結果となる。法は常識的であることが大切である。そこで初めて法の現實遊離性が救はれる。ゆゑに法は何よりも輿論の歸趨に對して敏感であらねばならぬ。國民の法感情に合はない法は實效性を保障し得ない。刑法が道義性を持たねばならぬ理由の最大なるものはこゝにあるのである。行動實踐の原理は道義であり、その道義は、既に詳述せる如く、國民の求めて止まざるところである。この求めて止まざるものを等しく社會規範たる刑法が無視してよい筈はない。　刑法はこの道義が維持せんと欲する社會秩序そのものを確保せんとするのであるから、道義と刑法とはその求むるところ同一なのである。　刑法が國民の法感情から乖離せざらんことを欲するなら、それは當然に國民意識の中核を占める道義に對する情操を十分に顧慮しなければならぬ。　かくて刑法が道義と歩調を合せることによつて、その規律の對象たる共同體の成員がこれに對して意識的に服從し得るに至る。　そこでは刑法は單に防衛のためといふ强權的制壓によつて犯罪人を無理に離隔せんとするのではなく、彼等も亦求めてやまざる行動實踐の原理たる道義の支配下に成立せる法感情に訴へて、その是認をも餘儀なくせしめずには置かぬものとして登場する。　刑法は社會を犯罪人の侵害から防衛するために彼等を處罰する。　しかしたゞそれだけであつてはならない。　その處罰が人倫最高の秩序原理による是認のもとに行はれることによつて　初めてそれは强力にして永遠の力を得る。目前一時の治安にあらずして、　久しきに亙り覆し得ざるの實效を收めることが出來る。　人は道義を求めて止まぬ。　そのことの正當なりや否やにつき假に若干論議の餘地ありとするも、現實の人間生活における實相として、かく道義は最高の實踐原理とされ、それが各方面において希求されて止まざるものである以上、刑法がこれを等閑視することは許されぬ。何となれば法は何よりも現實の法感情を反映するものでなければならぬからである。

これまでの論述においては故意に道德の尊嚴性に觸れようとしなかつた。ただ人間によつて道義がいかに求められつゝあるかの事實を摘示し、この事實を基礎とし、その事實あるのゆゑを以て、刑法の特性上當然道義の裏付なからざるべからざるを論じて來たのである。道德の尊嚴性についてはなにゆゑに强ひて口を緘したか。それはあきらかに刑法學から倫理學固有の領域に轉移することになるからである。しかもそのことは、曩に言及したやうに、古來倫理學者の主力を注いだ事項であり、一應倫理學において終局的肯認に到達した問題であると見られるからである。實にそれは明證性を持つた眞理なるがゆゑである。

かくの如くにして、刑法にとつて道義性は缺くべからざるものたるはあきらかなりといはなければならぬ。刑法學において何がゆゑに熱烈に道義性が追求されるかもおのづから明瞭である。「刑法批判の尺度はその上位なる一般的價値尺度の承認のもとにある。[8]」刑法は道義的なるとき初めてこの批判に耐へ得るであらう。「一方においては道徳が法の目的であり、まさにそのゆゑにこそ、他方においてそれは法の義務賦課の効力の基礎である。」(9) 道義の裏付なくして刑法が強大な力を以て秩序維持の任務を遂行することは不可能である。「醇化せる道徳的見解に立脚せる法、殊に行爲者の罪責を適切に顧慮する法のみがその任務を果し得る」(10) といふ立論も、上叙の前提において初めて法理的に理解し得る。道徳は立法と司法とを指導する。(11) 刑法と道義とはかくの如く相即不離の關係にある。刑法は道義を離れることは出來ない。而してその道義として刑法の特に關心を有する核心は正義の理念である。刑法は正義の理念によつて指導されて行く。正義は刑法の支柱であり、道徳の理想である。

道義は人間の求めて止まざるものである。それゆゑに刑法においても道義性の要求が曾て全く失はれてしまつたことはなかつた。このこと自體法感情が刑法に對していかに道義性を求めてゐるかを如實に物語つてゐる。法は民族精神の記念碑である。法は法感情を正當に反映してゐるものでなくては久しき生命を保つことは出來ない。刑法にしてもし眞の生命を保持せんとせば、それは國民の法感情の如實なる表示でなければならない。目前の治安目的は道義の支柱なくして容易に達成し得るであらうが、ことがらの深き眞實の意味における治安はそれなくして確保し得るものではない。道義は人間の求めて止まざるものであり、行動實踐の原理として人間共同生活の基礎を形造るものであるがゆゑに、ひとり道義を根柢とする刑法のみよく國家成員の支持を獲得することが出來る。道義を離れ、單純なる社會防衛の必要より出發する刑法は一時の權力を以て强行せんとするものであるから、對象者の反撥を招かずには置かない。不條理なる政策の强行に件ふ大疑獄が屢大いなる社會不安を招き、動亂を惹起せしめた史實は容易にこれを想起することが出來る。これに反して道義の基礎に立脚する刑法は、道徳の尊嚴を知れる人間をして理性的是認のもとに服罪を要求するものであるから、かゝる社會不安への誘因を生ずる虞はない。こゝに恒久性ある治安の維持が期待されるのである。刑法の社會防衛機能もかくてこそ眞實の意味において達成されるといはねばならぬ。

刑法は道義の基盤に立つことによつて初めて理性ある人間の文化的秩序としての意義を維持し得る。またその使命を全うすることが出來る。刑法における道義性の要求はもはや疑ふべからざるものである。

註

（1）Radbruch, G., Rechtsphilosophie, 3. Aufl., 1932, s. 38 ff.

（2）Thurnwald, R., Ethnologische Rechtsforschung. Preuss, K. Th., Lehrbuch der Volkerkunde, 1939, s. 292 ff.

（3）植松正「犯行に伴ふ行爲正當化の現象」（第十六回應用心理學會報告）

（4）たとへば Petersen, Der Determinismus und die Verantwortlichkeit der Menschen für ihre Handlungen. Z. f. d. ges. StRW. Bd. 27, 1907. s. 78 ff.

（5）Calker, F. v., Stsafrecht und Ethik. 1897.

（6）Rosenfeld, E. H., Die Richterliche Strafzumessung, Vergl. Dastel., Allg. Teil, Bd. III. s. 103. なほ卑見によれば、道義性と決定論とは全く異れる方途においてその融合を求め得るが、こゝには論及しない。

（7）植松正「法律と心理學」・前掲・一三頁以下。

（8）Hiller, Kurt, Strafrechtskritik und Ethik. Mon. f. Kriminalpsychol., Jg. IV, 1909-1910. s. 623—1910.

（9）Radbruch, a. a. O. s. 43.

（10）Hippel, Deutsches Strafrecht, 1. Bd., 1925. s. 8.

（11）Vidal, G., et Magnol, J., Cours de Droit Criminel, 1935. p. 65.

（12）Gareis, K., Vom Begriff Gerechtigkeit. Frank, R., Festschrift für die Juristische Fakultät in Gieszen zum Universitäts-Jubiläum. 1907. s. 276.

（昭和十九年五月十日脱稿）

獨逸のポーランド統治と廣域圏理念

山　下　康　雄

目次

はしがき……五
第一章　ポーランド占領地統治の實際……一一
第二章　ポーランド占領地統治と廣域圈理念……九九
むすび　廣域圈と共榮圈……一四八

はしがき

本稿に於ては、第二歐洲大戰下ドイツのポーランド占領地統治の實際を研究し、それを通して、ドイツの廣域圏理念が具體的にはどの樣に發展せしめられてゐるかを明らかにしてみたい。本稿の動機は次の二點に存する。

第一に、占領地行政の面からポーランド占領地の實際を知るといふことである。國際法上占領地行政の問題は戰時國際法の重要な一部分をなしてゐる。占領地行政に關する國際法規は前世紀の中頃から今世紀の初頭にかけて一應成文法として形を整へるにいたつた。その成文法規とは海牙陸戰條規第三款「敵國の領土に於ける軍の權力」である。だから、今事新しく占領地行政に關する國際法規を問題とするは、甚だ意味のないことの樣でもある。しかし、考へて見るに、既存の占領地法規は第十九世紀の國際慣行を土臺として出來上つたもので、そこには新時代の實際に適應しないものが存し、種々の點から改訂を要する樣に考へられる。特に、既存の占領地法規の前提としてゐる第十九世紀的乃至はヨーロッパ的戰爭性格には、再吟味せらるべきものを多分に含む。(1) しかし、既存の占領地法規の再吟味、再檢討といつても、單に主觀的希望や獨斷的直觀によつてなされるものではない。そういふ態度をとるならば問題は至つて簡單で學問的研究を全然必要としない。既存の占領地法規の改訂なり再吟味なりを主張する背後に、しつかりした客觀的根據や歷史的必然性が用意されてゐなければならぬ。もう少し具體的にいふと、既存の占領地法規が成立するに至つた國際社會學的乃至は戰爭社會學的地盤をされた明らかにすると共にその樣な法規が何らの矛盾も感ぜられず實行時代の社會的性格なり戰爭の實體なりを明らかにし、その反面、既存の占領地法規の適用が少しく無理である樣になつた現代戰爭の性格上の變化に着眼しつつ、現代戰爭に於ける既存占領地法規の實行狀態、特にその修正されつつ適用されてゐる狀態を明らかにしなければならぬ。この樣な、具體的研究を通して、初めて既存法規再檢討乃至は改訂に對する客觀的根據が與へられるのである。こういふ意味で、具體的にポーランド統治の實際を研究してみることは決して無意味ではないであらう。

（１）占領地關係の國際法規の再檢討に關しては、最近筆者が論じたことがある。それは、第十九世紀的即ち非總力戰的、短期戰爭性格を前提とした占領地國際法規、更にヨーロッパ的性格の占領地國際法規（即ちヨーロッパ文明諸國の本國の占領を無意識的に前提とした占領地法規）の再吟味を提唱したものである。「占領地統治に關する國際法規の再吟味」國際法外交雜誌第四二卷第一〇、一一號を參照。

第二に本稿の動機となつてゐることは、廣く共榮圈國際法なり廣域圈國際法なりに關聯して獨逸廣域圈理念の具體化現象を通して、その根本的性格を知らうとするものである。筆者の確信するところによれば、共榮圈なり廣域圈の理念を單に机上に於て構想することよりも、共榮圈社會なり廣域圈社會の現實に即して考へることが必要である。占領地は、共榮圈乃至は廣域圈理念が最初に具體化した場所であるから、抽象的理念の具體化樣相を見るには恰好の場面である。

第三に本稿の動機となつてゐることは、共榮圈理念と廣域圈理念の相違を、ポーランド統治の面から明らかにしてみようといふことである。帝國の東亞共榮圈理念とドイツの歐洲廣域圈の理念と米國の米洲廣域圈理念とは夫々特色をもつてゐる。そこにはふみこえることのできない根本的相違がある。今茲にそれを詳論すべき暇はないが、そのうちでも、日本の東亞共榮圈の理念とドイツの歐洲廣域圈の理念とは甚だ趣きを異にする。一言にしていへば「萬邦をして各其の所を得しむる」といふことに重點をおく東亞共榮圏の理想と、指導國の利益範圍 Interessen-sphäre に重點をおく歐洲廣域圏の理想との相違に歸せられる。 そのことを、ポーランド占領地統治の實際を通して明らかにしてみたいと思ふ。

以上は本稿の目的及び動機であるが、もとよりそのすべてが本稿で完全に成就されてゐるとはいふことができない。 特に第一の動機に關していへば、問題は更に廣汎な前提的研究を終つたのちに於てのみ解決される。 ポーランド占領地のみならず、第二次歐洲大戰下のドイツの各占領地の統治の實情を明らかにし、更に又大東亞戰爭下帝國の占領地統治の實相も明らかにせられねばならぬ。 それによつて初めて終決的斷定の第一歩が準備される。 このことは第二、第三の動機に就てもいひ得るのである。 だから、本稿は、筆者が計畫してゐる途方もない、野望の第一歩にすぎないことを茲に告白せねばならぬ。 それにしてもポーランド統治の問題をとりあげた理由は、獨逸の占領地域中、ポーランドに關する文献、資料が比較的豐富であることに因るものなることにある。 以下、本稿起草に際して參考にすることができた文献、資料をあげて讀者の參考としておこう。（その他の文献は本文中適當な場所で掲げる）―順序不同―

Klein, Zur Stellung des Generalgouvernements in der Verfassung des Gross-Deutschen Reiches, Archiv des öffentlichen Rechts, Neue Folge, 32 Bd., 3 Heft (1941).

Best, Die Verwaltung in Polen vor und nach dem Zusammenbruch der polnischen Republik, Berlin (1940).

Best, Die bisherige polnische Verwaltung, Deutsche Verwaltung (1939). S.530 ff.

Von Medeazza, Ein Jahr deutsche Verwaltung im Generalgouvernement, Deutsche Verwaltung (1940). S.308 ff.

Vieweg, Zur einjährigen Wiederkehr des Tages der Errichtung des Generalgouvernements, Reichsverwaltungsblatt (1940). S.581 f.

Von Medeazza, Die deutsche Rechtsvertretung im Generalgouvernement, Deutsches Recht, Ausg. A., (1940). S.929 ff.

Adami, Die Gesetzgebungsarbeit im Generalgouvernements, Deutsches Recht, Ausg. A., (1940). S.604 ff.

Von Medeazza, Ein Jahr Generalgouvernement, Deutsches Recht, Ausg. A., (1940). S.1793 ff.

Frank, Ansprache des Generalgouverneurs beim Staatsakt aus Anlass des einjährigen Bestehens des Generalgouvernements auf der Burg zu Krakau, Deutsche Verwaltung (1941). Heft 1.

Weh, Das Recht des Generalgouvernement, Deutsches Recht (1940). S.1[illegible]93 ff.

Von Medeazza, Die Einheit der Verwaltung im Generalgouvernement, Deutsches Recht, Ausg. A., (1941). S.565–6.

Gschliesser, Der Arbeitseinsatz im Generalgouvernement, Soziale Praxis, 49 Jahrg. 24 Heft, (1940). S. 739 ff.

Hubernagel, Aufbau und Aufgaben der deutschen Gerichte im Generalgouvernement, Deutsches Recht, Ausg. A., (1941). S.8 ff.

Schmidt, Die Neuordnung des Geld-und Kreditwesens in den Ostgebieten, Zeitschrift der Akademie für deutsches Recht, (1940). S. 95–97.

Hoppe, Die Ordnung der nationalen Arbeit in den besezten polnischen Gebieten, Deutsches Arbeitsrecht (1940). S.8. ff.

第一章　ポーランド占領地統治の實際

第一節　ポーランド統治の三段階

ポーランドの完全占領より現今にいたるドイツのポーランド統治は大體次の三段階に分けられる。

(一)　軍　政　時　代

一九三九年(昭和十四年)九月十七日に於けるモシスキ政權のルーマニヤ蒙塵一九三九年九月二十七日のワルソウ完全占領に伴ひポーランド共和國完全征服の事實確定的となるや、早くも九月二十三日ドイツ國防軍最高指揮官はポーランド戰爭終決の特別布告を發し一九三九年九月二十五日(卽ちワルソウ完全占領に先立つこと二日)「ポーランド占領地軍政施行に關する總統兼總理大臣布告」が發せられ、玆に先づポーランドに軍政が施行せらるるに至つた。これにより、軍政最高の責任者として「東部總軍司令官」たりしルントシュテット元帥が就任しルントシュテット元帥の下に民政の責任者として國務大臣フランク博士が民政總監に任命せられた（一九三九年九月二十八日フエルキッシエル・ベオバハテル紙）。軍政施行地域を分けて、（一）ウエストト・プロイセン、（二）ポーゼン、（三）ロッヅ、（四）クラカウの四箇の軍政管區とし、ロッヅ軍政管區は東方總軍司令官直轄軍政管區とせられた。各軍政管區に於ける軍政の責任者は各軍政管區に於ける軍司令官とされた。東部總軍司令官に直屬する民政總監は各軍政管區に於ける民政の一元的實施及びロッヅ直轄軍政管區に於ける民政の實施を以て任務とする。各軍政管區には夫夫民政監が置かれた。一九三九年十月十六日の東部總軍司令官命令「民政總監に法令發布權を委任する命令」により民政總監に廣汎なる立法權が附與された。

（二）　占領地總督制時代

前記の軍政時代は僅か約一箇月を以て終り、一九三九年十月十二日公布（同月二十六日より施行）の「ポーランド占領地の行政に關する總統兼總理大臣布告」によつて民政が施行せられるに至つた。この結果、先に民政總監たりしフランク博士が占領地總督として任命され（布告第二條第一項）國務大臣ザイス・インクワルトが總督代理に任ぜられた（同上第二項）。占領地總督制の施行せられた地域は本來のポーランド共和國より左の二つの部分を除いたものである。

（1）ソ聯邦編入地域　一九三九年九月二十八日の獨・ソ間「國境劃定及び友交に關する條約」及び同年十月四日の同條約附屬議定書の定むるところによりソ聯邦の利益範圍とされた舊ポーランド領は當然のこと乍ら「總督領」に屬さない。(2)

（2）ドイツ領編入地域　前記獨・ソ條約及び議定書によつてドイツの利益範圍とされたポーランド地域のうちでも、次の四者は總督領に屬さない。即ち、（イ）ダンチッヒ自由市、（ロ）ウエスト・プロイセン地方、（ハ）ポーゼン地方、（ニ）ツイッヘナウ及びカットウイッツの二縣がこれである。ダンチッヒ自由市は一九三九年九月一日ドイツへの復歸宣言を行ひ既にドイツに併合されてゐた。(3)ウエスト・プロイセン及びポーゼンの兩地方は、一九三九年十月一日公布、同年十一月一日より施行の「東部地域の區分及び行政に關する總統兼總理大臣布告」により何れも國管區（ライヒスガウ）として獨逸國に編入され、前者は後ダンチッヒと合して「國管區ダンチヒ・ウエストプロイセン」となつた。(4)ポーゼンは後「國管區ワルテラント」と改稱せられた。(5)ツイッヘナウはプロイセン邦東プロイセン州の縣（Regierungsbezirk）となり、カットウィッツはプロイセン邦シュレジエン州の一縣となつた。

以上の地域を除いた舊ポーランド領がポーランド占領地總督の管轄地域である。その人口は大體千二百萬、面積約十萬平方粁、人口の大部分はポーランド人で、約百六十萬のユダヤ人、三十萬のウクライナ人、六・七萬のドイツ人が居るが、大體ポーランド人の「本來の郷土」である。(6)

(1) 條約第一條によれば、本條約に附屬する地圖に引かれたる一線を以て、舊ポーランド國領土に於ける兩當事國利益の境界 Grenze der beiderseitigen Reichsinteressen としてゐる。この境界線は、議定書によれば、リトアニア最南端國境を起點とし西方に延び、アウグストウヴオを經て東プロイセン國境に至る。次で現在東プロイセン國境を成すピシア河に沿ひつつ再び舊ポーランド内に入り、オストロレンカに至り更にブーグ河に沿つて南下しクリストノポルに達す。茲から西方に折れルヴオウ（レンベルグ）西北のラヴルスカ北方を通過、ルバチヨウを經てサン河に出で、そのまま同河に沿つてハンガリー國境に至る。Best, Die Verwaltung, S. 118. 及び卷末地圖參照。

(2) 獨ソ開戰後、一九四一年（昭和六年）八月一日ドイツ政府は宣言を行つて、獨ソ國境劃定條約の結果ソ聯領となつたガリシヤ地方をポーランド總督領に編入したといはれるが、詳細に就ては不明である。鳥羽正「獨乙の占領地經營」國際知識及評論昭和十六年十二月號參照。

(3) 一九三九年八月二十四日ダンチッヒ自由市官報によれば、ダンチッヒ參議院はダンチッヒ・ナチス黨指導者フオルスターをダンチッヒ自由市元首に指名した。一九三九年九月一日フオルスターは、「ダンチ復歸に關する國家基本法」に署名したが、それは、(一)ダンチッヒ自由市憲法を直ちに廢止すること、(二)すべての立法權及び執行權は專ら元首によつて行使されること、(三)ダンチッヒ自由市の全人民及び全領土をあげて直ちに獨逸國の一構成部分となすこと、(四)ドイツ國法の施行に關するドイツ總統の最終的規定が行はれるまでは、憲法を除く一切の法規は有效なること、を規定したものである。一九三九年九月一日ドイツ議會が全會一致で採擇せる「ダンチッヒ自由市併合に關する法律」は、右國家基本法をドイツ國法となすことにし(第一條)茲にダンチッヒの併合が完了した。

(4) 一九三九年十一月二日「東部地域の區分及び行政に關する布告の變更に關する總統兼總理大臣第一布告」

(5) 一九四〇年一月二十九日「東部地域の區分及び行政に關する布告の變更に關する總統兼總理大臣第二布告」

(6) 一九四〇年六月一日に於ける占領地總督領の面積及び人口は次の樣である。

州名	面積(平方粁)	人口	人口密度(一平方粁當)
ルブリン	二五五六〇	二、三二八、〇六二	八七・七
ワルソウ	一六八七七	三、二三四、五四〇	一九一・七
クラカウ	二六〇〇三	三、六六三、〇一〇	一四〇・九
ラドム	二四四三一	二、八八一、八〇六	一一八・〇
計	九三八七一	一二、一〇七、四一八	一二九・〇

尙、ワルソウ、クラカウ、チエンストハウ、ルブリンの四市人口總計百九十萬(ワルソウのみで百三十萬)であつて、總人口の一五・七パーセントである。以上の數字は Soziale Praxis 1941, S. 48 によるものである。

尙 Herbert Morgen, Die neuen deutschen Ostgebieten, Zeitschrift für Geopolitik, 1940, S. 137 ff. によれば、ドイツ領に編入された東部地域の面積及び人口は次の樣である。

地名	面積（平方粁）	人口（單位千）	人口密度（一平方粁當）
ダンチツヒ・ウエストプロイセン	二三一三〇	一九〇二	八二
ワルテランド	四三九〇五	四四五六	一〇六
ツイツヘナウ	一六二四五	九九四	六一
カツトウイツツ	一〇五八六	二五九三	二四五
計	九三八六六	九九四五	一〇六

これに依れば、東部地域はその面積に於てポーランド占領地總督領とほとんど匹敵し、人口に於ては約二百萬少い。從つて人口密度も低いことがわかる。尙、人口密度二四五の高きに及ぶカトウイツツ縣（上部シュレジエン地方）が重工業地として著名であり、之がドイツに編入された意義は重要である。編入された東部地域は大體に於て、第一次歐洲大戰前ドイツ領であつた地域であるから、失地恢復の意味をももつてゐる。

（三）　總督制時代。

前記占領地總督制時代も約十箇月の短期間を以て終り、一九四〇年八月より總督制を採用することになつた。即ち八月十五日の總督布告は、總統の授權により爾今「占領地總督」なる名稱を廢止し之に代り單に「總督」と呼稱することを明らかにした。これに伴ひ從來「總督署」Amt des Generalgouverneurs といつてゐたのを「總督府」Regierung des Generalgouvernements といふ様になつた。勿論これによつて統治の實體に大きな變化が起つた譯ではないけれども、この名目上の變更はポーランド總督領の性格に關して甚だ示唆的であるといはねばならぬ。ドイツの意圖するところは、この名目上の變更によつてドイツがポーランド總督領に於て行ふところは國際法上の占領地の統治でないことを示唆するにある。さればといつて、この地域をドイツ國に編入したのではない。占領地にも非ず、又領土にも非ずとして一種獨特の性格を帶びさせ、以てその統治の特異性を强調することは、獨逸のポーランド統治に於ける基本的傾向である。このことは、特にその統治機構、就中、總督の地位に於てあらはれて來るのである。

第二節　ポーランド總督領の統治組織

第一　總督の地位及び權限

ポーランド總督領に於けるドイツの統治の特色は、軍の統帥關係を除きほとんど完璧にちかい統治權が總督に委任されてゐる點に認められる。總督は總統に直屬し、全行政部門の全權を委任されてゐるのみか（一九三九年十月十二日「ポーランド占領地の行政に關する總統兼總理大臣布告」——以下單に總統布告と略稱する——第三條)、廣汎なる立法權をも附與されてゐる。　司法權はポーランド占領地に於けるドイツ裁判所が「ドイツ民族の名に於て」之を行ふが裁判制度そのものは、總督命令を以て規定され、總督は總督領に於ける檢事總長の地位を有する(後述するところを參照)。　今茲に總督の權限の重なるものをあげると次の樣である。

(一)　立法權　總督は命令を以て法を定めることができる(總統布告第五條第一項)。　總督領に對し立法權を有するものは、總督のほかに、國防最高評議會議長及び四箇年計畫受託者たるゲーリングであるが、今までのところ、ほとんど總督の命令によつて立法が行はれてゐるといつてよい(詳細は後述するところを參照)。

(二)　行政權　總統布告第三條第二項により總督は全行政部門の全權を委任されてゐる。　故に總督領に於ける全行政權はあげて總督に歸屬し、總督はライヒに於て、全國務大臣の權限を一身に集めてゐる。　總督領に於ては、總督に對立するいかなる獨立行政機關も存しない。　總督領に於ける行政費は占領地の負擔とされ、總督の作成せる財政案はライヒ財政大臣の同意を得るを要する(總統布告第七條)。ライヒ內務大臣はポーランド總督領の中央官廳であつて總統布告の實施及び補充に必要なる法律規定及び行政規定を發することを得る(總統布告第八條)。　總督領に於ける行政組織は總督の命令によつて定められる。　主なる行政組織命令は、一九三九年十月二十六日「ポーランド占領地の行政組織に關する命令」（行政組織第一命令）、一九四〇年十二月一日「總督領に於ける行政の統一に關する命令」（行政組織第二命令）、一九四一年三月十六日「總督領に於ける行政組織に關する命令」（行政組織第三命令）等であつて、逐次行政組織の一元化・一貫化が行はれるに至つた（詳細は後述するところを參照）。

（三）　四箇年計畫全權　總督を以て總督領に於ける最高の行政上の全權委任者となす總統布告の趣旨に沿ふため、ゲーリングは四箇年計畫受託者兼國防最高評議會議長たる資格に於て、總督を以て總督領に於ける自己の全權委任者として指名した。　總督はこの全權委任を實行するため、先づ自己に直屬する獨立官廳たる「四箇年計畫事務局」を特設して之をして四箇年計畫業務を實行せしめたが後之を廢止して、總督府各部局をして擔當せしむることにした（詳細は後述に讓る）。

（四）　ライヒ國防全權　一九三九年九月一日の「ライヒ國防委員任命に關する國防最高評議會議長命令」第一條によれば、「ライヒ國防委員」は所管防衛區に於けるライヒ國防の責任者である。　前述せるゲーリングの指名により、總督は總督領に於ける「ライヒ國防委員」となるに至つたのであるが、このライヒ國防業務の統一的遂行を實施するため、總督は國防局を設置した。このほか、總督領國防委員會なるものも設置された。この委員會は總督の諮問機關であつて國防上の重要計畫に關し毎月一回會合を行ふ。この會合には國防軍代表も參加する。總督の擔當するライヒ國防業務は、所謂「民」國防業務であつて、「軍」國防業務ではない。統帥權の獨立はドイツに於ても嚴に要求されるところであつて、一九三九年九月二十五日の「軍政を總督に移管することに關する總統布告」に於ても特に明示されたのである。從つて茲に、總督府と國防軍の聯絡といふことが必要となるのであるが、このために、東部總軍司令部（現在は總督領軍司令官）及び空軍總司令部より各一名の聯絡將校が總督府に特派されてゐる。

（五）住民代表權　總統布告にもとづき、總督は總督領に生活する住民の「法律上の唯一の代表者」である。總督は總統の委任及び命令にもとづいて、總督領なるドイツの利益地域に生活するポーランド民族を統治し、ドイツ國に對して、ポーランド民族を代表する。かゝる意味に於て、ベルリンには「總督全權委任者」が駐劄してゐる。（1）

（１）此の點に關しては Adami, Die Gesetzgebungsarbeit, S. 605.

（六）ナチス黨指導權　總督は總統代理よりの授權にもとづき、總督領に於けるナチス黨の指導者である。　一九四〇年五月六日「國民社會主義勞働黨ポーランド活動區」Arbeitbereich Polen der NSDAP. が設置され、總督はその責任者となつた。茲に於ても行政責任者と黨責任者とのパーソナル・ユニオンが行はれてゐることは注目すべきである。　政治的指導とナチス黨の活動とが密接に結びついて行はれる方針は總督領に於ても繼受され、ライヒの國家權力の背後にナチス的政治指導を伴はせ、以て總督領に於けるドイツ的行政の促進を計らんとしてゐる。　既に全總督領にわたつて黨の地區群 Ortsgruppen od. Standorte の組織が擴げられ、ドイツ民族共同體の細胞が、地區群指導者の指導の下、黨活動を開始してゐる。(１)

（１）von Medeazza, Ein Jahr Generalgouvernement, S. 1801.

以上の如き、總督の有する廣汎なる權限は、他の占領地、編入地、保護領を通じて、全く類例のないもので（此點に關しては後述するところを參照）、總督領の特異性を形成する重大なる要素となつてゐる。

第二　一般行政組織

總督領に於ける行政は、總督の指揮下に一元的に行はれてゐるが、その行政機構は數次の行政組織命令によつて逐次整備、强化され、總督制實施の當初の應急的にして亂雜なる機構から恒常的にして一元的な機構へ推移して行つたのである。

(一)　中央行政組織

總督領に於ける中央行政機關(上級行政官廳)は總督府である。(1) 行政組織第一命令によれば、最高の行政長官は總督であつて、總督の下に一般行政の責任者として「總務長官」Chef des Amtes des Generalgouverneurs がある。總務長官は總督が任免する。(2) 總督代理たりしザイス・インクワルトが「オランダ占領地ライヒ委員」に任命されたのちは(一九四〇年五月十八日)、總務長官が總督代理を兼ねることになつた。總務長官は、總督の指令にもとづき各般の行政を指導・監督するが、その下に七箇の中央局と十五箇の專門局が所屬し、このほか銀行監督局(3)土地調査部、若干の委員會が總務長官に所屬する。各部局の長官も亦總督の任免するところである。このほか、總督府內には部外から事務聯絡のため派遣された代表者の事務所がある。前記の聯絡將校のほかに、ライヒ外務省代表者國務大臣兼ライヒ官房長の代表者、總統代理の代表者、ヒットラー・ユーゲント指導者の代表者、ドイツ赤十字の代表者等が重なるものである。

(1) 總督府はクラカウにある。ワルソウは單なる州廳の所在地に止まるが、依然として商業的中心地たることには變りはない。總督府所在地をクラカウに選んだ重なる理由は、その歷史的因縁から比較的ドイツ的であるに因る。

(2) 行政組織第一命令第三條第一項及び一九四〇年五月八日「總督領に於ける行政長官等任命に關する命令」參照。

しかるに一九四〇年十二月一日の行政組織第二命令及び一九四一年三月十六日の行政組織第三命令により、中央・地方の行政組織に重大なる改革が行はれることになつた。この改革の主眼とするところは、(一)占領地總督制實施以來應急的、便宜的に行はれて來た官廳組織を整理統合して行政の一元化を計ること、(二)ポーランド總督制の古今東西に比類なき特異性を行政組織の面に遺憾なく實現すること、(三)部局の割據主義、權限爭ひの弊を一掃して、總督領政治に於ける全體主義、全體利益優先主義を徹底することにあり、結局するに總督政治に於ける指導者原理、責任主義の確立にあつたといふことができる。(1) 故に行政組織第二命令前文には全行政部門の一元的指導の目的を以て、從つて上から與へられた基本原理が圓滑に實現されることを目的として、總督が總督府を使用する旨が先づ明らかにされてゐる。この行政組織第二命令で、中央官廳に關して行はれた顯著な改革は總務長官なる名稱が廢止されて、國務長官 Staatssekretär となつたことである。此の變更は單なる名稱上の變化に止まらない。從來、總督に直屬してゐた各部局の長官は、爾後國務長官に直屬し、國務長官には總督府の政務を指導し各部局の協力を促進すべき任務が與へられた。國務長官及び各部局長を一丸とした責任者の集團に政務上の最高責任を負はせる組織を採用した目的は、各部局の利害をにらみ合せた上、統一せる決定を爲すことに關し十分なる保障を與へ、かくして行はれた一元的決定を全體として圓滿に實現せんとするに存したのである。第二命令もはつきりと、總督府各部長は自己の部局の業務が常に全體の利益に對して妥當である樣に指導すべきことを要望してゐる。

（1） von Medeazza, Die Einheit, S. 565.

總督領の行政組織に對する第二回の改革は行政組織第三命令（一九四一年三月十六日）によつて行はれた。第二命令による改革をいはば水平的改革と呼ぶならば、第三命令による改革は、垂直的改革であつて總督の意思を行政の下部組織に徹底せしめるを目的とするものであつた。總督の意思は結局、ライヒの要求を反影するものであるから、ポーランド總督領に於ける下級行政組織にいたるライヒの要求の徹底が、窮極のねらひであつた譯である。第三命令による行政改革は異色のあるもので、その大要は、官廳としての總督府の機構に關するものと、諮問機關としての總督府の機構に關するもの、の二つに分けることができる。

官廳としての總督府の指導に當るものが國務長官なることは從前通りであるが、新に國務長官の代理者として國務次官 Unterstaatssekretär が設けられた。官廳としての總督府は、(一)國務長官部と(二)各局にわかれる。國務長官部は國務長官に直屬し八箇の課にわかれ大體從前の中央局がこれに當る。各局は從來の專門局に相當するが、十二局に減少し、從前の專門局の一部は國務長官部の課となるか、新設局の課に格を下げられた。(1)

(1) 行政組織第一命令の規定した專門局は十五であつたが、その後特別命令で種々の部局が增設された。そのうちで、總督領土木課指導者本部は內務局の一課となり、銀行監督局、總督領敵產管理部及び外國爲替局等は經濟局內の課となる豫定となつてゐた。

諮問機關としての總督府は、國務長官、發券銀行監督官、總督領最高會計檢查院長官、各局長、總督中央專賣局長、秩序警察指揮官、治安警察指揮官を以て組織し、總督又

は總督代理を議長とする。(1)

以上の如き中央行政組織及びその改革を通ずる基本的特徴が指導者原理の徹底にあることは、既に述べた通りであるがこのことは地方行政組織にも亦よくあらはれてゐる。

(1) Deutsches Recht, Ausg. A., 1941, S. 913-4.

(二) 地方行政組織

地方行政組織としては、先づ中級行政官廳として州知事 Distriktschef od. Gouverneur がある。總督領は、クラカウ、ワルソウ、ラドム、ルブリンの四州にわかれ、州廳は州名と同名の市におかれてゐる。各州の知事は總督の任免するところで、總督の名に於て州の行政を擔當する州行政の責任者である(行政組織第一命令第五條)。州知事の下に總務部長 Chef des Amtes des Distriktschefs がある。總務部長も總督の任免するところである。各州廳には各課が設けられてゐるが大體總督府に於ける各局に相當する。第二命令によれば、州知事は國務長官に從屬し、行政指導上の指針を總督府より與へられる。自己に與へられた任務の遂行を自ら監督し、又は郡長に委任して之をして行はしめる。州知事は、州に於ける總督府の唯一の代表

者である。(1)

總督領に於ける下級行政官廳として、郡區 Landkreis と市區(自治市 kreisfreie Stadt)がある。各州は各〻十箇の郡區に分れ各郡區にはドイツ郡長 Landhauptmann が存在する。郡長も亦總督の任免するところである。郡長の下に町委員 Stadtkommissar と村委員 Landkommissar 郡下の各地方に在つて、最下級の行政を行ふ。郡區のほかに市區制の實施された都市がある。(2) クラカウ、ルブリン、ラドム、ワルソー、チエンストハウ、ドイッチュ・プルッエミズル、キエルチエの七市が之である。(3) 市區にはドイツ人行政官吏たる市長(ドイツ人市長 Stadthauptmann)があつて、その監督下に住民市長 Bürgermeister が自治行政を行ふ。ドイツ人市長はナチス黨員たることを要し、州知事の任免するところである。州知事の名に於て市の自治行政を監督する監督官廳であつて、不適當と認むるときは、住民市長の措置を抑止・變更・廢止することができる。郡長及び市區に於けるドイツ人市長は何れも行政官廳として郡區及市區に於ける唯一の總督府の代表者であつて、州知事に從屬する。(4)

(1) 行政組織第二命令によつて、州內には州知事の行政官廳のほかに、總督府のいかなる出張官廳も存在しないことになつた。このことは、郡區及び市區についても同樣である。地方行政に於ける責任の一元化、指導者原理の徹底が、茲に見られる。

（2） 行政組織第一命令第六條第一項。

（3） 以上七市のうち、ドイッチュ・プルッエミズル市は一九四〇年六月二十七日の命令により、キエルチエ市は一九四〇年九月二日の命令により、郡區より獨立して市區となつたのである。

（4） 舊ポーランド共和國の總面積は大體に於て三十八萬九千五百平方粁（從つてドイツに歸屬せる編入地及び總督領の面積合計十八萬七千七百平方粁は舊ポーランド共和國領土の五〇パーセント弱となる）であるが、それが十六の縣 Wojewodztwo と二六四の郡 powiaty と若干の自市 miasta wydzielone より成つてゐた（このほかワルソウには特別縣制が行はれてゐた）。そのうち總督領にあるのは大體に於てワルソー縣、ルブリン縣、ルヴォウ縣の半郡、クラカウ縣、キエルチエ縣である。總督領下に於ける四州は大體この行政區劃に一致する。しかし從前の縣行政に於て認められてゐた 縣會（郡市より一名宛選出せる議員より成る）及び縣參事會（縣知事、內務大臣の指名せる官吏一名、縣會選出の委員三名より成る）などは、全く諮問的機關の性質を有するものにすぎなかつたけれども、總督制下に於ては認められてゐない。郡行政の面に於ても、從來の多數の郡を整理統合して、各州を十箇の郡にわけ、從來の郡會及び郡參事會（これも諮問機關にすぎぬ）を廢止してゐる。結局、州及び郡區は完全な行政區劃にすぎず、ドイツ人知事及び郡長より統治されて、自治的行政は排除されてゐる。市區にあつては次の樣な極めて制限された自治制が行はれてゐるにすぎない。舊ポーランド共和國の地方制度については Best, Die Verwaltung, S. 30 ff. を參照。簡單には Best, Die bisherige polnische Verwaltung, S. 531. を參照。

市區制の施行されてゐる都市を含めた地方自治體（ゲマインデ）に於ては、住民による自治を主體としてゐる。各ゲマインデの長は市長（公民長 Bürgermeister）と呼ばれる。ゲマインデの長は公選でなく官選である。人口二萬以下のゲマインデの長は州知事により、人口二萬以下のゲマインデの長は總督により任免せられる。ゲマインデの長にはゲマインデに於て多數人口をもつ民族に屬する者を任命することになつてゐるが、多くはポーランド人である。ゲマインデの長はゲマインデに於ける完全に排他的な行政責任者であつてゲマインデの唯一の代表者でありゲマインデに於て公務を有する一切の勤務者の勤務上の上長である。ゲマインデの長は、吏員を任免し、財政上の責任を負ふ。ゲマインデが信用引受をなすときは、事前に總督の許可を要する。(1)(2)

(1) 一九三九年十月三十一日「總督領に於ける市町村及び市町村組合の信用引受に關する命令」

(2) ポーランドの農村には、古來の舊慣により固有の村落自治體がある。それは村長 Wojt を中心とし副村長、相談役及び部落代表合議的自治行政組織である。最下級の地方自治組織であるが、この制度に關しては、總督政治は別に改革を加へるところがなかつた。尚、この制度の詳細に關しては Best, Die his. Verwaltung, S. 67 ff. を參照

第三、警察行政組織

總督領に於ける警察行政の最高機關は、高級親衛隊長兼警察指揮官 Der Höhrere SS- und Polizeiführer (以下警務長官と略稱する)である。警務長官は國務長官と同様、總督に直屬し、總督領に於ける秩序警察指揮官であり治安警察指揮官でもある。(1) 從つて、全總督領に於ける治安、秩序の維持に任じ、之に關し直接總督に對して責任

を負ふ。警務長官は、治安及び秩序の維持に必要なりと認めたるときは、獨立の處分をなし警察命令を發する權限を有する。但し特に重要なる事項に關しては、總督の同意を要する。警務長官は行政罰を科することを得る。一九四〇年九月十三日、總督領に於ける行政罰手續に關する命令によれば、命令及び處分に違反せる行爲があつたときには、裁判上の訴追の行はれざるを條件として、行政罰を科することができる。行政罰を科し得る官吏は、警務長官、總督府各局局長、治安警察指揮官及び秩序警察指揮官(この兩者は警務長官直屬の官吏)、州知事、州治安警察指揮官及び州秩序警察指揮官(後述參照)郡市及びドイツ人市長である。(2)

各州には、州知事に直屬する親衞隊長兼警察指揮官(警務部長と略稱する)があり、州内の治安警察指揮官であり秩序警察指揮官である。郡區に於ては郡長の下に憲兵隊がある。(3)憲兵隊は郡長の指揮權に服する。郡區に警察力なきときは、一九四〇年五月六日の總督令で設置された特務隊 Sonderdienst が使用される。特務隊は郡長の命令權にのみ服する。主として行政技術上の要求にもとづいて設けられたもので、特務隊員たり得るものは十八歳から四十歳までの獨逸民籍(その性質については後述するところ參照)を有する男子に限られる。市區に於ては初め特に警察官廳なく、警務部長の直轄するところであつたが、後にいたつて六市區に警察署が設けられ、ドイツ人市長の指揮するところとなつた。(4) その他ゲマインデ警察の範圍に於ては、廣くポーランド人の警察官及び警察隊が存する。

（1） 一九三九年十月二十六日「總督領に於ける治安及び秩序に關する命令」參照。

（2） 行政罰の範圍は一千ヅロッチ以下の罰金又は三箇月以内の拘留である。郡長、市長の行政罰裁決には訴願の途がある。即ち裁決後二週間以内に書面を以て州知事に訴願することが出來る。州知事の裁決は終決の裁決である。Deutsche Verwaltung, 1940, S. 311. Deutsches Recht, Ausg. A., 1940, S. 1819.

（3） 我國の憲兵と同じでない。通常の警察機關であるが、直譯しておく。

（4） 總督府内務局は、總督の許可と警務長官の了解を得て、一九四一年五月九日布告を發した。それによれば、クラカウ、ワルソウ、ラドム、ルブリン、チエンストハウ、キエルチエの六市區に警察署がおかれることになつた。市警察署はドイツ人市長に隷屬する。但しワルソウ及びクラカウの二市では、州知事の市警務受託者に隷屬する。

第四、四箇年計畫業務

前記の如く、四箇年計畫受託者たるゲーリングの委任により總督は總督領に於ける四箇年計畫全權委任者となつたが、この受託業務遂行のため、總督は自己に直屬する「四箇年計畫事務局」を設立した。この機關は一九四〇年七月三十一日まで存續した。一九四〇年一月六日の總督布告は、總督府及びその各部局が四箇年計畫事務局と密接に連繫、協力すべきことを要求したのであるが、これによつて知られる如く、同事務局は總督府の完全な部外局として成立したものである。同事務局は各部課にわかれてゐるが、就中、次の四箇の管理部は特に重要資源に關するものとして注目せられる。[1]

(1) 鐵鋼管理部　これは、鐵及び鋼製品の生産販賣に對する統制、監視を行ふ。[2]

(2) 石炭管理部　これは、石炭の生産、配給、販賣、消費に關する統制業務を行ふ。[3]

(3) 金屬管理部　これは、金屬類の生産、配給、販賣、消費に關する統制業務を行ふ。[4]

(4) 皮革管理部　これは、製革用藥品材料を含む皮革の販賣、皮革製品の生産に關する統制を行ふ。[5]

これらの各部は何れも廣汎なる命令權を有する。このほか、四箇年計畫事務局内に「故鐵金屬類回收監理官」がある。事務局はルブリン、ラドム、ワルソウに夫々出張所を置いてゐた。

しかるに、總督領内に於ける行政一元化の要請を充たすため、一九四〇年七月三十一日の總督令により四箇年計畫事務局は廢止せらるるに至り、その後は、四箇年計畫業務遂行のため特別の機關を設けることなく、總督府内の一般行政機關をあげて、之に當ることとなつた。但し此の機構改革に伴ひ、別に總督領に於ける全經濟政策指導上の最高諮問機關たる「總督領經濟評議會」（各局長を主たる評議員とする）が新設された。總督自らその議長となり、總督府經濟局長が事務總長となつた。經濟局長は又同時に總督領に於ける全四箇年計畫事項に對する「一般報告委員長」でもある。(6) 此の機構改革の目的とするところは、總督領内に於ける一元的、合理的經濟統制の實行を確實ならしめ、以て資源に乏しき總督領の組織的經濟再建を計るにあつたのである。

(1) 一九四一年五月一日以來、新に、化學製品管理部が設置された。これは、化學製品、工業用油脂、ゴム、石綿等に關する統制、監視をなす目的を以て設置されたのであつて、總督府經濟局内にある。

(2) 一九四〇年一月二十七日「總督領に於ける鐵鋼管理部設置に關する命令」

(3) 一九四〇年二月二十八日「總督領に於ける石炭管理部設置に關する命令」

(4) 一九四〇年二月二十八日「總督領に於ける金屬管理部設置に關する命令」

(5) 一九四〇年三月二十一日「總督領に於ける皮革管理部設置に關する命令」

(6) 一九四〇年七月三十一日「總督領經濟評議會に關する布告」

第五、ポーランド人の行政參與

その面積に於て舊ポーランド共和國の四分の一、その人口に於ては約三分の一を占めるポーランド總督領（正しくは「クラカウ總督領」Generalgouvernement Krakau 又は單に「總督領」Generalgouvernement と呼ばれる)は、大體に於てポーランド人の本來の郷土である。總督領に於けるドイツの統治の基本をなすは、この「ポーランド民族の郷土」Heimstätte des polnischen Volkstums なるモットーである。即ち、ドイツ的指導の下に於けるポーランド民族の郷土の再建設といふことが統治の基本方針である。一九四〇年三月十五日の總督演說に於ても、「總統の意思は、總督領を以てポーランド民族の郷土たらしむるに在るが、併し此の郷土に於ける指導的地位は大ドイツ國が保有する」と述べたのである。故に、一方に於てドイツの指導的後見的地位が强調されると共に、他方に於て、ノルウエー・オランダ、北ベルギー等に於けるが如き占領地住民のゲルマン化運動は否定され、ポーランド民族の固有の民族精神の昂揚といふことが說かれてゐる。占領地總督制實施の日に於ける總督布告に於ても、ポーランド人が自己に忠實であり永年に培養され來つて傳統に從つて生活すべきこと、ポーランド的特性を忘却してはならぬことが訓示されたのである。一九四〇年三月十五日の總督演說に於てはポーランド人の自然的權利を奪はんとする意圖なきことが說かれ、一九四〇年六月二十二日の總督演說に於ては、更にポーランド人に「自然的自治」natürliche Autonomie の許されてゐることが强調されたのである。

然らば、ポーランド人に許されてゐる「自然的自治」とはいかなるものか。それは、既述せる如く、行政の極めて低い段階に於ける自治である。總督領に於ける行政機構に段階を與へるならば、(一)總督府行政、(二)州行政、(三)郡區及び市區行政、(四)地方自治團體行政、(五)村及び部落自治體行政、の五段階にわけることができる。この場合、下層段階に至るほど、自治の認められる範圍が廣く、上層にいたるほど、ポーランド人の行政參與が狹められてゐることがわかる。その自治の最高限界は、高々市區行政にあらはれてゐるにすぎぬ。(2) 地方自治團體行政即ち、市區たらざる都市(町)の行政に於ては、比較的自治の濃度高く、(3)更に村及び部落行政に於ては、ほとんどポーランド人の自治に委ねられてゐる。(4) 之に反し、郡、州、總督府の行政面に於ては、その指導的地位はすべてドイツ人に占められてゐるのである。故に、ポーランド人に許されてゐる自治は、政治の上層面にはあらはれてゐない。このことは、歐洲に於ける他の占領地の場合と顯著なる相違を示すものである(後述參照)。

結局するに、ポーランド人の行政參與は、地方自治團體に於けるものを最高とし、これに、下級官吏として總督領行政機構への任用を加へたものが、その實體をなすのであるといふことができよう。しかも、許された自治も、甚だドイツ的であつて、指導者原理の適用が顯著なことも注意さるべきことである。

ポーランド人の下級官公吏の任用は、行政要員の充足を目的とし、ポーランド統治上の重大なる意義を有する。地方自治團體に於ける高級下級の吏員、學校教師農業會議所、水利行政機關、農業研究所等の技術的方面に、ポーランド人の任用がみられ、森林行政の面に於ては比較的高級官吏が多數ポーランド人によつて占められてゐる。そのほか、社會保險金庫、稅務署、財務監督署等に於ける責任的地位にポーランド人の任用されたものも少くない。更に、獨逸東部郵政局 Deutsche Post Osten 及び獨逸東部鐵道總局 Generaldirektion der Ostbahn の管內では多數の現業員が採用されてゐる。

最後に、舊ポーランド共和國の官公吏にして、引續き職に留まり再任用されたものに關しては、その現職に相當する範圍內で、從來通り俸給を支給されてゐることを附加せねばならぬ。但し、この場合、職務上の失費辨償、加俸等は與へられない。[5]

（1） Klein, Die Stellung, S. 248 ff.

（2） 市區行政に於てもドイツ人市長の監督がある。

（3）ゲマインデに於ては、顧問制が存する。人口一萬以下のゲマインデでは五名、それ以上のゲマインデでは十名の顧問 Berater をおく。顧問はゲマインデの長が任免するところであつて、純然たる諮問機關にすぎず、その設置によつて、ゲマインデの長の有する排他的責任は何らの影響を受けるものでない。自治團體に於ける責任主義の原則が玆でもつらぬかれてゐる。一九三九年十一月二十八日「ポーランド地方自治團體の行政に關する命令」第四條。

（4）所謂 Landgemeinschaft 及び Dorfgemeinschaft に於ける行政に關しては、〇〇頁註(三)を參照。これに關しては、尚、註(三)に引用の總督令第十一條參照。此の村自治體に於ける村長(長老)中心の行政は、總督自身甚だ高く評價し、之が實際上存續せらるべきことを認めてゐる。Klein, Die Stellung, S. 251, Anm. 102. しかし、此の場合にも、郡長の任命する村委員 Landkommissar の監督が存することを注意せねばならぬ。

（5）一九三九年十一月三日「舊ポーランド國の官公吏にして再任用せられた者に對する給與保障に關する命令」參照。

第三節　ポーランド總督領に於ける立法

第一。ドイツの立法

總督領に對して立法權を有する者は、第一次的にはいふまでもなく總統であるが、第二次的には、(一)國防最高評議會、(二)四箇年計畫受託者、(三)總督、の三者である(總統布告第五條第一項)。何れも、命令 Verordnung を以て法を定める(Recht setzen)。尚、國防最高評議會議長兼四箇年計畫受託者及びライヒ最高官廳は、ドイツ生活圏及び經濟圏の計畫に必要なる命令 Anordnung を總督領に對して發することを得る(總統布告第六條)。又、ライヒ内務太臣は、總統布告の實施及び補充に必要なる法律規則及び行政規則を發することができる(總統布告第八條第二項)。

然し乍ら、總督領に於ける立法の中心は、何といつても、總督命令による立法である。一九四〇年四月二日の「大ドイツ國防軍の墓地保護に關する國防最高評議會命令」(1)一九四〇年六月七日の「ポーランド占領地總督領に於けるドイツ國民の社會保險に關する國防最高評議會命令」、一九四〇年一月十五日の「舊ポーランド國財産の保全に關する四箇年計畫受託者命令」(2)の如きはむしろ異例に屬し、ほとんど總督の命令立法が原則的に行はれてゐる。茲に於ても總督領統治の一元性が現實に實現されてゐると見ることができる。尚、軍政時代の陸軍總指揮官命令も民政施行後、目的の消滅又は總督命令による廢止の結果廢止せられたもののほか、引續き效力を有する。(3)

(1) 此の命令は、ドイツ占領地に於ける、前大戰の古戰場及び戰死者墓地を含めて、ドイツ國防軍墓地の保護を國防軍最高司令部に受任したものであり(第一條)、必ずしも、ポーランド總督領のみを對象としたものではない。

(2) この命令も亦ポーランド總督領のみに關するものでなく、東部編入地域にも關係してゐる。

(3) 陸軍最高指揮官命令の重なるものは次の樣である。(1)ポーランド占領地に於ける特別裁判所に關する命令(一九三九年九月五日)、(2)ポーランド占領地に於けるドイツ刑法施行に關する命令(一九三九年九月五日)、(3)ポーランド占領地に於ける勞働條件形成竝びに勞働保護に關する民政總監命令（一九三九年十月二十日）、(4)ポーランド占領地に於ける社會保險に關する民政總監命令（一九三九年十月十七日）、(5)兵器所持に關する命令（一九三九年九月十二日）、(6)兵器所持命令の補充に關する命令（一九三九年九月二十一日）、(7)ポーランド占領地に於ける法定通貨に關する命令（一九三九年九月十一日）、(8)ポーランド占領地に於ける敵產押收に關する命令（一九三九年十月五日）、(9)上部シュレジエン占領地に於ける法定通貨に關する命令（一九三九年九月二十二日）、(10)ライヒ信用金庫劵に關する命令（一九三九年九月二十三日）、(11)ポーランド占領地に於ける土地權・工業企業權・持分權の取得に關する命令（一九三九年九月二十九日）、(12)外國爲替管理に關する命令（一九三九年十月七日）、等である。このうち、廢止せられたものは、(3)、(4)、(7)、(8)、(9)、(10)、(12)、である。これらの命令は「ポーランド占領地命令報」に載錄せられてゐる。

總督の命令立法權は之を再委任することを得ないのが立前となつてゐる。但し、重要ならざる事項に關し、又緊急の必要なきときは總督以外の官廳が一般的拘束力を有する命令Anordnungを發することを得る。此の場合に於ても、豫じめ總督の委任又は授權が存することを要する。(1)

命令立法に際しては、總督の定めたる立法要綱にもとづき、國務長官部法制課（行政改革前に於ては中央局たる法制局）が先づ立案する。立法上の基本指針は(1)生活に即したることLebensnähe.(2)明瞭なること(3)簡單なることの三點である。立案前に關係部局との間に可及的に廣汎なる折衝が重ねられた上十分なる檢討を經た命令案を作製する。命令案には理由書が添附される。更に命令案を關係部局に回覽提示した上、形式内容の統一、整頓に關して檢討が加へられることになつてゐる。常に總督の訓示するところであるが、立法に際しては努めてライヒ法規の形式的模倣を避くべし、とされてゐる。　總督領に於ける萬般の事情は極めて特異なものであるから、行政機關がライヒの要求を、そのまゝ實現することは困難である。從つて立法手續完了前に、此の點についても更に檢討が重ねられる。

總督命令は「總督命令報」によつて公布される。　命令報の用語はドイツ語とポーランド語の二種であるが、ドイツ語が解釋上の規準とされる。　一九四〇年一月一日以來、命令報は二部にわけられ、第一部は總督告示即ち總督訓示及び總督命令を、第二部はその他の公示事項即ち例へば警察命令、施行命令、施行規則、賃率規則、令 Anordnung 等を載せてゐる。(2)

（1）例へば警務長官の發する警察命令、各部局に於て發する命令の施行規則の如きである。

（2）Weh, Das Recht, S. 1396 f. 參照。　尚一九四一年一月一日以降は命令報の二部制は廢止されたといふ。　Deutsches Recht, 1941, S. 372.

第二、ポーランドの法令

總統布告第四條は、「從來適用せられたる法令はドイツ國による行政の繼受に矛盾せざる限り引續き效力を有する旨を規定し、原則としてポーランドの舊法令の效力を認めたのである。これ、ドイツが占領地及び編入地を通じて採れる共通の方針である。(1) 蓋し、永年にわたつて存續し來つた占領地の法令を占領後一變することは占領地國民生活に重大なる混亂を來し、之に代る適切有用なる法令を與へることは一朝一夕になし得るところでないからである。然しながら、ポーランド法令の效力の承認といつても、自らそこに限度が存する。總統布告はこの限度を「ドイツ國による行政の繼受が事實に矛盾せざる」點に求めたのであるが、これは一般抽象的であつて、更に具體的にいかなる程度に於て、ポーランド法令の效力を認めてゐるかを知らねばならない。

(1) 例へば、(1)「ノルウェーに於ける統治權行使に關する總統布告」(一九四〇年四月二十四日)第三條第一項及び、(2)「オランダに於ける統治權行使に關する總統布告」(一九四〇年五月十八日)第五條第一項は、何れも、「占領の事實に合致する限り」占領地の法令の效力を認め、(3)「ダンチッヒ自由市併合に關する法律」(一九三九年九月一日)第三條は、「自由市憲法を除き」舊來の法令が當分の間效力を有するとし、(4)「東部地域の區分及び行政に關する總統兼總理大臣布告」(一九三九年十月八日)第七條は、從來適用せられた法令は「ドイツ國への編入の事實に矛盾せざる限り當分の間」效力を有するとなし、(5)「オイペン・マルメディー及びモレネの併合實施に關する總統兼總理大臣布告」(一九四〇年五月二十三日)第三條第四項は「從來適用せられたる法令はドイツ國への編入の事實に矛盾せざる限りライヒ法令又はプロイセン邦法令の施行せられるまで引續き效力を有す」となした。以上のうち、(一)及び(二)の場合の如く、占領地の取扱をなしてゐる地域については、

「占領の事實に合致する限り、」なる條件をつけ、又、（四）及び（五）の場合の如く編入地に關しては「ドイツ國への編入の事實に矛盾せざる限り」なる條件をつけてゐるのに反して、總督領の場合に於ては、「ドイツ國による行政の繼受に矛盾せざる限り」なる條件を附してゐることは、甚だ注目すべき點である。これにより、總督領を以て占領地にもあらず、編入地にもあらざる特殊地域となす觀念が伏在してゐると察せられる。ことに、總統布告は一應「占領地行政」に關するものなるにもかかはらず、既にかゝる特異な語句を用ひたることは、初めから特殊制度を考慮してゐたのではないかと察せられるのである。序で乍ら、昭和十七年一月七日のヴァルガス協定（同日比島派遣軍發表）中の第四項は「新事態に即應せざるもの」を除いて現行法律及び慣行を承認する旨の、柔軟性ある語句が用ひられてゐる。占領地法令の尊重の條件として海牙陸戰條規第四三條が揭ぐるところは、「絶對の支障なき限り」である。この條件は、占領地法令無條件尊重を主張する極端論と、單に必要あるときは占領地法令を變更し得るとする立場を折衷したものである。この點の詳細に就いては、拙稿「占領地統治に關する國際法規の再吟味」（二）國際法外交雜誌第四二卷第一二號三一頁以下參照。

總督領に於けるポーランド法令が適用を排除される第一の場合は、總督領に於ける統治組織及び政治的指導に關するものである。舊ポーランド國の行政組織が全面的に排除された今日當然のことであらう。そこで、行政組織、裁判機構、警察、ドイツの手に歸した企業例へば「ドイツ東部郵政」及び「ドイツ東部鐵道」の如きに關して、全面的にドイツ法令（特に總督命令）が行はれ、ポーランド法令の適用を排除してゐる。これらは、何れもその性質上ライヒの相當行政部內との聯繫を密にし、ライヒから派遣された要員によつて運營されてゐるから、その法的基礎も亦ドイツ法令によるべきであるとされてゐる。

更に又、ドイツ國及びドイツ國民の安全、名譽及び利益(例へばドイツ國籍又はドイツ民籍を有するものの生命、身體、名譽及び財産)の保護を目的として獨逸刑法の適用が行はれてゐる(後述參照)。この點、刑法の適用に關し保護主義の色彩が濃厚である。更に、總督領に於ける特異なる現象として、ドイツ民籍者の身分法及び親族法の關係に於てポーランド法の適用が排除されドイツ法が準用されてゐることを注意せねばならぬ(後述參照)。又、ドイツ裁判制の實施に伴ひ、ドイツ訴訟法の適用があることも附加しなければならぬ。

そのほか、通貨、經濟政策上の立法に於て、特に各種軍需資材及生活必需品の確保のためドイツ法令(總督命令)が施行され、ポーランド法令は效力を有しない。

概していへば、總督領に於ては、ライヒ法令は直ちに施行されないが、總督令を通して依用又は適用されてゐることが多く、その限りに於てポーランド法令の適用は行はれてゐない。故にポーランド法令の適用される場合は極限されてゐる。例へば、地方自治團體特にその下級團體に於て總督令によつて制限されてゐない限りに於ての自治法制、ドイツ裁判所管轄外に對して有するポーランド裁判管轄

權(ポーランド人間のみの民事訴訟事件の如し)等に於て僅かにポーランド法令の効力が認められてゐるといふことになる。(1)

(1) Weh, Das Recht, 1396-7.

第四節　ポーランド總督領に於ける司法

第一　ドイツ司法制度

總督領に於ける司法制度の根幹をなす總督命令は、一九三九年十月二十六日「總督領に於ける裁判制度に關する命令」、一九四〇年二月十九日「總督領に於けるドイツ裁判制度に關する命令」、一九四〇年二月十九日「總督領に於けるポーランド裁判制度に關する命令」である。(1) これによれば、總督領に於てはドイツ裁判制とポーランド裁判制が並び行はれてゐる。ドイツ法令とポーランド法令が併存することより然るのである。

(1) 尚、司法制度關係の總督令及び軍政命令としては次の如きがある。(1)一九四〇年九月十三日「總督領に於けるドイツ人辯護士に關する命令」、(2)一九三九年十一月十五日「總督領に於ける特別裁判所に關する命令」、(3)一九三九年九月五日「ポーランド占領地に於ける特別裁判所に關する陸軍總指揮官命令」、(4)一九四〇年二月十九日「ドイツ裁判所及びポーランド裁判所間に於ける法律事件の管轄移轉に關する命令」、(5)一九四〇年三月八日「總督領に於ける恩赦權行使に關する總督布告」、(6)

一九四〇年十二月十四日「總督領に於けるドイツ裁判制度に關する命令を變更する命令」(7)一九四〇年八月一日「總督領に於けるドイツ裁判制度に關する命令の施行規則」

（一）ドイツ司法機關

總督領に於けるドイツ司法機關は、(1)通常裁判所(地方裁判所及び控訴院)、(2)特別刑事裁判所、(3)検事局である。(1) (2)に關しては、別項にて述べる。

（イ）通常裁判所　總督領に於ける通常裁判所は、ドイツ地方裁判所 Deutsche Gerichte とドイツ控訴院 Deutsche Obergerichte である。ドイツ地方裁判所は民事・刑事・非訟事件に關する第一審裁判所である。クラカウ、ルッエスッオウ、ルブリン、ベルム、ラドム、ペトリカウ、ワルソウ、ツイラルドウの八都市に存在する。裁判は單獨判事による。ドイツ地方裁判所の管轄區域は州知事が定める。知事は地方裁判所所在地外に於て開廷すべきことを命ずるを得る。(2) ドイツ控訴院はドイツ第一審裁判に對する唯一の上級審であつて、各州廳所在地に設置されてゐる。裁判は三名の判事によるを原則とし、(3)検事局の請求あるときは、刑事に限つて單獨判事によることがある。第一審ドイツ裁判所の判決、決定、命令に對する控訴・抗告事件を管轄するほか、特別の第一審裁判管轄權を有することがある(ドイツ民事訴訟法第

三六條參照)。ドイツ控訴院の判決は終決の判決であつて、(4)非常上告によるのほか破棄し得ざるものとせられる。(5)

判決はすべて「ドイツ民族の名に於て」下される(一九三四年二月十六日「司法をライヒに移管することに關する第一法律」を參照)。

(ロ) 檢事局　檢事局は特別裁判所に設けられて、通常裁判所には存在しない。通常裁判所檢事局の職權は特別裁判所檢事局之を行ふ。檢事總長及びライヒ司法大臣の權限は州知事及び總督が司法課又は司法局を通して行使する。

(1) 一九四〇年二月十九日「總督領に於けるドイツ裁判制度に關する命令」第一條。
(2) 「總督領に於けるドイツ裁判制度に關する命令」第二條第二項。
(3) 「總督領に於けるドイツ裁判制度に關する命令」第二條第一項。
(4) 「總督領に於けるドイツ裁判制度に關する命令」第二十六條第二項。
(5) 「總督領に於けるドイツ裁判制度に關する命令」第三十二條。

(二) 刑事裁判の管轄

總督領に於ける刑事裁判機關は、通常刑事裁判所(通常裁判所)と特別刑事裁判所である。特別刑事裁判所としては(1)特別裁判所、(2)軍律會議、(3)軍法會議(1)がある。

(イ) 通常裁判所の管轄　ドイツ通常刑事裁判所の管轄は、次の如き刑事事件である。即ち(1)加害者及び被害者のうち少くとも何れか一方がドイツ國籍(民籍)を有するものたるとき(2)犯罪がドイツ國又はドイツ民族の安全、名譽、利益に關するものたるとき若しくはドイツ國籍(民籍)を有するものの生命、身體、名譽又は財産に關するものたるとき、(3)犯罪が總督命令又は總督により授權せられたる官廳の發したる命令により罰せらるべきものなるとき(但し特別裁判所の管轄に屬するものを除く)、(4)犯罪がドイツ官廳により使用せられある建物、土地、施設内に於て行はれたるとき、(5)犯罪がドイツ行政上の勤務中又は右勤務に關聯して行はれたるものなるとき。

(ロ) 特別裁判所(Sondergerichte) 一九三九年十一月十五日の總督命令により各州廳所在地に特別裁判所が設けられた。軍政時代に設置された特別裁判所(一九三九年九月五日の「ポーランド占領地に於ける特別裁判所に關する陸軍總指揮官命令」によるもの)は、州廳所在地外に存するもののみ存置され、總督命令による特別裁判所の支部となつた。特別裁判所の管轄に屬する刑事事件は、(1)犯行極めて重く且公衆に異常なる刺戟を與ふるおそれある事件にして檢事局に於て特別裁判所の判決を求めたるもの、(2)總督命令中に於て特別裁判所の管轄に屬する旨明示せられたるものである。[2]　特別裁判所はドイツ刑法を適用し、その手續は一九三三年三月二十一日の「特別裁判所に關する命令」に依る。　特別裁判所は略式命令書を以て一年未滿の禁錮及び沒收を科することができる。

（ハ）　軍律會議（Standgerichte）軍律會議には、(1)聯隊長（又は聯隊長と同樣に刑罰權を有する部隊長）と軍人二名により構成せられる場合、(2)警察聯隊又は警察大隊の指揮官とその命令系統內にある二名の隊員により構成せられる場合、(3)保安警察動員司令部指導者とその命令系統內にある二名の隊員より構成せられる場合がある。[3]　後の二つの場合を、警察軍律會議といふ。軍律會議の管轄する事件は、(1)兵器引渡違反行爲、(2)ドイツ國防軍及びその所屬員に對する暴行、(3)ドイツ國に對する暴力行爲及び總督領に於て行使せられるドイツ高權的權力に對する暴力行爲、(4)ドイツ官廳施設を故意に毀損する行爲、(5)ドイツ官廳が公務上使用する物件を故意に毀損する行爲、(6)公益に供せられる施設を故意に毀損する行爲、(7)ドイツ官廳の命令に對する不服從を强要し又は勸誘する行爲、(8)ドイツ民族に屬するの故を以てドイツ人に對し爲せる暴行、(9)ドイツ人の財產を毀損するを目的として爲せる放火、等である。[4]

（１）軍法會議はドイツ陸軍刑法典の適用を受ける者に關して、その他同法典所定の犯罪を犯したるものにつき管轄を有する。一九三九年九月五日「ドイツ刑法施行に關する陸軍總指揮官命令」參照。

（２）以下掲ぐる總督命令に對する違反は特別裁判所の管轄に屬する（但し網羅的にあらず）。(1) 外國爲替命令（一九三九・一一・二三）、(2) 商店等標記命令（一九三九・一一・二三）、(3) ドイツ主權徽章及びドイツ儀禮命令（一九三九・一一・二三）、(4) 猶太人標識命令（一九三九・一一・二三）、(5) 自動車許可命令（一九三九・一一・二三）、(6) 外國人屆出命令（一九三九・一二・一四）、(7) ラヂオ器械押收命令（一九三九・一二・一五）、(8) 鑛業權及び鑛業持分權命令（一九三九・一二・一四）、(9) 銀行監督局設立命令（一九三九・一二・一四）、(10) 發券銀行命令（一九三九・一二・一五）、(11) 個人保險命令（一九三九・一二・二一）、(12) 猶太人强制勞動命令第二施行規則（一九三九・一二・一二）、(13) 暴利取締令（一九四〇・一・二二）、(14) 石油專賣命令（一九四〇・一・二〇）、(15) 私有財產押收命令（一九四〇・一・二四）、(16) 獨逸民籍證明書命令（一九四〇・一・二四）。

（３）一九三九年十二月二日「總督領に於ける暴力行爲防壓に關する命令を補充する命令」によれば、親衞附髏骨團も軍律會議を組織することができる。

（４）軍律會議に關しては、(1) 兵器所持に關する陸軍總指揮官命令（一九三九・九・一二）、(2) 兵器所持命令を補充する命令（一九三九・九・二一）、(3) 總督領に於ける暴力行爲防壓に關する命令（一九三九・一〇・三一）、(4) 總督領に於けるポーランド森林官吏の兵器所持に關する命令（一九三九・一二・一四）等を參照。

（三）民事裁判の管轄

總督領に於けるドイツ國籍（及び民籍）所有者は民事に關しドイツ裁判權に服す（總督領に於けるドイツ裁判制に關する命令第一九條第一項）。同命令第一九條第一項に列擧する各號該當事件は、ドイツ民事裁判所（ドイツ地方裁判所及びドイツ控訴院)の管轄である。即ち次の様である。(1)訴訟當事者、共同訴訟人、主參加者又は從參加者、訴訟被告者の一人がドイツ國籍(又は民籍)を有するものなるときに於ける民事事件及び假處分、(2)債務者がドイツ國籍(又は民籍)を有する者なる場合、及び債務名義がドイツ裁判所により付與せられたるかドイツ公證人の作りたる場合に於ける强制執行事件、(3)債務者がドイツ國籍(又は民籍)を有する場合に於ける破産事件及び和議開始申立人たる債務者がドイツ國籍(又は民籍)を有する場合に於ける和議事件、(4)アルト・ライヒ(オストマルク及びその他の編入地を除く)に於て適用されてゐる法律の規定上特定關係人の國籍を以て管轄の規準とする場合に於て右關係人がドイツ國籍(又は民籍)を有する者たるときに於ける非訟事件[1]、(5)ドイツ商業登記。

(1) ライヒ法令上、裁判管轄上の國籍主義の行はれるは、親族法、後見法、身分法及び養子法であり、相續法に於ても、被相續人の本國法が適用される。しかるに、相續法に關しては、總督領に於けるドイツ國籍所有者にのみ、本國法の適用があり、ドイツ民籍所有者には適用がない。即ち「ドイツ裁判制度命令」第二十四條第一項は『婚約の形式に關する規定を含みドイツ身分法及び親族法の適用に關しドイツ民籍所有者はドイツ國籍所有者と同等とす』として、相續法の適用を除外したのである。故にドイツ民籍者の遺産法に關する非訟事件のみは、ポーランド裁判權に服する。但し、相續法に關する民事訴訟事件等に關しては、前記(1)—(3)の規定によりドイツ裁判權が行はれる。

（四）ドイツ裁判所の適用

總督領に於ける通常裁判のうち刑事裁判に關しては、ドイツ刑法とドイツ刑事訴訟法が適用される（ドイツ裁判制度に關する命令第八、九條）。附帶私訴を認めてゐない點に注目される（同上第一五條）。ドイツ地方裁判所の判決に對しては、二週間以内にドイツ控訴院に控訴することができる。上告審は認められてゐないから、控訴院の判決は終決的である。ドイツ司法機關は、ポーランド檢事及びポーランド裁判所に對し、緊急の必要あるときは援助を求めることが出來、ポーランド檢事及び裁判所は、管轄權を有するドイツ檢事に遲滯なく犯罪事實の報告をなさねばならない。

之に反し、民事訴訟事件、强制執行事件及び非訟事件等に於ては、しかく簡單ではない。ドイツ民事裁判所が民事事件に於て適用する實體法は必ずしもドイツ法ではない。これに關する「ドイツ裁判制度に關する命令」第二二―二四條の規定を揭げると次の様である。

第二二條

（一）總督領に於ては、ドイツ國籍所有者の法律關係には、その本國法を適用する。但し右

本國法が本國の法律を適用すると爲せる場合に限る。特に身分法、親族法及び相續法の範圍に於ては本國法を適用する。

（二）第一項の意味に於ける本國法とは、ドイツ國內の住所、住所なきときはドイツ國內の居所に於て適用せられる法令である。ドイツ國內に居所なきときは、ドイツ國內に於ける最近の住所、住所なきときはドイツ國內に於ける最近の居所に於ける法令を以て本國法とする。

第二三條(1)

（一）婚姻契約當事者の一人がドイツ國籍所有者なるときに於ける婚姻契約の形式に關してはドイツ法を適用する。婚姻契約がドイツ戶籍吏の面前に於て行はれたときに於て婚姻は成立するものとする。

（二）婚姻の無效、取消及び離婚に關する法律爭議に於てはドイツ法を適用する。ドイツ國籍所有者たる女子が一九三九年九月一日以前に於て、ドイツ國籍所有者にも非ず且ドイツ民籍所有者にも非ざる男子と婚姻せる場合に於ても同樣である。

第二四條(2)

（一）ドイツ民籍所有者は、ドイツ身分法及び親族法の適用に關し、ドイツ國籍所有者と同等とする。但し、ドイツ國籍所有者にも非ず且ドイツ民籍所有者にも非ざる男子と結婚せる女子は此の限りでない。アルト、ライヒに於て適用されてゐる法令は、第二二條第一項の意味に於ける本國法である。

(二) 婚姻締結の形式、婚姻の無效、取消及び離婚に關する法律爭議に適用さるべき法令に關しては第二三條を準用する。

(三) 本命令施行前に締結された男子たるドイツ民籍所有者の婚姻には、ドイツ夫婦財産法を適用しない。

右によれば(1)、ドイツ國籍所有者にドイツ法が適用される場合は、その本國法たるドイツ法が國籍主義によつてドイツ法の適用を認めた場合に限られる。だから、國籍主義によつて本國法が適用されるか否かに關してはドイツ國の國際私法規定によつて先づ決定されなければならない。この決定が肯定的であつたときに初めてドイツ法が適用される。(2)ドイツ民籍所有者にも大體に於てドイツ國籍所有者と同樣であるが、相續法が適用されない(第二四條第一項)。その結果、遺産法に關する非訟事件はポーランド裁判所の管轄である(五〇頁註(2)を參照)。但し、相續法に關する訴訟事件はドイツ裁判所の管轄である(第一九條第一項)。

以上は身分法、親族法、相續法の適用に關するものであるが、これによれば、大體ドイツ法の適用が行はれる。しかるに、財産法の關係に於てはドイツ法の適用は行はれず、ドイツ裁判所はポーランド財産法を適用する。何となれば、命令第二二條第一項によれば、ドイツ國籍所有者にドイツ法が適用されるためにはドイツ國際私法規定が國籍主義に依つて本國法(卽ちドイツ法)の適用を認めた場合に限られるのに、ドイツ國際私法規定は、財産法に關しては國籍主義を採用してゐないからである。(3)

次に、民事事件に於ける手續法はドイツ法が適用される。「ドイツ裁判制度に關する命令」第二五條は『ドイツ地方裁判所及びドイツ控訴院の手續に關しては、別段の定なきときに於ては、プロイセン邦に於て適用せられあるライヒ法及びランド法上の手續規定を準用する』としてゐる。

(1)(2) 一九四〇年十二月十四日の命令(四四頁註(1)中の第六番目に引用せる命令)で、本文の如く改正せられた。

(3) Hubelrnagel, Aufbau, S. 8, 10.

(五) 非常上告

ドイツ裁判所の確定力ある判決に對して非常上告が行はれ得る。「ドイツ裁判制度に關する命令」第三二條に依れば、(1)ドイツ裁判所の確定力ある判決の正當性に付重大なる疑義存するにより事件の再審判を必要なりと認めたるときは、「總督府司法局長は判決確定の後六箇月以内に上告を爲すことを得。(2)右上告にもとづき、總督府司法局長に於て時宜により指定せる刑事事件に關して特別裁判所、民事訴訟事件に關して控訴院は事件に關し改めて判決を爲す。此の判決は終決的とす。(1)

(1) ポーランド裁判所の確定力ある判決に對しても、ドイツ裁判所は再審理を爲し、判決破毀を爲して事件をドイツ裁判所に送付することができる。

第二、ポーランド司法制度

ポーランド裁判權は、ドイツ裁判權の存しない限りに於て認められる（「ポーランド裁判制度に關する命令」第一條第一項）。刑事に關しては、ドイツ公訴官廳の送致あるを前提とする。ポーランド裁判權の土地管轄は總督領に限る。ポーランド裁判所に於ける手續は別段の定なき限りポーランド法に依る。

總督領に於けるポーランド裁判所は、通常裁判所のみ存續し、特別裁判所は廢止されてゐる。(1) 通常裁判所としては(1)區裁判所、(2)地方裁判所、(3)控訴院、がある。大審院は閉鎖されてゐる。ポーランド控訴院の所在地は、クラカウ、ワルソー、ラドム、ルブリンで、ドイツ控訴院の所在地と同樣である。地方裁判所及び區裁判所の所在地は、地方的事情を考慮して州知事が決定する。ポーランド裁判所は州知事の直接の監督を受ける。ポーランド裁判所の構成は從來の儘であるが陪審員制度は行はれない。判決は「法律の名に於て」Im Namen des Gesetzes 下される(2)。

ドイツ裁判權と、ポーランド裁判權との間の管轄移轉に關しては比較的詳細な規定がある(一九四〇年二月十九日「ドイツ裁判權とポーランド裁判權の間に於ける法律事件の移轉に關する命令」參照)。それによると、刑事に關しては、此の命令施行の時(一九四〇年二月十九日)ポーランド裁判所に於て訴追中の刑事事件はドイツ特別裁判所檢事局に送致される。同命令施行のとき確定してゐないポーランド裁判所の判決はその效力を失ひ、ドイツ檢事局によつて手續が續行せられる。同命令第三條によれば、ドイツ檢事局は事件をポーランド側に再び送致することができる。民事に關しては、同命令第四條以下に規定されてゐる。第四條によれば、一九四〇年二月十九日の「ドイツ裁判制度に關する命令」で定められたドイツ裁判所の管轄は排他的であるから、當事者の合意によつてポーランド裁判所を管轄裁判所と定めることを得ない。一九四〇年二月十九日に於てポーランド裁判所に繫屬中の事件にしてドイツ裁判所の管轄に屬するものはドイツ裁判所に移送される。事件が第一審繋屬中なるときは、ドイツ地方裁判所に、その他の場合にはドイツ控訴院に移送される(同命令第五條第一項)。事件がドイツ裁判の管轄に屬するやにつき疑義及び爭ひあるときは、第一審繋屬中事件に關してはドイツ地方裁判所が、その他の場合にはドイツ控訴院が決定を以て管轄裁判所を定める。この決定は職權を以て行ふことができると共に當事者の申立に因る場合もある(同命令第六條第一項)。ポーランド裁判所に繋屬中の事件につき同上の疑義及び爭ひあるときも同樣である(第八條第一項)。以上の場合に於てドイツ裁判權の確定あるまでは、法定期間又は裁判所の定めたる期間は中絶する(第五條第二項、第七條)。これに反しドイツ裁判所繋屬中の事件に關しポーランド裁判權の確定ありたるときは、移送は行はれず、訴訟手續は終了する(同命令第九條)。管轄に關するドイツ裁判所の決定はポーランド裁判所を拘束する(同上第一〇條)。

最後に、從來ポーランド共和國憲法上大統領のもつてゐた恩赦權(3)が總督に與へられたことを附加せねばならぬ。即ち、一九四〇年一月三十日の「ポーランド占領地に於ける恩赦權行使に關する總統兼總理大臣布告」により、ポーランド占領地に於ける免訴權の行使に恩赦授與及び恩赦事項に於ける拒否決定の權限が再委任權を附して、總督に委任された。これにもとづき「總督領に於ける恩赦權行使に關する總督布告」（一九四〇年三月八日）が發せられ、總督領に於ける通常裁判所、特別裁判所、及び警察軍律會議が判決せる死刑は、總督に於て恩赦權不行使の決定ありたる後に非ざれば、執行することができないことになつた。總督の決定は、恩赦委員會による審議及び終決意見にもとづいて爲される。

（1）舊ポーランド共和國の裁判機構についてはBest, Die Verwaltung, S. 22-23, 97-99を參照

（2）共和國時代に於ては「ポーランド共和國の名に於て」Im Namen der Republik Polen判決が下された。占領地に於ける裁判所が爲す判決名義については、國際先例上問題あるところであるが、今は之を省く。

（3）ポーランド共和國憲法第六九條參照。Best, Die Verwaltung, S. 23を參照。

第五節　總督領住民の取扱及び敵產處理

ポーランド總督領の總人口は一二〇〇萬、舊ポーランド共和國人口の三分の一に相當し大部分はポーランド人であるが、約一六〇萬のユダヤ人、五五―七〇萬のウクライナ人、三七萬のゴラール人六―七萬のドイツ少數民族を含む。殊に一三パーセント强のユダヤ人を含むことは、ユダヤ人の多いことに於て世界第一であることを示すものである。この樣な複雜な人口構成に於てドイツが採用した民

族政策は甚だ興味あるものと云はねばならぬ。

第一　ドイツ人（特に民籍者）

占領後ポーランド總督領に進出したドイツ人の數は相當多數であると想像される。それらの獨逸人は官吏として又企業者として入國して來たのであるが、その法律上の地位がポーランド裁判權に對し治外法權的なものであることは既に述べた如くである。身分法上は完全にドイツ法の適用を受け、財産法上の訴訟に於てはドイツ裁判所に於てその權利を主張し保護を受けることができるのである。加ふるに、その企業上の法的取扱も亦ドイツ法及びドイツ裁判所によつて行はれる。「ドイツ裁判制度に關する總督命令」第十九條第一項第五號（五〇頁參照）の規定により、ドイツ商業登記はドイツ裁判所の排他的管轄に屬する。從つてドイツ法による商號登記及びドイツ人の有する商號登記はドイツ裁判所に於て爲される。商事會社、保險組合、産業組合、農業組合、勞働組合、財團法人その他の私法上の法人、公法上の團體にしてその主たる事務所の所在地がドイツ國内なるか、總督領に於てドイツ法によつて設立せられたものは、すべてドイツの國籍を有しドイツ裁判權に服する。又、合名會社、合資會社、株式合資會社にして少くとも、一名の社員商法上保險法上、がドイツ國籍(又は民籍)所有者なるときはドイツ國籍を有する。商法上保険法上、組合法上の法人は少くともその法律上の代理人、取締役又は支配人の半數がドイツ人である場合にはドイツ國籍を有する。疑義あるときは州知事が決定する。州知事の決定は裁判所を拘束する。ポーランドの企業にドイツ人が管理者として任命されたときは、その企業はドイツ國籍を有するものとして取扱はれる(同上命令第二〇・二一條)。結局、總督領に於ける企業に何らかのドイツ的分子が介入すれば、ドイツ裁判所の管轄となりドイツ法の適用をうける。純粋のドイツ企業がドイツ裁判所の管轄を受けドイツ裁判所の管轄を受けることはいふまでもない。この様にして、總督領に於けるドイツ人は自然人たると法人たるとを問はず、ドイツ法とドイツ裁判權にのみ服し、ドイツ人の企業經營に法的基礎が與へられるにいたつたのである(1)。

(1) Gessler, Handelsrecht im Generalgouvernement, Soziale Praxis, 1941, S. 400-402.

以上ドイツ國籍所有者に對して述べたことは大體に於て、ドイツ民籍者 Volksdeutschen にもあてはまるのである。ポーランド總督領にあるドイツ少數民族の取扱に於て顯著なる取扱は、第一に、此のドイツ少數民族の移住を行はなかつたこと、第二に、之にドイツの國籍を與へなかつたことである。

周知の如く、ドイツは第二次歐洲大戰開始の前後を通じて、國外にあるドイツ少數民族の祖國への轉住を組織的に行つたのである。これがため、バルチック諸國、バルカン諸國、ソヴエートと住民交換條約を結んだのである。殊に大戰勃發後、ポーランド西部を「東部編入地域」としてライヒに編入するや、此の地を恰好なる移住ドイツ人の定着地として、茲にドイツ民籍者の鄉土を再建せんとしたのである。(1)しかるに、總督領に在るドイツ民籍者に對しては(ワイクセル河以東に居住せる者を除き)敢て移住政策をとらず、總督領に踏み止め、ドイツ民政に利用したのである。

第二に總督領に於けるドイツ民籍者に對しては國籍を與へず、特別な民籍制度Volkszugehörigkeitを採用したことは他の編入地に於ける取扱と對比するとき興味がある。卽ち、保護領ベーメン・ウント・メーレンや東部編入地域に於けるドイツ民族はすべて、ドイツ國籍を取得するに至つたのである。(2)このことが總督領に行はれなかつたことは、占領地にもあらず編入地にもあらず、といふ總督領の特異な性格を反映してゐるといふことができる。

ともかく、この樣な特異な民籍制度が採用されたことは興味あることであるが、この制度を確立したのは、一九四〇年一月二十六日附「總督領に於けるドイツ民籍所有者の身分證明票に關する命令」である。[3] これにより「ドイツ民籍所有者」とは、「ドイツ國籍を有せざるも自らドイツ民族の一員たることを告白し、且右告白が血統・言語・教育態度その他により確認された者」をいふことになつた。此の確認を行ひ、且身分證明票を交附する官廳は郡長及びドイツ人市長である。ドイツ民籍所有者には一九四〇年三月十六日「總督領に於けるドイツ人戸籍法に關する命令」が適用される(同命令第一條)。

　ドイツ民籍所有者が、法令上他の民族に比して優遇されてゐることは、種々の點にあらはれてゐる。第一に、總督領に於けるドイツ行政に於て、廣汎な範圍にわたつてドイツ官吏として任用されてゐる。ポーランドの事情に詳しい彼等を任用することによつてドイツ行政に寄與せしめんとする意向にほかならない。第二に、法令の適用に於てドイツ國籍所有者とほゞ同じ様な待遇を受けてゐる。これは既述せるところによつて既に明かである。第三に、ドイツ裁判權に服する權利をもつてゐる。これまた既述せるところにより明かである。第四に、教育上の特別待遇を受ける。ドイツ民籍所有者の子弟はドイツ學校に於てのみ教育を受ける(4)。第五に狩獵法上の特權が認められる。　この點に於てもドイツ民籍所有者はドイツ國籍所有者と同等の待遇を受ける。　第六に、勞賃制に於ける特典がある。ドイツ民籍所有者たる勞働者及び使用人は、ドイツ國籍所有者たる勞働者及び使用人に對してのみ適用せられる勞賃規則の適用を受ける。　第七に、救恤及び社會保險上の特典が認められてゐる。　一九四〇年三月二十七日の「總督領に於けるドイツ民籍者所有に對する救恤に關する命令」は、必要ありと認めたる場合には、ドイツ民籍所有者に對し生活必需品が交附せらるべきことを規定した。　又社會保險上に於ても、ドイツ民籍所有者に對しては從前通りの法定給付が保障されてゐる(5)。又、戰時災害に關する命令は、ドイツ民籍者に對して「ライヒ救護法」の認むる扶助金を適用してゐる。　最後に最も顯著なる特別待遇はドイツ民籍所有者にドイツ國防軍編入の途を開いたことである。　一九四〇年ドイツ總統誕生記念日を期して總督領に於けるドイツ民籍所有者は「ドイツ民籍者協會」Die Volksdeutsche Gemeinschaft を組織して、ドイツ民籍所有者の組織的活動の第一歩を踏み出し、一九四〇年四月十九日「總督領に於けるドイツ民籍者協會に關する命令」は、この協會に法律上の權限を與へた。　更に、總統誕生日を期して發せられた總督と東方總軍司令官の共同布告はライヒ兵役法第十八條第四項に規定する許可(6)をドイツ民籍所有者に與へる旨を宣言し、玆にドイツ民籍所有者に國防軍編入の途が開かれ兵役法上もドイツ國籍所有者と同樣な待遇を受けることになつたのである。

（1） 詳細に就ては以下の諸論文を參照。
Gradmann, Die ungesiedelten deutschen Volksgruppen, Zeitschrift für Politik, 31. Bd. 5. H., Thoss, Die Umsiedlungen und Optionen im Rahmen der Neuordnung Europas, Zeitschrift er Geopolitik, 18. Jahrg. 3. H, S. 125 ff., Thoss, Die Umsiedlung der Volksdeutschen aus Bessarabien, der Bukowins und der Dobrudscha, Zeitschrift der Geopolitik, 18 Jahrg. 3. H, S. 164-7. Greifelt, Festigung deutschen Volkstums, Deutsche Verwaltung (1940), S. 17 ff.

（2） 例へば、一九四〇年五月二十三日「オイペン、マルメディー及びモレネ併合の實施に關する總統兼總理大臣布告」第二條。一九三九年十月八日「東部地域の區分及び行政に關する總統兼總理大臣布告」第六條。一九三九年九月一日「ダンチッヒ自由市併合に關する法律」第二條。

（3） 一九四〇年一月二十六日、「第一施行規則」參照。

（4） 「ドイツ入戸籍法命令」第三條第二項によれば、滿十六歲以下の兒童及少年者にして、その父母の何れか一人が「ドイツ民籍者身分證明票」を所持するときは、ドイツ民籍所有者となる。

（5） 一九四〇年三月二十七日「總督領に於けるドイツ民籍者の救恤に關する命令」。但し、ポーランド社會保險財產の行方不明等の理由により從前の社會保險上の給付が不能なるときは此の限りでない。

（6） 一九三五年九月二十一日の兵役法第一八條第四項の規定は次の樣である。「ドイツ國籍を有せざる者は兵役義務關係に入るに當り總統兼總理大臣の許可を要す。總統兼總理大臣は之が許可の權限を軍務大臣に委任することを得。」

第二、少數民族(ゴラール人及びウクライナ人)

舊ポーランド共和國時代壓迫を受けて來たドイツ人以外の少數民族たるゴラール人及びウクライナ人(人口合計約百萬)に對するドイツ行政は、比較的寛大なる保護政策を受けてゐる樣である。第一に、敎育方面に於ては、一九四〇年三月一日現在の數字によれば、八八四のウクライナ人學校が設置され、一三六八名のウクライナ人敎師によりて約九萬五千のウクライナ人兒童が敎育を受けてゐる。ポーランド人と離して分離敎育を受けてゐるのは注目せらるべきである。第二に、ゴラール人及びウクライナ人は、一九三九年十二月十五日「總督領に於けるラヂオ器械押收及び供出に關する命令」に於ても優遇されてゐる。郡長又は市長は、彼等に供出されたラヂオ器械の再交附をなすことができる。第三に、裁判上優遇されてゐる。一九四〇年二月十九日「總督領に於けるポーランド裁判制度に關する命令」第一條第三項に於て、總督領に於て必要を認めたるときは、集團的に移住する民族の爲め固有の裁判制を行ふべき可能性が留保されてゐる。このことはまだ實際に行はれてゐないがゴラール人やウクライナ人の場合を豫想したものであることは疑ひはない。たゞ、前記命令施行規則中に於て、ウクライナ人が全人口の二五パーセント以上のポーランド區裁判所の管轄地域に於て、裁判所の法廷用語としてウクライナ語を使用することを許してゐることは注意せらるべきであらう。(1)

(1) Weh, Das Recht, S. 1398.

第三、 ユダヤ人

總督領に於ける全人口の十三パーセント强、約百六十萬にのぼるユダヤ人に對する取扱は、大體に於てドイツに於けると同樣である。 ユダヤ人と非ユダヤ人との區別をつけるために、一九四〇年七月二十四日「總督領に於けるユダヤ人概念の決定に關する命令」が公布された。 それによると(1)ライヒの法令規定に於てユダヤ人とされてゐるもの、(2)舊ポーランド國國籍所有者又は無國籍者にして、左の要件を具備するものがユダヤ人とされる(第一條)。 即ち、

(1) 祖父母が共に純ユダヤ人にして血統に三種族以上加はりたる者

(2) 祖父母が共に純ユダヤ人にして血統に二種族加はりたるも、(イ) 一九三九年九月一日に於てユダヤ宗教團體に所屬せし者又は同日以後同團體に入會せる者、(ロ) 本命令施行のときユダヤ人と結婚しありし者又は本命令施行後ユダヤ人と結婚したる者、(ハ) (1)の意義に於けるユダヤ人との婚姻外の夫婦關係より出生したるものにして一九四〇年五月三十一日

以降出生したる者(第二條第一項及び第二項)。

更にユダヤ混血者についても規定してゐる。(1) 即ち、法令の規定上ユダヤ混血者たる者は、

(1) ライヒの法令規定によりユダヤ混血者たる者。

(2) 第二條第二項の規定によりユダヤ人たらざる舊ポーランド國國籍所有者又は無國籍者にして、祖父母の一方が純ユダヤ人にして血統に一又は二の種族が加はりたる者(第三條第一項第一號及び第二號)。

(3) 法人たる營業經營にして、(イ) 法定代理人の一人又は數人がユダヤ人たるもの、又は監督機關の構成員の一又は數人がユダヤ人たるもの、(ロ) 資本上又は表決權上ユダヤ人が決定的に關與するもの。資本の四分の一以上がユダヤ人に屬するときは、資本上の決定的關與あるものと看做す。ユダヤ人の表決數が全表決數の半數に達するときは表決上の決定的關與あるものと看做す。

更に、ユダヤ的營業經營の定義も行つてゐる。それによると次のものはユダヤ的となされる。

(1) 所有者が第一條の意味に於けるユダヤ人なる營業經營、

(2) 個人責任を有する一人又は數人の社員がユダヤ人なる個人會社たる營業經營、

(3) **事實上ユダヤ人の支配的影響下にある營業經營。**[2]

總督領に於けるユダヤ人の取扱のうち特に顯著なるものは次の樣である。

(A) 標識制度。一九三九年十二月一日から總督領に於けるユダヤ人に標識制度が實施された(一九三九年十一月二十三日「總督領に於けるユダヤ人男女の標識に關する命令」)。これにより十歲以上のユダヤ人はすべて、衣服又は上衣の右腕に幅十糎以上の白布片をつけ、之に「シオンの星」を描かねばならない。作製はユダヤ人の負擔である。違反したるときは禁錮刑に處せられる。[3] ユダヤ人經營も街路より見易き場所に「シオンの星」の標識をしなければならぬ。

(B) 自治制度及びユダヤ人區。一九三九年十二月二十八日「總督領に於けるユダヤ自治會に關する命令」によつて、ユダヤ人の自治組織が認められた。しかしこれは本來の意義に於ける自治といふよりも、ユダヤ人に對する警察取締の必要上設けられたものである。卽ち、各地方自治團にユダヤ人代表機關たるユダヤ自治會が設立された。ユダヤ人人口一萬下の地方自治團では十二名、一萬以上のときは二十四名の定住ユダヤ人の長老が選擧されて自治會を構成する。ユダヤ自治會は會長及び會長代理を選出する。ユダヤ自治會の組織に對する許可は郡長又は市長が與へる。この場合都市長に於てその組織を不適當とするときは自ら適當に措置することができる。ユダヤ自治會はドイツ官廳の命令に服しその實行を良心的に行ふ責任を負ふ。ドイツ官廳命令實行の爲めになされたるユダヤ自治會の指令に對しては、すべてのユダヤ人は服從義務を有する。尙ユダヤ人はユダヤ自治會に居住屆出を爲す義務を有する。

ユダヤ人に對する警察取締の便宜上、又、血の混合を避けるため、ユダヤ人居住區を指定することが行はれてゐる。リッツマン・シュタット・ワルソウで先づ行はれたが、クラカウでも實施されるに至つた。都市の一居住區劃を指定し、非ユダヤ人の居住、滯在を禁止し、ユダヤ人がこれから外出する際は特別の證明書を必要とする。(4)

(C) 强制勞働制の實施。一九三九年十月二十七日以降、總督領にあるユダヤ人(十四歲から六十歲まで)に對して强制勞働制が施行された。(5)その實施は警務長官(高級親衞隊長兼警察指導官)の指令による。强制勞働制の實施を確保するために、ユダヤ人の住所變更には特別の制度が附せられることになつた。一九四〇年一月一日以降ユダヤ人にして、その住所又は居所を現在する地方自治團體の境界外に移さんとするときは、所管ドイツ官廳の許可書を要する。　永住地をはなれて行旅生活に入るときも現住の地方自治體の境界外に出るときは同樣の許可書を必要とする。　强制勞働期間は原則として二年であるが、その教育上の目的が達せられなかつたときは、更に延長することが出來る。　勞働は、各人の勞働能力を考慮して勞働所に於て集團的に實施される。　强制勞働に服するユダヤ人は集團カードに登錄される。

(D)　居住の屆出及び財産の申告。　總督領內に移住・定住し來たユダヤ人は遲滯なく(入領後二十四時間以內に)その居所をゲマインデの長に屆出て併せてユダヤ自治會に報告せねばならない。　ユダヤ人は、二十一時から翌日の五時までの間、ユダヤ人通行・立入禁止區域(道路・街路・廣場等にして指定せられた場所)を通行したり立入つたりしてはならぬ。　但し所管官廳の許可あるとき、公私の緊急必要存するときは此限りでない。　違反したるときは長期の强制重勞働に服せしめられる。

ドイツ本國に於けると同樣、總督領に於てもユヂヤ財産には申告義務が存する。(6)「一九四〇年三月一日までに申告しなかつたユダヤ人財産は所有者なき財産として押收される。　これはユダヤ資本の活動を統制するために行はれたのである。

(E) その他の制限。一九四〇年二月七日以降ユダヤ人の鐵道利用が一時禁止された。(7) 又、ユダヤの宗教團體・組合・財團等に對する課税上の特典が廢止された。(8)ユダヤ人は失業救濟及び軍事年金扶助から除外されてゐる。(9) 又、ユダヤ人の恩給者に對して扶助金を交附されない。(10) ユダヤ人中救恤の必要あるものは、ユダヤ人救恤團體に委ねられる。 又、ユダヤの風俗である氣管切斷屠殺も禁止された。(11)

この様にして、總督領に於けるユダヤ人はドイツに於けると同様に甚だ不過な地位にある。ドイツ行政は、血液上、經濟上ユダヤ人をドイツ人及びポーランド人から隔離し、その活動を制限することによつて、ユダヤ人の禍害を防止してゐるのである。(12)

(1) ユダヤ混血者は、特別の規定あるほかは、ユダヤ人規定の適用を受けない。「ユダヤ人定義命令」第五條。

(2) 「ユダヤ人定義命令」第四條。

(3) ユダヤ人商店の標識制に對應して、ドイツ人及びポーランド人經營の標識制が實施された。一九三九年十一月二十三日「總督領に於て經營標識に關する命令」參照。

(4) Deutsches Recht, Ausg. A, (1941), S. 694.

(5) 一九三九年十月二十六日「總督領に於けるユダヤ住民に對する勞働强制實施に關する命令」、一九三九年十二月十一日「同第一施行規則」、一九三九年十二月十二日「同第二施行規則」。

（6）一九四〇年一月二十四日「總督領に於けるユダヤ人財産の申告義務に關する命令」。

（7）但し總督府又は州知事の許可證があるときは此の限りでない。一九四〇年一月二十六日「總督領に於けるユダヤ人の鐵道利用に關する命令」參照。その後、この禁止は稍〻緩和された。一九四一年三月十一日の總督命令で、前記命令が廢止され、一九四一年四月一日以降、郡長の發給せる許可證を有するときは、鐵道其他の交通機關の利用が可能になつた。Deutsches Recht, Ausg. A, (1941), S. 764.

（8）一九三九年十一月二十三日「總督領に於けるユダヤ人團體に對する課税免除及び特惠課税の廢止に關する命令」。

（9）一九三九年十二月十六日「總督領に於ける失業救濟に關する命令」。一九三九年十二月二日「總督領に於ける舊ポーランド國軍事年金受給者及びその遺族に對する扶助金交附に關する命令」。

（10）一九三九年十二月九日「總督領に於ける舊ポーランド國及びポーランド地方自治團體恩給受給者に對する扶助金交附金の臨時措置に關する命令」。

（11）一九三九年十月二十六日「總督領に於ける氣管切斷屠殺の禁止に關する命令」。

（12）歐洲占領地その他に於けるユダヤ人問題及びユダヤ人立法の概要に就ては、Julius v. Medeazza, Judenfrage und Judengesetzgebung in Europa, Deutsches Recht, Ausg. A, (1941), S. 673-682. を參照。

第五。ポーランド人

總督領人口の大部分を占めるポーランド人に對する取扱に關して今茲に特にとり立てていふほどのことはない。既述せることと、又これから述べることとは、すべてポーランド人の取扱に直接・間接關係することであるからである。しかし、既述のなかから若干の顯著な事項を簡單に拾ひ上げながら、稍〻特異な點について述べて見よう。この際ポーランド人のみでなくドイツ人その他の民族に關することも併記することを斷はつておきたい。

（一）政治上の地位。この點については既述した。下級の官公吏に於てポーランド人が採用されて所謂「自然的自治」が許されてゐる。

（二）裁判及び法令の適用。制限された範圍ではあるが、ポーランド裁判權が存在し、ポーランド法令が適用されることに就ても既に述べた。

（三）國籍。國籍の變更は行はれてゐない。所謂ドイツ民籍者もドイツ戸籍法の適用を受けるけれども、ドイツ國籍を取得してゐないことは既に述べた。此の點、同じく舊ポーランド領であつた東部編入地域と甚だ趣きを異にする。東部編入地域に於ては、一九三九年十月八日「東部地域の區分及び行政に關する總統兼總理大臣布告」第六條第一項は、東部編入地域の住民にしてドイツ的血統又はその近親血統を有するものは「細目規定に準據して」ドイツ國籍所有者となることを規定し、更にその第二項は、ドイツ民籍者はライヒ公民法（一九三五年九月十五日公布）の規定によりライヒ公民となるべきことを規定した。（1）然して、その細目規定は、一九四一年三月四日「東部編入地域に於けるドイツ民族簿 Volksliste 及びドイツ國籍に關する内務大臣命令」によつて規定された。それによると、ドイツ民籍者は大體に於てドイツ國籍を直ちに取得し(2)、しからざるものは歸化によつて取得する(3)。歸化せざる者は「ドイツ保護籍者」Schutzangehörige des Deutschen Reiche となる(4)。從つて東部編入地域ではポーランド人は歸化してドイツ國籍を取得するか、保護籍者として止まるかの二途が存する(5)。然るにポーランド總督領に於てはかゝる措置は講ぜられず、ポーランド人の國籍には決定的措置がとられてゐないのである(6)。これは、先にも述べた樣に、占領地にもあらず、編入地にも非ざる總督領の特異性を裏がきするものである。

（1）ドイツでは國籍所有者とライヒ公民は區別される。國籍所有者は國籍法の規定によりドイツ國籍を有するものであるが（ライヒ公民法第一條第二項）、ライヒ公民はドイツ國籍所有者にして(1)ドイツ的血統又はその近親血統に屬すること、(2)自己の行動により忠實にドイツ民族及びドイツ國家に奉仕することを喜び且之に適することを證明したること、の二要件を充たしたものである（ライヒ公民法第二條第一項）。ライヒ公民權の取得は、ライヒ公民證の受領による（同上第二項）。ライヒ公民はライヒに於ける完全なる政治的權利の唯一の所有者である（同上第三項）。

（2）内務大臣命令第三條。

（3）内務大臣命令第五條。尙この歸化によるものでも、歸化後十年以内に内務大臣によつて歸化の取消を受けるものがある（第六條）。

（4）内務大臣命令第七條。「舊ポーランド國籍所有者及びダンチッヒ國籍所有者にして第三條乃至第六條によりドイツ國籍を取得せざりし者又は取消によりドイツ國籍を喪失したる者は、ドイツ國の保護籍者とす。保護籍所有の前提要件は內國に於ける住所とす。外國へ住所を移轉すると共に保護籍者たるの性質を喪失す。總督領は本條の意味に於ける內國に非ず」。

（5） Lichter, Die Staatsangehörigkeit in den eingegliederten Ostgebieten, Zeitschrift für Standesamtswesen, 1941, S. 79 ff. を參照。

（6） Franke, Das Personenstandsrecht der Deutschern im Generalgouvernement Polen, Zeitschrft für Standesamtswesen, (1940), S. 188 f.

（四） 身分證明制度　ポーランド人に對する强制的身分證明制度も、一九三九年十一月から實施された。[1] 身分證明票記載事項は姓名、血統、父母の姓名、戶籍上の地位、職業、宗敎、國籍、指紋である。

（1） 一九三九年十月二十六日「總督領に於ける身分證明票制度實施に關する命令」。

（五） 旅行・居住の制限　治安警察その他の目的から、占領地に於て旅行、居住の制限が行はれるは古今東西その軌を一にする。總督領に於ても占領直後このことが行はれた。尤もこの制限の對象となるは、ひとりポーランド人のみならず一般住民（ドイツ人及び外國人を含む）も然るのである。一九三九年十月二十六日「總督領に於ける旅行及び退去の許可に關する命令」によれば、總督領への旅行及び總督領よりの退去には、公務及び軍務による場合のほかは、許可を要する。許可を與へる官廳は總督府である。緊急の場合には、ドイツに生活してゐる者に對して「ベルリン駐在總督全權委任者」が許可を與へることができる。ドイツ人に對する居住屆出義務制は一九四〇年四月一日から實施された。(1) これによれば、總督領に一週間以上滯在するドイツ人はすべて一九四〇年五月一日までに又は入領後十日以內に所管の郡長又はドイツ人市長に屆出をしなければならない。總督領より退去する場合及び居所を變更する場合も同樣である。屆出は本人出頭による。通過證明書、旅行證明書、身分證明書を携帶の上出頭しなければならぬ。止むを得ざるときは書面による屆出が認められる。國防軍、秩序警察、治安警察隊、親衛隊骸骨團、ナチス機動隊(NSKK)、ライヒ勤勞奉仕隊の所屬者には屆出義務は存しない。

更に外國人の居住屆出義務も早くから存してゐる。(2)

(1) 一九四〇年二月二十八日「總督領に於けるドイツ人の居住屆出義務に關する命令」
(2) 一九三九年十二月十四日「總督領に於ける外國人居住屆出義務に關する命令」

(六) ドイツ制服及びドイツ國章の使用に關する制限。ポーランド人がドイツ制服(教師服を含む)又は類似の衣服及びドイツ國章 Hoheitszeichen を使用せるときは處罰せられる。但し、(1) ドイツ官廳に勤務してゐるポーランド人、(2) ドイツの監視下にある俘虜はこの限りでない。ドイツ官吏の制服着用に關しては命令が出てゐる。舊ポーランド共和國の國章を使用することは禁止された。地方自治團體及びその他の公法上の團體は夫々新しく自己の紋章を制定・使用することができるが、ドイツ官廳に於て不適當と認むるときは、その使用を禁止することができる。ドイツ國旗及びナチスの徽章を使用することはドイツ人に限られドイツ的儀禮も亦ドイツ人の特權とされてゐる。(1)

(1) 一九三九年十一月二十八日「總督領に於ける制服着用に關する命令」、一九四〇年三月十六日「總督領に於ける官吏服着用に關する命令」、一九四〇年三月八日「總督領に於ける舊ポーランド國章使用に關する命令」、一九三九年十一月二十三日「總督領に於けるドイツ國章使用及びドイツ的儀禮適用に關する命令」。

(七) 教育制度。 ポーランド總督領に於ける、比較的早く着手された制度改革として、教育制度の改革をあげることができる。一九三九年十月三十一日「總督領に於ける教育制度に關する命令」によれば、ドイツ民籍者の兒童とポーランド人の兒童とは夫々別個の學校で教育される。ドイツ民籍者の兒童は、ドイツ學校に於てドイツ人教師によつてのみ教育される。教育義務あるドイツ民籍者兒童十名以上の常住する町村にはドイツ學校を設けねばならない。(1) ポーランド人兒童はポーランド學校で教育される。ポーランド中等學校の再開も許されてゐる。しかし、その再開・新設には州知事の許可を要し、ギムナジウム又はリゼウムと稱することは禁止された。高等教育施設及び大學に關しても特別の指示が行はれた。ユダヤ人の教育に關しては、一九四〇年八月三十一日の「總督領に於けるユダヤ人教育制度に關する命令」が規定してゐる。ユダヤ人學校の設立・經營にはユダヤ自治會が當り、これがユダヤ學校經營の責任者として必要なる數の國民學校を設立し經營する。ユダヤ人の中等學校及び職業學校の設立も許されてゐる。すべてユダヤ人學校は私立であつてユダヤ人はユダヤ自治會の經營する學校にのみ入學し得る。入學に關しては、從來のポーランドの學校規則が適用される。ユダヤ教育制度は全般にドイツ教育官廳の監督を受ける。

總督領に於ける教育行政及び學校監督の最高指導機關は總督府「科學・教育及び國民教育局」（文教局）である。文教局は特に教育の統一及び教師の養成・補充を任務とし、民衆教化上の諸施設に對する監督も行ふ。各州廳に於ける文教課及び郡市に於ける郡教育官・市教育官は、中級・下級の教育行政機關である。すべて原則として、教育行政上の官吏はドイツ國籍所有者かドイツ民籍所有者たるを要する。

但し視學官にはポーランド人又はウクライナ人が起用されることがある。この場合は郡教育官又は市教育官の推薦により任期は二年に限定されてゐる。(2)

(1) 一九四〇年十月に於て即ち占領後一年間に於て設立されたドイツ國民學校數は二〇三、その教師數二六七、兒童數約一萬二千、中學校三、その教師數一八、生徒數二八三、増設が豫定されてゐるもの二、女子中學校一、特にドイツ諸教育に力を入れてゐる様である。von Medeazza, Ein Jahr, S. 1801.

(2) 一九四〇年三月十六日「總督領に於ける教育行政機構に關する命令」。

(八) 文化・出版・宣傳。 總督領に於ける、音樂・造形藝術・演劇・映畫・出版等に關する公共的活動に對する最高の監督は、總督府「國民啓蒙・宣傳局」(宣傳局)が行ふ。(1) 州知事はその指令にもとづき實際の監督に當る。 文化的給付の生産・再生産・消費・傳播・獲得・販賣・仲介等の行爲を含む一切の文化活動は必要あるときには一般的又は個別的に禁止されることがあり、又特に許可を要するとせられることがある。

出版業に關しては、企業上の再開、設立新施設を行はんとするときは、宣傳局の許可を要する。(2) 又定期たると不定期たるとを問はず、すべて印刷物を發行せんとするときは監督官廳たる宣傳局の許可を要する。 出版に附隨する施設たる石版工場・寫眞化學工場寫眞製版施設、「ステロ」版工場、複寫施設の經營も亦宣傳局の監督を受ける。(3)

總督領に於ける宣傳工作は宣傳局の擔當するところである。そのために、「クラカウ新聞」と「ワルソウ新聞」の二つのドイツ語新聞（各、發行部數七萬）、七つのポーランド語新聞（一九四〇年九月に於ける讀者數はポーランド人人口の二・八パーセント、戰前に於ける二・九パーセントに比して、殆んど追付いてゐる）、一つのウクライ語新聞、一つのユダヤ語新聞がある。これらは何れも一九三九年十一月十五日の總督布告によつて設立された「クラカウ・ワルソウ新聞出版株式會社」（本社クラカウ）の發行による。このほか、主要都市及び郡役所所在の各都市に設けられた「ライヒ自動車隊ドイッチュランド」は、音樂入りで政治、經濟ニュースや官廳告知事項を報道して歩いてゐる。(4)

（1）一九四〇年三月八日「總督領に於ける文化的活動に關する命令」。
（2）一九三九年十月三十一日及び一九四〇年三月二十一日「總督領に於ける出版制度に關する命令」。一九三九年十月二十六日「總督領に於ける印刷物の出版に關する命令」、一九四〇年三月二十日「同施行規則」。
（3）「總督領に於ける出版制度に關する命令施行規則」により、自費出版は禁止された。「總督領に於ける印刷物出版に關する命令施行規則」により、既存の書店の再開又は書店の開業には州知事の許可を要し、ポーランド人書店は世界觀的政治的內容の書籍を販賣することができなくなつた。Deutsches Recht, Ausg. A, (1940), S. 2050.
（4）von Medeazza, Ein Jahr, S. 1801. を參照。

（九）衛生及び保健。衛生行政に關しては、總督府衛生局が責任・監督に當る。總督領内にある、醫師・齒科醫師・齒科技術者・外科醫師・産婆を統合する「クラカウ衛生會議所」が設立された。（1） ポーランド人醫師はドイツ人醫師の指導を受けて衛生行政を援助してゐる。ポーランドは由來性病の盛なところであるので、その撲滅を目的として、一九四〇年二月二十二日「總督領に於ける性病撲滅に關する命令」が公布され、性病患者に對して受診・治療の義務と全治前に於ける性交の禁止が規定された。

（1） 一九四〇年二月二十八日「總督領に於けるライヒ衛生會議所設立に關する命令」。

（十）失業救濟及び社會保險。（1） 失業救濟制度の實施も比較的早く初められた措置の一つである。一九三九年十二月十六日「總督領に於ける失業救濟保險に關する命令」により、自己の意思に反して又は勞働配置上の處分により失業せる勞働能力あるポーランド人は、ドイツ官廳に於て必要と認めたときは、失業期間中一定の扶助金の交附を受けることができる。失業者に對する基礎扶助金額は毎週最高九ズロッチー、このほかに家族手當がある。第一順位の被扶養者について、四・二〇ズロッチー、その他の者については一人當り二・四〇ズロッチーである。この扶助金の性質は純然たる救恤的たるものであつて、請求權は認められない。十八歳より六〇歳までの農民及び農業勞働者の場合には、扶助金交附の條件として義務勞働(後述參照)が完全に履行されてゐることが附加される。ユダヤ人は失業救濟から除外されてゐる。

社會保險の領域に於ても、總督命令によつて新制度が行はれるに至つた。(2) その結果、舊ポーランド共和國の社會保險制度上の請求權は一先づ消滅せしめられたのである。しかし、新制度による社會保險上の扶助金給付も亦、失業救濟金の場合と同樣、救恤的性質の給付であつて、請求權は成立しないのである。ドイツ民籍者たる失業者及び義務勞働者には恩典的な特別規定が適用されるが、これに反して、ユダヤ人に對しては、疾病保險のみが、しかも極めて制限的に適用されるにすぎない。社會保險上の手續制度も亦、新しく規定されるにいたつた。各社會保險金庫に對する一般的監督權が總督府勞働局に與へられた。社會保險手續に於ても、ドイツ民籍者に對しては、社會保險申込に際して勞働局が特別の便宜及び斡旋を取計る。(4) 公務上の勞働者及び使用人に對する保險制度も統一的に規定されてゐる。(5) 武裝親衛隊勤務のため總督領外に在勤するドイツ民籍者の家族に對する家族扶助料制度も行はれてゐる。それは生計扶助金、家賃補助金及び疾病保險金より成り、家族の生活上の必要を保障するために設けられた制度である。(6) 又、從來行はれて來たポーランド共和國時代の「勞働基金」制も引續き實施され、その適用法規もポーランド共和國時代のものが原則として有效である。勞働基金に對する最高の監督官廳は勞働局長である。(7)

最後に、舊ポーランド共和國時代の恩給受給者に對しても、一定の扶助金が交附されてゐることを附記せねばならぬ。一九三九年八月三十一日現在に於てポーランド恩給法令により恩給又は扶助料の交附を受くる權利を有してゐた官公吏及びその寡婦は、同年十一月一日以降、年總額二〇〇ヅロッチト以下の扶助金を受ける。金額は舊支給額を考慮して特定の百分率によつて算定される。この場合恩給權の確認を要しない。そのかはり、權利が存在せざることが明かになれば、何時にても返却せねばならぬ。扶助金申請に際して虛僞の申立を爲せる者は嚴罰に處せられる。この扶助金も亦救恤的性質のものであつて、ユダヤ人は除外されてゐる。舊ポーランド共和國の官公吏にして一九三九年八月三十一日現在に於て在職したるもドイツ官廳に於て占領後再任用せられずして失業中のものに對しても、救恤的意味に於ける扶助金が交附される。(8) 舊ポーランド共和國の軍事恩給受給者及びその遺族の場合にも救恤的扶助金が交附される。その詳細は大體官公吏の場合と同樣であるが、ドイツ民籍者及び前大戰に於て獨墺軍に參加したる休職中の職業的軍人に對しては特定規定が存する。軍事恩給の場合もユダヤ人は救恤金交附から除外される。(9)

(1) Adami, Die Gesetzgebungsarbeit, S. 613-615. 參照。

(2) 一九四〇年三月七日「總督領に於ける社會保險に關する命令」。

(3) 一九三九年十一月二十日「ポーランド占領地に於ける民政總監命令第一施行命令」。

(5) 一九三九年十一月十六日「總督領に於ける勞働條件の形成及び勞働保護に關する命令第二施行命令」。

(6) 一九四〇年一月十七日「武裝親衞隊に召集せられて總督領外に在勤せるドイツ民籍者の家族に對する家族扶助保障に關する命令」。

(7) 一九四〇年三月八日「總督領に於ける勞働基金に關する命令」。

(8) 一九三九年十二月九日「舊ポーランド國及び舊ポーランド地方自治團體より恩給を受くる者に對する扶助金交附の臨時措置に關する命令」。

(9) 一九三九年十二月二十日「舊ポーランド國の軍事恩給受給者及びその遺族に對する扶助に關する命令」。

第六　總督領に於ける敵產の處理

總督領に於ける敵産處理に關する立法は、ライヒに於ける立法卽ち一九三九年十一月三日「敵性財産の屆出に關する命令」に先立ち、早くも一九三九年十月五日のポーランド占領地に於ける敵性財産押收に關する命令」（陸軍總指揮官命令）となつてあらはれた。[1] 更に民政時代に入るや、一九三九年十一月十五日「總督領に於ける舊ポーランド國國有財産の押收に關する命令」が公布された。これは、舊ポーランド國に屬する一切の不動産及び動産（一切の附帶物件を含む）竝びに一切の債權持分權、權利及び利益を保全の目的を以て押收することを規定し、これらの財産の收容、管理及び評價が、當時既に設立せられてゐた「總督領敵産管理局」によつて行はれることを明かにしたのである。その後ドイツ本國に於ては、一九四〇年一月十五日「敵性財産取扱に關する命令」（最高國防評議會命令）が公布され、前記、敵性財産の屆出に關する命令」が廢止されたが、[2] これは總督領には適用されない。[3] 併し、同日公布の「舊ポーランド國國有財産の保全に關する命令」（四箇年計畫受託者命令）はポーランド總督領にも施行される。[4] この命令は總督領のみならず東部編入地域を含む大ドイツ國全體に施行された（公布の日を以て施行）。その內容は前記總督令とその根本に於て大差ないが、財産の管理に關して「東部敵産管理總局」（總督領敵産管理局はその分局にほかならぬ)の權限を定めてゐる。その要旨は次の樣である。

(1)　ポーランド國有財産の押收。舊ポーランド國所屬の一切の不動産及び動産(一切の附帶物件を含む)竝びに一切の債權持分權、權利及び利益を保全の目的を以て押收する(第一條第一項及び第二項前段)。押收より除外されるものは、(イ)舊ポーランド國の公の目的に使用され且ライヒ最高官廳又はその隸下官廳により管理せられある東部編入地所在のポーランド國有財産、(ロ)全部又は一部がポーランド軍航空及び氣象事務のため用ひられたるか又は用ふべかりし東部編入地及總督領所在のポーランド國有財産(これはドイツ國防軍の用に供せられてゐる)(ハ)一九一八年十一月一日以前當時の國境內に於てドイツ國防軍により利用されたる東部編入地及び總督領所在のポーランド國有財産、(ニ)ドイツ國防軍により國防の目的のため所有せられたる東部編入地及び總督領所在のポーランド國有財産である(第二條第二項)。

(2)　押收の法律效果。押收の效果のうち主なるものは次の樣である。(イ)押收財産に對する有權者は押收財産に關する處分權を喪失する(第二條第三項)。(ロ)押收期間中、押收財產に關する强制競賣、强制管理及び强制執行(假差押又は假處分の執行を含む)並びに、破產手續、相殺手續又は債權者の滿足を目的とするその他の手續は禁止せられる(第八條第一項、(ハ)押收財產に關する權利又は請求權にもとづく給付又は確認の訴は禁止せられる。但し東部敵產管理總局に於て右權利又は請求權を審査の上右訴の提起に異議なき旨の意思表示を爲したる場合は此の限りでない(第八條第二項)。

(3) 押收財產の屆出。押收財產を受任者、賃借人、用役者として若くばその他の法律上、事實上の關係に基き直接・間接に所有保管・管理するものは郡長又は町委員に屆出でる義務がある(第二條第一項)。但し押收財產がライヒ最高官廳又はその隷下官廳により管理せられるものなるときはライヒ最高官廳はその管理財產を管理總局に通告する(第三條)。

(4) 押收財產の管理。(イ)當分の間押收財產を所有、保管するものがこれを管理する(第四條)。但し右管理者は管理財產又はその收益に關し適法なる管理に反しない限り變更又は處分することを得る。その他の場合には管理總局の同意を要する。且、管理總局の要求あるときは管理財產を管理局又はその受託者に引渡さねばならぬ(第五條)。(ロ)東部敵産管理總局又は管理局は押收財産の管理を官廳又は特別管理者に委任することができる(第六條)。

この樣にポーランド國有財産の處理は、最初は保全の目的を以てする押收といふ名目で行はれ、國有財産の歸屬、卽ち所有權の移轉に關しては明確なる處置が行はれなかつたのである。しかるに、完全征服後滿一ケ年をすぎた一九四〇年九月二十四日の總督命令は一九三九年十一月十五日の總督命令によつて押收された舊ポーランド國有財産をすべて「總督領所有權」Eigentum des Generalgouvernements の下にあることを明確にし、總督領所有權の下にある舊ポーランド國有財産に對する第三者の權利にして、一九三九年十一月二十日以前に成立せるものを消滅せしめた。且、權利を喪失した者特に外國人權利者に對する損害賠償の有無、その範圍に關しては別に定むることとした。尙この際、舊ポーランド國有財産を總督領所有權に歸するにつき「但しこれにより總督領の相續 Rechtsnachfolge が成立せるものに非ず」なる但書を附したことは注意すべき點である[5]。その後、總督領有となれる舊ポーランド國有財産中、産業企業財産の管理を保障するため、資本金百萬ヅロッチーを以て Werke des Generalgouvernements A. G. が創立された。この會社の第一の任務は財産管理であるが、その外に、既に官廳によつて管理經營されてゐるもの(例へば鐵道、郵便)は別として、自ら特種な企業は管理・經營する一方、特定の企業は、適當なる法人、自然人に貸與してこれが經營に當らしめる方法をとつてゐる。(6)

(1) 尤もこれ以前に敵産管理に類した措置がとられたことがある。それは、一九三九年九月二十九日「ポーランド占領地に於ける企業、經營及び土地に對する管理委員設置に關する陸軍總指揮官命令」によるもので、ポーランド占領地に存在する一切の企業、經營、土地、倉庫その他の財産にして處分權者の不在又はその他の止むを得ざる理由により、その正常の業務遂行又は管理が保障せられざるものに對して、管理委員による管理を實施することを規定したものである。ライヒに於ける、一九三九年十月十一日「不在者財産保護に關する命令」の先驅となつたものである。

(2) 「敵性財産取扱に關する命令」第二十九條。

(3) 「敵性財産取扱に關する命令」前文及び第一條。この命令に關する簡單な説明に關しては、Brügmann, Die Verordnung über die Behandlung feindlichen Vermögens, Deutsche Verwaltung (1940), S. 104-106. Hefermehl, Die Behandlung des feindlichen Vermögens, Deusche Justiz, 1940, S. 165-170. を參照。「敵性財産取扱に關する命令」の內容は、第一章―一般規定(內國、敵國、敵人、內國に於ける敵性財産に關する規定)、第二章―支拂禁止、第三章―敵性財産の屆出、第四章―敵性財産の處分の禁止又は制限、第五章―敵性企業の管理、第六章―刑罰規定、第七章終決規定、である。この命令は、英佛及びその影響下にある諸國の財産にして內國にあるものに關するが、後ノルウェー、オランダ、ベルギー、ルクセンブルグ等と開戰するに及び、これら諸國の企業にして內國にあるものに關しても、第五章の規定を準用することになつた(一九四〇年五月三十日「ノルウェー、オランダ、ベルギー及ルクセンブルグ財産の取扱に關する司法大臣命令」第一條)。一九三九年十月十一日「不在者財産保護に關する命令」(註(1)參照)も、これら諸國の國民に對して準用せられることになつた（同上第二條）。

（4）此の命令前文には「……一九三九年十月十二日のポーランド占領地の行政に關する總統兼總理大臣布告……に基き……ポーランド占領地に對し左の如く命令す」とある。四箇年計畫受託者は同布告第五條第一項により總督領に對する命令立法權を有することは既述の通りである。

（5）Deutsches Recht. Ausg. A, 1940, S. 1874. を參照。この場合舊ポーランド國有財産がドイツ國有となつたとせず、「總督領」有になつたとしたことは注目すべきである。これに關しては更に後述を參照。

（6）Deutsches Recht, Ausg. A, 1940, S. 2100-2101. を參照。

舊ポーランド國有財産の處理は以上の樣に行はれたが、私有財産に關しても尙ある場合に於て押收の措置が行はれる。一九四〇年一月二十四日「總督領に於ける私有財産押收に關する命令」によつて一般的に規定されるに至つたがそれ以前に行はれた左の押收措置は同命令施行後も引續き有效である。

(1) 舊ポーランド國有財産の押收

(2) 鑛油生産、販賣上の施設・物件の押收（一九四〇年一月二十三日「總督領に於ける鑛油業上の施設、物件の押收に關する命令」）

(3) 鑛業權及び鑛業財産の押收　一九三九年十二月十四日總督領に於ける鑛業權及び鑛業財産に關する命令」及び「總督領に於ける石油採掘權者の利益保護に

關する命令」により總督領に於ける石油及び石油ガス採掘權は「總督の爲めに」押收され、石油及び石油ガスを含む一切の鑛物の試掘、採掘は「總督の爲めに」留保された。鑛區及び鑛物採掘特許の取得並びに鑛業所有權の讓渡に關し一九三九年十月十三日以後成立せる一切の法律行爲は無效とされ、右の如き權利取得を目的とする法律行爲は禁止處罰されることになつた。尤も、石油採掘權特別全權委任者の任命により、鑛物採掘權者並びに鑛物採掘及び加工施設の持分所有者の共同的權利を保障することになつた。

(4) ラヂオ器械の押收　一九三九年十二月十五日「總督領に於けるラヂオ器械の押收、及び供出に關する命令」により、一切のラヂオ器械はその附屬品、部分品と共に押收された。これらの物件は一九四〇年一月二十五日までに市町村役場又は警察署に引渡さねばならぬ。ドイツ國籍所有者及び民籍所有者の分は押收されないけれども、屆出の義務がある。ウクライナ人及びゴラール人に關しては、郡長市長の認めた場合には除外例が存する。所有を許可されたラヂオ器械を處分するには屆出を要する

(5) 美術品の押收　美術品中「舊ポーランド國有の分は、後に一九四〇年三月十

六日の命令によつて押收されることになつたがこのほか公有私有の美術品の押收も早くから規定された（一九三九年十二月十六日「總督領に於ける美術品の押收に關する命令」、一九四〇年一月十五日（同第一施行規則）。この押收は「公益・公共の任務を充たすため」行はれるとせられた。保護記念物として指定された私人の美術蒐集品も押收される。教會所屬の美術品も亦、日常の禮拜に支障なき限り押收物件とせられる。一八五〇年前の製作にかゝる美術上、美術史上又は歷史上の記念物はすべて屆出の義務がある。

總督領に於ける私有財產處理に關する統一的立法は、既に一九三九年十月五日の「ポーランド占領地に於ける押收に關する陸軍總指揮官命令」に端を發するが、民政時代に於けるそれは、前記の一九四〇年一月二十日「總督領に於ける私有財產押收に關する總督命令」によつて整備された(1)。それによれば、私有財產押收の行はれるのは、公共利益の充足を唯一の目的とする場合に限る。押收權は特別の場合(2)を除き、總督のみこれを有する。押收權の行使は、總督の名に於て且總督の指示に從つて、國務長官（總務長官）、州知事又は特に指定せられた官廳に於て實施する。押收財產の捕捉、管理及び評價は、總督領敵產管理局長官がこれを行ふ。押收命令は、管理局長官と協議して押收官廳が發したる處分書(又は掲示閲覽簿)によつて行はれる。押收處分の公示を以て押收は效力を發し法律上の讓渡禁止が成立する。原則として個人の使用する必需物件に對しては押收は行はれない。無主の財產は、郡長又は市長に於てこれを引取り管理局に引渡される。押收又は收容に際して押收官廳は管理人を任命することができるが、この管理人は管理局に於て確認されることを要する。

(1) 一九三九年十月五日「ポーランド占領地に於ける押收に關する陸軍總指揮官命令」は廢止された。

(2) 總督のほかに、總督領に於て獨立の押收權を有するものは、(1)陸軍官衙(國防上及び軍備增强上押收を必要とするとき)、(2)高級親衞隊長兼警察指揮官(秩序警察隊及び武裝親衞隊部隊の攻擊力增强上押收を必要とするとき)、(3)治安警察機關(押收物件が犯罪行爲と直接關係あるとき)である。何れの場合でも押收の事實を總督領敵產管理局長官に通告せねばならない。

以上は、敵性財產處理に關する實體法及び手續法の概要であるが尙玆に、敵產處理上の組織に關して附言せねばならない。

ライヒ及びポーランド占領地に於ける敵產處理は、實體的規定の整備に先立ち、敵產管理機關の設立を以て初まつてゐるといつてよい。卽ち、一九三九年十一月一日「東部敵產管理總局設立に關する四箇年計畫受託者兼最高國防評議會議長告示」がこれである。この告示により設立された東部敵產管理總局はベルリンとクラカウにその住所を有する。その管轄する地域はポーランド占領地(東部編入地域を含む)である。管理總局は總督(總督領に於て)、國代理官(國管區ダンチッヒ・ウエストプロイセン及びポーゼンに於て)、州知事(カットウイッツ縣及びツイッツヘナウ縣に於て)と密接に聯繫をとらねばならない。管理總局の下に五箇所に敵產管理局をおく。(1)ダンチッヒ(國管區ダンチッヒ・ウエストプロイセンを管轄する)、(2)ポーゼン(國管區ポーゼン…後にワルテランド…を管轄する)、(3)ツイッツヘナウ東プロイセン州ツイッツヘナウ縣を管轄する)、(4)カットウイッツ(シュレジエン州カットウイッツ縣を管轄する)、(5)クラカウ(ポーランド總督領を管轄する)。

東部敵產管理總局 Haupttreuhandstelle Ost の任務は次の様である。

(1) ドイツ軍により占領されたる地域內に於ける舊ポーランド國國有財產の管理。

(2) 貨幣制度及び信用制度の規正。

(3) 各行政區域間に於ける經濟指導上の仲介に必要なる一切の經濟的措置の準備竝びに必要となれる和解・淸算の實施。

(4) その他個々の場合に於て四箇年計畫受託者より委讓された經濟的任務。

從來各地の官廳によつて實施された押收處分は管理總局の追認ありたる場合にのみ有效であり、一九四〇年二月一日までに追認なきときは押收は消滅する。管理總局は管理委員を任命して管理に當る。既に管理人存するときは、總局に於て解任することができる。一九三九年九月二十九日「ポーランド占領地に於ける企業、經營及び土地に對する管理委員設置に關する陸軍總指揮官命令」による管理委員に所屬する權限は管理總局に於て行使する(不在者財產保護に關する管理委員の權限)。管理總局は各地の管理局に權限を委讓することができ、且その任務遂行のため必要なる行政規則を發することができる。東部敵產管理總局に關する規定にかゝはりなく從來の、又は爾後に於ける軍事的徵發竝びに民政上の直接的目的の爲めにする土地、施設物件の徵用は有效に行はれる。

この樣にして四箇年計畫受託者告示により、總督領敵產管理局がクラカウに設立されることになつたから、一九三九年十一月十五日「總督領敵產管理局設置に關する總督命令」は、その趣旨を實現するために、東部敵產總管理局の一支局として、「總督領敵產管理局」Treuhandstelle für das Generalgouvernement をクラカウに設置した。これにより、一九四〇年三月十五日までに管理局の追認を得るに至らなかつた從來の敵産管理人は解任となる。管理人の任免は管理局の申請にもとづき、ドイツ裁判所の不動産登記簿、商業登記簿その他の公の登記簿に登記される。すべての人は管理局に對して報告の義務を負ふ。管理人の管理狀態が不當なるとき、報告義務違反があつたとき、又は報告が虛僞又は不完全なりしときは處罰せられる。行政官廳及び裁判所は管理局に對し職務上の援助をなす義務を有する。

その後、東方地域の行政の進展、立法の整備、特に總督領の獨立性を考慮して、東部敵産管理總局をポーゼンに置き、その管轄を東部編入地域に限定することになつた。一九四〇年六月十二日「東部敵産管理總局に關する四箇年計畫受託者命令」がこれである。その全文は次の樣である。

東部編入地域に於ける行政建設は實行されたり。これに必要なる主要立法亦終了せり。これにより生じたる變更に適應するため左の如く命令す。

第一條（東部敵産管理總局）

東部敵産管理總局は四箇年計畫受託者の事務機關にして余の委讓せる權限の範圍内に於てその任務を遂行するものとす。その權限は以下の條規によつて規定せらる。

第二條（任務）

東部敵產管理總局の任務左の如し。

（イ）一九四〇年一月十五日の命令に依る舊ポーランド國國有財產の管理並びにその他の公共上及び公法上の財產の管理。郡、市町村及び縣 Wojewodschaften その他に屬する財產の管理に關しては、ライヒ內務大臣と協議の上決定せる權限分界を基準とす（一九四〇年三月二日四箇年計畫受託者布告）

東部敵產管理總局は余の與へたる指針に從ひ終決的權利移轉の措置を爲すことを得。

（ロ）舊ポーランド國所屬者財產の捕捉及び管理。

東部敵產管理總局は余の與へたる指針に從ひ終決的權利移轉の措置を爲すことを得。

財產喪失に對して保證さるべき損害賠償の方法及び範圍は別に定むるところに依る。

（ハ）一九三九年十月一日以前に於て東部編入地域に於て成立せる債務及び債權の整理

整理の規定にはライヒ經濟大臣及びライヒ財政大臣の同意を要す。

（ニ）東部地域のライヒへの編入の結果必要となれる和解及び淸算の規正。

（ホ）外國債權者との和解準備。

（へ）その他個々の場合に於て余が與へたる任務の實施。

第三條（押收及び委員による管理）

東部敵産管理總局は與へられたる任務の範圍內に於てのみ押收及び管理委員の任免を爲す權限を有す。

他の官廳により設定されたる管理委員はその追認を受くるを要す。

右管理委員は東部敵産管理總局に於て解任することを得。

委員による管理に關しては、當分の間一九三九年九月二十九日「舊ポーランド占領地に於ける企業經營及び土地に對する管理委員設置に關する陸軍總指揮官命令」の規定を適用す。

第四條（權限の委讓）

東部敵産管理總局は地區敵産管理局及びその他の官廳に權限を委讓することを得。

第五條（命令及び行政規則）

東部敵産管理總局はその任務遂行の爲め必要なる命令及び行政規則を發す。

命令はライヒ官報及びプロイセン官報、國代理官命令報又は縣官報に於て公布す。

第六條（管轄）

東部敵産管理總局の職務管轄は東部編入地域とす。農業財産（附帶的農業經營を含む）に關する「ドイツ民族鞏化ライヒ委員」の權限は其の儘とす。

第七條（職務上の援助）

總てのライヒ官廳、ラント官廳及び地方自治體官廳竝びにその隷下勤務機關は東部敵產管理總局及びその機關に對し職業上の援助を爲す義務あるものとす。警察官廳は親衞隊ライヒ指導者兼ドイツ警察長官との協定の定むるところに從ひ東部敵產管理總局の爲せる措置を實力を以て實施す。

第八條（效力）

本命令は公布の時を以て施行す。同時に一九三九年十一月一日の「東部敵產管理總局の設立に關する告示」は廢止せらる。

第二章　ポーランド占領地統治と廣域圏理念

第一節　ポーランド統治の基本的前提

第一章で明らかにされたポーランド統治の實際を通して、ポーランド總督領に於けるドイツ的統治の性格をほゞ窺知することができるのであるが、玆に、その特異なる性格を特に廣域圏理念との關聯に於て說明してみよう。その爲めには、先づ、ポーランド統治の基本的前提となつてゐることから始めなければならない。

ポーランド總督領統治（東部編入地域のドイツ國への併合を含めて）の根本的前提となつてゐることは、獨・ソ兩國のポーランド分割（これに先じたポーランド共和國の壞滅）に伴ひ、ポーランド共和國は「征服」Debellatioによつて消滅し、ドイツが總督領及び東部編入地を獲得したといふ事實である。一九三九年九月十六日、ヒットラー總統はダンチッヒのアルツール城內大廣間に於ける演說に於て、「ポーランドはヴェルサイユ體制の形に於ては斷じて再興しない」となし、又同年十月六日に於ける議會演說に於ては「ポーランド國の再現といふことは未來永劫あり得ない」といつた。ソ聯軍ポーランド進駐の理由は「兄弟」（ウクライナ人と白ロシヤ人のこと）を救ふことにあつたが、その前提も「ポーランドには最早政府はない。卽ちポーランドは最早國家として存在してゐない」ことにあつた（一九三九年九月十七日モロトフ外相出兵放送）。更に獨・ソ間に於けるポーランド分割の協議・條約の成立も、ポーランド國家の消滅を前提としたものである。總督フランクも一九三九年十月二十六日の布告に於て「最早再起し得ざる國の不當なる要求によつてヨーロッパの平和が再び攪亂されることは有り得ないことになつた」といつた。結局するに、ポーランド國は「征服」によつて消滅し、占領國がその領土を獲得するにいたつたとするのであるが、この場合、ポーランド政府が外國に在つて抗戰しその同盟國(卽ち當時に於てはイギリス及びフランス)が戰爭を繼續してゐる事實に關しては、何ら頓着しないのである。 元來、領土取得の權原として征服を說くことは、國際法上の一致せる見解であるが、ポーランド征服の場合は「單純なる征服」とことなつて、その同盟國が抗戰を繼續してゐる事實が附加してゐる。 この場合、かゝる事實の有無に關せず、すべて征服の事實のみが領土取得の權原となるか、同盟國の抗戰も停止し平和が將來された後に於ける平和條約が領土取得の權原となるか、については問題が存する。 しかし、ドイツの實踐は、征服の事實のみを以てポーランドの場合の權原と見るのである。(1)

(1) この點に關しては詳論を差控へるがドイツのとつた實際は、小數の國際法學者が支持するところであることを注意しておきたい。但し、ポーランド分割の場合は、當時、ポーランドの同盟國と交戰狀態になかつたソ聯が分割に(從つて征服に)加はつてゐるから、問題は複雜となることを指摘しなければならぬ。

第二節　ポーランド統治の消極的規定

然らば、右の様な前提にもとづき、ポーランドはドイツの領土であるか。征服にもとづく領土の獲得が行はれたとするならば、ドイツの獲得した部分のポーラント(總督領と東部編入地域)は總じてドイツ領である筈である。しかし、ドイツは東部編入地はドイツ領に編入したけれども、總督領はドイツ國に編入しなかつたのである。然らば、單純なる占領地であるか。初めは戰時占領地としての取扱をしたのであるが、後には「占領地總督領」なる呼稱を廢止し、單に「總督領」と呼稱し、占領地でない取扱をなすにいたつた。[1] 然らば、保護「國」であらうか。總督は、總督領にある住民の唯一の代表機關であり、ドイツとの關係に於てポーランド住民を代表するといはれるが、ドイツと總督領との關係は國際法上の關係ではない。保護條約の如きが存しないのはもとよりである。總督領が國際法上の主體として、その外交關係の維持がドイツ國によつて代行されるといふ様な關係は認められない。[2] 國際法上の國家でもなく一國の領土として編入されてもゐない、その上、占領地でもない、といふ全く獨自な(惡くいへば曖昧な)地位こそ、ポーランド總督領のもつ特異性である。[3] 以下、比較的手近なところからポーランド總督領の性格を消極的に規定してみよう。[4]

（１）占領の當初は國際法上の占領地の取扱をなす豫定であつた樣である。一九三九年九月一日の陸軍總指揮官布告は、「國防軍は住民を敵と看做さない。すべての國際法上の規定は尊重されるであらう」と述べてゐる。Weh, Das Recht, S. 1393. 又、一九三九年十月三十一日「總督領に於ける勞働條件の形成及び勞働保護に關する命令」第一條も、海牙陸戰法規の規定に準據して、勞働條件及び勞働保護の規正に關しては、已むを得ない理由のために別段の規定を發する場合を除き、舊ポーランドの既存規定が有效である旨を規定した。Hoppe, Die Ordnung, S. 8.

（２）例へば、クラインは次の樣にいつてゐる。『行政組織第一命令第七條によれば總督領は「固有の權利及び義務の保有者」ein Träger eigener Rechte und Verbindlichkeiten であつて、總督及び彼によつて、授權された官廳によつて代理される、といふことになつてはゐるが、それによつて總督領の國際法上の存在性が主張された譯でもなく、又、疑もなく―ベーメン及びメーレン保護領の場合と全く同樣に―獨立の國家でもなく、本來の國際法上の主體でもない。總督領には、國際法上の權利能力及び行爲能力（特に條約締結能力及び不法行爲能力）が完全に缺けてゐる。「全く國際法上の地位が缺如してゐるが故に、國際法上の關係に於ける獨立體として現出してゐるのではないのみか、ライヒによつて代表されるといふ形式に於ても存在するのではない。外部に對して即ち他の國家及びその他の國際法上の主體に對して存在するは大ドイツ國のみである」』。Klein, Die Stellung, S. 257.

（３）從つて、Generalgouvernement を總督「領」と譯すことも、實は甚だ適切でない樣であるが、今はこれに從つて置く。「總督管區」といふ樣な方がより適切であるかも知れない。前大戰に於けるベルギー占領地も總督制を實施し（但しこの場合は軍政であつたから、大東亞戰爭に於ける「香港占領地總督」に相當する性格を有する）、ベルギー占領地をやはり（Generalgouvernement といつたことがある。

（４）ポーランド總督領の特異性に就ては、ドイツ人は、主として總督の權限やその他ドイツ國法上の特異性を指摘するのであるが（たとへば、クライン、ヴェー）、私は第一章で研究したところに從つて尙多くの特異性が發見できるのではないかと考へる。以下私が掲げるところは多くはドイツ人が指摘してゐない點である。

(一) 敵産處理上の特異性に就て。

先づ國有財産に關しては、最初はこれを押收して管理する方式を採つたのであるが、後には、舊ポーランド國有財産を總督領の所有權に移したのである。しかも、此の場合、ドイツ國の所有に歸せしめることなく、「總督領」の所有に歸せしめた點、及び、この措置によつて總督領の相續が成立するものに非ざること ohne damit die Rechtsnachfolge des Generalgouvernements zu begründen の但書を附けた點は特に注意する必要がある。

元來、國際法規の規定するところによれば占領者は被占領國の國有財産中、現金、基金及び有價證券、貯藏兵器、輸送材料、在庫品及び糧秣その他總て作戰動作に供することを得べき國有「動産」に限り押收することができるのであつてその他の動産及び總ての不動産は國有といへども押收し得ないのである（陸戰條規第五三條以下）。特に國有不動産に關しては占領者はその管理者及び用益權者たる地位に在るものとされる（同上第五五條）。從つて、ドイツはポーランド國有財産の處理に當つて、最初これを「押收」したけれども、それは「保全」の目的で行つたのであつて、その所有權の歸屬に關して決定的措置をとらなかつたのである。特に特別の機關を設けて、管理したのである。しかるに、後にいたり、その所有權に關する措置を行つたことは、國際法上問題が存する。この場合舊ポーランド國の國有財産の所有權を占領者たるドイツに歸屬せしめず、「總督領」なる法人格を創設し、これに右所有權を歸屬せしめた方法は、消極的方面からいへば、國際法上の非難を回避するを動機としたものであるともいへるが、積極的方面からいへば、占領地に特別な法人格を與へることにより、その特異な性格を表現せんとしたものである。殊に、所有權の移轉に際して、總督領の相續を否定した點には注意を要する。元來、領土の分割（前述の如くポーランドの完全征服を權原としてその分割は國際法上も根據あるものとするがドイツの立場である）に際して、分割された領土に存する舊國家の國有財産は獲得國が繼承するのが國際法上の原則である。(1) 從つてドイツの主張する如くポーランドの完全征服によつてポーランド國が消滅しドイツがその半分の領土を獲得したとすれば、その限りに於てドイツはポーランド國有財産を繼承し、從つて又ドイツの獲得せるポーランド領の更に半分に相當する總督領に於けるポーランド國有財産も亦當然にドイツ國に歸屬して然るべきであつて、その結果ポーランド總督領に關する部分的な相續が行はれたと見らるべきである。然るに、かゝる措置をとらず、ポーランド國有財産を總督領の所有權に歸し、しかもその相續が行はれなかつたとすることは、總督領が單純なる編入地域又は併合地域に非ざることを前提としなければならぬ。右の樣に、單なる占領地ならば採ることを得ない措置を敢て行ひ、併合、分割地ならば採ることを得べき措置を敢て採らず、占領地とも併合地ともつかぬ特別地域を創出し、特にそれに權利義務の主體たる性格を附與したことは、總督領の有する特異な存在性を意味するものである。

序で乍ら總督領に於ける私有財産の取扱に關して國際法的考察を加へるならば原則として私有財産の押收は行はれず、たゞ「公共利益の充足を唯一の目的」とする場合に限つて押收が行はれるのである。問題は、「公共利益充足の目的」がどの範圍に於て解釋されてゐるかに存する。既に個別的命令で行はれた押收の例を一覽するに、公共利益充足を目的として行はれた私有財産押收の例として美術品の押收がある。元來、歷史上の記念建造物、技藝及び學術上の製作品を押收、破壞又は毀損することは國際法の禁止するところである(陸戰條規第五六條第二項)から、私有たると公有たるとを問はず美術品を押收することは許されないのである。

しかし、公共利益充足のため、その散逸・破壞を防止するため、保全の目的を以てする押收は許さるべきである。これは又、文化の保存に貢献するからである。歷史的・美術的記念物の押收を禁止する趣旨は、ナポレオン戰爭以來しばしば行はれた如き占領地に於ける文化・歷史的記念物の搬出を拒否するに在る。陸戰條規第五六條第二項の如きもこの樣な歷史的理由を背景にして理解されなければならない。問題は押收の語に存せず押收措置の目的・內容に存することに注意せねばならない。

(1) 立作太郎「平時國際法論」(昭和五年)一五七頁以下參照。

(二) 國籍制度に關する特異性。

、總督領に於ける住民の國籍に關しては決定的措置が採られてゐない。ドイツ民籍者を除く他の住民の國籍に就ての變更は行はれてゐない。ドイツ民籍者といへどもドイツ國籍を取得したのではない[1]。たゞドイツ民籍といふ特殊な制度の適用を受けてゐるのにすぎない。

國際法上、占領地の住民の國籍を變更することは許され得ない。占領は一時的支配關係であるから、住民に對し永續的忠誠關係を內容とする國籍關係の變更を强制するは不法とされるのである。これに反し、割譲分割等によつて取得された領土に在る住民は、被分割國の舊國籍を失ひ當然新に主權を行使する國家の國籍を取得するを原則とする。(2) 從つて、總督領が分割の結果ドイツ國に併合されたものならば住民の國籍に變更が行はれて然るべきであるのに、此の措置が採られずポーランド人は一種の無國籍の狀態におかれてゐる。これまた、占領地にも非ず併合地にも非ざる總督領の特異をあらはすものであらう(詳しくは前出參照)。

(1) 但し、實際の取扱に於ては全くドイツ國籍を取得したと同樣の取扱を受けてゐる。

(2) 但し、國籍選擇條項が割讓條約等に於て定められてゐるときは、此の限りでない、東部編入地の場合は條約が存しないことは勿論であるけれども、住民の一部に對して歸化の途を開き、それによつてもドイツ國籍を取得しなかつた者に對しては「保護籍」の制度を與へてゐる。前述せるところを參照。

(三)　裁判制度上の特異性。

總督領に於ける司法制度は、(1)ドイツ裁判所とポーランド裁判所とが併存すること、(2)ポーランド裁判所の管轄が極めて制限されてゐること、(3)ドイツ人(國籍所有者たると民籍所有者たるとを問はず)は民事・刑事を問はずドイツ裁判權に服する權利あること、等にその特色が認められる。このことは占領地に於ける司法制度とも、併合地に於ける司法制度とも異なり、ベーメン及びメーレン保護領 Protektorat Böhmen und Mähren に於ける司法制度と相似たものであることを示す。

先づ占領地の取扱がなされてゐるノルウェーに於てはドイツ裁判權が行はれてゐるけれども、それと並んでノルウェー裁判制度が併存してゐる。この點に於ては總督領と同樣である。一九四〇年八月二十七日の「ノルウェー占領地ライヒ委員命令」によつて、オスロにドイツ裁判所が設置されたが、このドイツ裁判所の管轄事件はライヒ委員命令中に明文を以てドイツ裁判所の管轄とせる「刑事事件」に限られるのである。[1] 又刑事裁判に關してもノルウェー側の爲めにする相當重大なる讓與が行はれてゐることに注意するを要する。政黨禁止に關するライヒ委員命令及びノルウェー王室を利する行爲の禁止に關するライヒ委員命令等に關する違反事件の管轄がノルウェー側の特別裁判所に與へられたるが如きがこれである（一九四〇年十月二十五日ライヒ委員命令）。この裁判所は、ノルウェー司法省國務委員[2]の施行細則の規定するところにより「國民裁判所」Volksgerichtshof と命名され、ノルウェー刑事手續の原則に從つて審理する。[3] この裁判所は裁判長一名及び陪席判事二名によつて構成されるが何れもノルウェー司法省國務委員の任命するところである。(4) かくの如く、ノルウェー占領地に於てはドイツ裁判所とノルウェー裁判所が併存するにもかゝはらず、ドイツ裁判權の及ぶところは限られた範圍に於ける刑事事件に限られ、(5) 民事に關してはドイツ裁判管轄は存しないのである。この點に於て、總督領は占領地と異なる性格を有するといふことができる。

更に總督領に於ける司法制度は、同じくポーランド領ではあつたが、ドイツ國に編入された東部編入地域(主として國管區ダンチッヒ＝ウェスト・プロイセン及びワルテラント)に於ける司法制度ともことなる。これらの地域は、かつてドイツ領でありドイツ法が行はれてゐたせいでもあるが、完全にドイツ裁判制度のみ行はれポーランド裁判制度は存しない。(6)

結局、總督領に於ける司法制度は、占領地に於けるものともことなり、又併合地に於けるものともことなり、一種獨特のものであつて、强ひて類比を求むればベーメン及びメーレン保護領と酷似してゐることが指摘されよう。保護領に於ては、やはり、ドイツ裁判管轄と自治裁判管轄 Autonome Gerichtsbarkeit が併存するが、ドイツ人は民事たると刑事たるとを問はずドイツ裁判權に服するものとされる。(7) 細部にわたつては尚若干の相違點が存するけれども、總督領と保護領との司法制度上のこの類似は甚だ示唆的である。蓋し後述する如く、保護領はドイツ國に編入された地域であるのに、總督領は然らざる地域であるといふ點に於ては根本的に相違するけれども、いづれも本來のドイツ民族の居住地域ではなく、ドイツの民族圏外へ膨脹に當つて最初に獲得された異民族地域であるといふ點に於ては一致する。この點に於ては、ダンチッヒ、ウエスト・プロイセン、ポーゼン、オイペン・マルメディー及びモレネ、ルクセンブルグ等の如きドイツ民族を主たる構成部分とする併合地とは甚だ趣きをことにする。少くとも司法制度に關する限りは、初めて獲得した異民族地域たる保護領に於ける經驗を、第二に獲得せる異民族地域たる總督領に適用したものといふことができよう。

（1） Deutsches Recht, Ausg. A, (1940), S 1762.

（2） 一九四〇年四月二十五日「ノルウエーに於ける統治權行使に關する總統布告」により、ノルウエー占領地に於てはライヒ委員による間接的民政が行はれるにいたつた。ライヒ委員は、ノルウエー行政委員會を使用して統治することになつたが（布告第二條）、このノルウエー行政委員會なるものは、ノルウエー大審院の提唱により組織され、ノルウエー憲法上の緊急措置として合法化されんとしたのである。しかし、この樣な動機の下に組織された行政機關ではあつたが、結局その消極的態度にあきたらずして、ドイツは指導者理念を盛つた國務委員制 Kommissarische Staatsräte を採用した。國務委員はノルウエー人（主としてノルウエー親獨政黨たる國民黨の所屬者）の任命される國務大臣に相當するものである。詳細は、Schiedermair, Die staatrechtliche Entwicklung in Norwegen, Deutsche Verwaltung (1941), S. 31 ff. を參照。

（3）Deutsches Recht, Ausg. A, (1940), S. 2101.
（4）Deutsches Recht, Ausg. A, (1940), S. 2050.
（5）Deutsches Recht, Ausg. A, (1940), S. 1762.
（6）Deutsches Recht, Ausg. A, (1941), S. 1054-1055. Freisler, Ein Jahr Aufbau der Rechtspflege im Reichsgau Wartheland, Deutsche Justiz, Ausg. A, (1940), S. 1125 ff.
（7）Nüsslein, Die deutsche Gerichtsbarkeit im Protektorat Böhmen und Mähren, Deutsches Recht, Ausg. A. (1940), S. 2085 ff. Krieser. Die deutsche Gerichtsbarkeit im Protektorat Böhmen und Mähren, Ausübung und Umfang. Deutsches Recht, Ausg. A, (1940), S. 1745 ff.

（四）立法制度上の特異性に就て。

總督領に於ける立法制度の特異性は、(1)完全にちかい總督の命令立法權が行はれてゐること、(2)原則としてライヒ法令の施行がないことに求められる。この特異性は、他の占領地・編入地その他に於ける立法制度と比較するならば特に目立つて來る。

(1)　占領地。一九四〇年四月二十四日「ノルウエー占領地に於ける統治權行使に關する總統布告」により、ノルウエー占領地に於ては、ライヒ委員による民政が施行され（布告第一條）、ライヒ委員はノルウエー占領地に於ける最高統治權者として「ノルウエー行政委員會」を通じて間接統治を行ふことになつた。從來適用されだノルウェー法令は占領の事實と矛盾せざる限り有效とされ（布告第三條第一項）、ライヒ委員に廣汎なる命令立法權が附與された（同上第二項）。且、占領地なるが故にライヒ法令は施行されない。この點のみを表面的に見るならば、甚だ總督領に於ける立法制度と似てゐるといふことはできる。しかし、ライヒ委員の命令立法權が現實には控目に行使され、多くの立法がノルウェー側行政機關によつて行はれてゐることを指摘せねばならぬ。ノルウェー側行政機關は最初はノルウェー行政委員會であつた。この委員會は一九四〇年四月十五日のノルウェー大審院決議にもとづき、ノルウェー憲法上の非常措置として設立されたものでその成立の動機・構成・實際の運營等から見てドイツ側の滿足すべきものでなく、やがて解消するにいたつたのであるが、ともかくノルウェー占領地ライヒ委員の監督下に於て非常時行政を擔當し、法律たるの效力をもつ命令を發することができた。ライヒ委員は「ライヒ利益の擁護者」として、之を指導監督し、必要あるときのみこれに干涉するに止まつたのである。その後一九四〇年九月十八日のライヒ委員命令により、新しくノルウェー各省の長官として「國務委員」Kommissarische Staatsräte が任命されその權限が規定された。國務委員は各〻その所管省の行政事務をライヒ委員より委囑されこれを指導監督するが、更に所管事項の範圍内に於て一般的拘束力ある法律を公布する權限を有するとされた。(1) 從つて、國務委員は國務委員命令を以て法律を制定し、既存の法律を補充改正、廢止し得るとされた。(2) ライヒ委員は國務委員制度の下に於ても、自己の命令立法權の行使は大局的なものに限定し、國務委員命令を以て立法する立前をとつたのである。この關係はオランダ占領地(民政)の場合、(3) ベルギー占領地(軍政)の場合、フランス占領地(軍政)の場合、(4) にも大體あてはまるのである。この點は總督領に於ける立法制度と甚しくことなる點といはねばならぬ。

(1) ノルウエー占領地の行政機構に關しては、シーデルマイル前出論文參照。

(2) 但し、國務委員の命令がノルウエー憲法に違反する規定を包含する場合にはライヒ委員による事前の同意を必要とする。

(3) オランダの場合は、ノルウエーの場合とことなり一時軍政が施行されたが、間もなく、一九四〇年五月十八日「オランダに於ける統治權行使に關する總統布告」により民政(間接統治)が行はれた。同布告はノルウエー占領地の布告とほとんど同一内容である。オランダに於ても各省長官として「事務長官」Generalsekretäre を任命し、これを通じて間接統治を行つてゐる。

(4) ベルギー占領地(ノール及びパ・ド・カレの北佛二縣を含む)では「ベルギー及び北佛派遣軍司令官」(ブラッセル駐在)による軍政が、フランス占領地では「フランス派遣軍司令官」(パリ駐在)による軍政が行はれてゐる。これら軍政地域の行政は、原則としてベルギー及びフランス側官廳が之に當り、ドイツ軍政當局は、ベルギー及びフランス側官廳による行政を指導監督するに止まる。詳細については左の論文を參照。Johanny, Die Militärverwaltung in Frankreich und Belgien, Deutsche Verwaltung, (1940), S. 358-359. Hailer, Militärverwaltung in Belgien und Nordfrankreich, Deutsches Recht, Ausg. A, (1940), S. 1916 ff.

(2) 編入地。 總督領及び占領地に於て、行政長官の廣汎なる命令立法權が認められるに反し、編入地、併合地に於ては、これにかはり、ライヒ法令の施行が行はれ、行政長官の命令立法權は、ほとんど行はれない。(1)

例へば、オイペン・マルメディー及びモレネ地方(以下、オ・マ・モ地方と略稱する)は、一九四〇年五月十八日の「オ・マ・モ地方併合に關する總統布告」によつて、ドイツ國に併合されプロイセン邦ライン州に編入されたが、一九四〇年五月二十三日の總統布告第三條第一項によつて、一九四〇年九月一日以降はライヒ法令及びラント(邦)法令が施行されることになり、それまではライヒ内務大臣が所管ライヒ大臣又はラント大臣と協議してライヒ又はラント法令の施行命令を發する(同條第二項)。現在に於ては、オ・マ・モ地方にはライヒ法令及びプロイセン邦法令が完全に施行されてゐる。 ダンチッヒに關しても、ほゞ同様の規定が存する。(1)

又、總督領と同様に舊ポーランド領たりし東部編入地域に關しても、ライヒ法令の施行が行はれてゐる。(2) この場合、次の様な原則にもとづいてライヒ法令の施行が行はれてゐる。即ち、(1)編入のとき現行の外國法例へばポーランド法、ロシア法、フランス法、オーストリヤ法等(3)は、ライヒへの編入の事實に矛盾せざる限り有效である。(2)編入の當時ライヒに於て施行されてゐた法令は、施行命令によつて施行される。(3)編入の後に公布された新しいライヒ法令は、東部編入地に施行する旨の明示の規定ある場合に於てのみ、施行される。(4) 尚、東部編入地に存在する二つの國管區(ライヒスガウ)は他の國管區(5)と同様、國の行政區劃たる性質と自治行政團體たる性質を兼有するが(6)、その行政長官たる國代理官 Reichsstatthalter は國管區ズデーテンラド法の適用を受けて(7)、命令立法權を有する。しかしこの命令權は總督領に於ける總督の命令立法權とは全然性質を異にして重大なる制限がある。(8) 殊に國管區ダンチツヒ＝ウエスト・プロイセン及びワルテラントの行政組織はライヒ內務大臣命令によつて規定され(9)、總督領に於て總督命令により行政組織が規定されてゐるのとは全く對比的である。結局この相違は國管區が國の行政區劃にすぎないといふ點に原因する。

（1）一九三九年九月一日「ダンチツヒ自由市併合に關する法律」第四條參照。第四條第一項の規定によれば、一九四〇年一月一日以降すべてのライヒ及びラント法令が施行されることになつた。

（２）Kobelt, Einzelfragen der Rechtseinhürung in den eingegliederten Ostgebieten, Deutsche Verwaltung, (1940), S. 167 ff.

（３）東部編入地といふとき、その主なる地域は二つの國管轄であるが、そのほか小部分に於て領土的調整が行はれてゐる。たとへば、國管區ダンチッヒ＝ウエスト・プロイセンには、かつて東プロイセン州に屬してゐたマリエンヴエルダー縣が加へられ、又西プロイセン州に屬してゐた部分や、リプノ及びリピン二縣（これは前大戰前に於てロシヤ領であつた）の如きが加へられてゐる。又、ワルテラントも、前大戰前のポーゼンよりも範圍が廣く、舊ロシヤ領たりし、レスラウ、クトノ、リツツマンシユタツト、カリツシユ、ヴイールンの諸地方を含む。又カットヴイツ縣はオツペルン縣の一部と合して一縣をなし（シユレジエン州の縣）、ズワルケン郡はグムビネン縣に編入され、このほかアレンスタイン縣に編入されたナイデンブルグ郡及びオステローデ郡や、オツペルン縣に編入された地方もある。このうち、ダンチッヒ自由市は既に前註に於て觸れた樣であるがマリエンヴエルダー縣も問題にならぬ。もともと今次大戰前からドイツ領であるからである。ダンチッヒもマリエンヴエルダーも元來獨逸人が多數居住しその法律生活もドイツ的であるから、ライヒ法令の施行も圓滑に行はれた。これに反し、東プロイセン州に編入されたツイツヘナウ縣、國管區ワルテラント中の舊公會王國に屬してゐた地方、カツトウイツ縣ではナポレオン法典が行はれ、ズワルケン郡ではロシヤ法が、國管區ダンチッヒ＝ウエスト・プロイセン及びワルテラントの一部、カットウイツツ縣の一部、ナイデンブルグ及びオステローデ郡の一部では舊ドイツ法及びプロイセン法が行はれ、カツトウイツツ縣の一部（舊オーストリア領）ではオーストリヤ法が行はれてゐた。

（４）この原則は、舊ポーランド國に屬してゐて新しくドイツに編入された地域に限り、ダンチッヒや、マリエンヴエルダー縣には適用されない。又、カツトウイツツ縣に編入されたオツペルン縣の一部も、法令施行上は東部編入地に數へられない。

（５）現在ドイツには十一箇の國管區がある。そのうちの七箇はオストマルク（舊オーストリヤ）にある。他の二つは、ズデーテンラントとウエストマルクである。これに東部の二つの國管區を合せて十一となる。詳細は後述を參照。

（6） Best, Die Verwaltung in Polen, 1940. S. 118–121. Hubrich, Gliederung und Verwaltung der Ostgebiete, Deutsche Verwaltung, (1939), S. 605 ff. Marder, Verwaltungsprobleme in den eingegliederten Ostgebieten, Deutsche Verwaltung, (1940), S. 198 ff.

（7） 一九三九年十月八日「東部地域の區分及び行政に關する總統兼總理大臣布告」第三條第一項「國管區に於ける行政の組織に關しては本布告に別段の規定なき限り一九三九年四月十四日の國管區ズデーテンラントの行政組織に關する法律（ズデーテン管區法）の規定を適用す」。

（8） 一九三九年四月十四日「國管區ズデーテンラントの行政組織に關する法律」第四條第一項「國代理官は關係ライヒ大臣及びライヒ内務大臣の同意を得て命令を以て法を定む。但し上級のライヒ法令に規定なき限りとす」。

（9） 例へば、一九三九年十月二十六日「東部地域の區分及び行政に關する總統兼總理大臣布告の施行に關する第一命令」及び一九三九年十一月二日の同上第二命令、何れもライヒ内務大臣命令である。

(3) 保護領。 ドイツ國の國家組織上、特異な制度として「ベーメン及びメーレン保護領」がある。保護領がチエッコスロヴアキアの崩壞によつて成立したことは周知の事實であるがドイツは保護領を大ドイツ國に編入して自治制度を施行してゐる（その詳細に關しては後述を參照）。行政及び司法の各方面に於て自治制度が認められてゐるが、國保護官（Reichsprotektor）の命令立法權に代表されるドイツ立法權と並んで、保護領自治政府の自治立法權も認められてゐる。即ち、一九三九年六月七日「ベーメン及びメーレン保護領に於ける立法權に關する命令」第一條第一項によれば、國保護官は共同の利益が必要とする限りに於て命令を以て自治法令 das autonome Recht を變更することができるとされる。又、一九三九年三月十六日「ベーメン及びメーレン保護領に關する總統兼總理大臣布告」によれば、ライヒは共同の利益が必要とする限りに於て保護領に適用ある法律規則を發することができるとされる。これに對し、保護領は法律、命令その他の法律規則を發することができる(布告第五條第五項よりの論理解釋)。更に、法令の施行に關しては、(1)既存の法令はドイツ國による保護の實施に矛盾せざる限り引續き有效とされ(布告第一二條)、この場合、既存法令に右矛盾が存するや否やの決定權は國保護官に屬するとされる(前出立法權に關する命令第三條)。(2)既存のライヒ法令は施行命令を以て保護領に施行される。(3)新規のライヒ法令は、その內容上當然保護領に施行さるべきもの及び施行に關し明示の規定あるものに限り施行される(一九三五年四月三日「ベーメン及びメーレン保護領に對する法律規則に關する命令」第一條)。

右の通り、保護領に於ける立法制度は、總督領と甚だ異にする。ライヒ法令の施行に關していへば、保護領に於ける制度は、オ・マ・モ地方やダンチッヒとことなつてむしろ東部編入地の制度にちかいが、ともかくライヒ法令の施行が行はれるといふ點に於ては、編入地に共通の現象と見てよいであらう。(1) これに反し、總督領に於ては總督命令によるライヒ法令の繼受、適用乃至は準用が行はれてゐるけれども、ライヒ官廳によるライヒ法令の施行は行はれない。又總督の命令立法權に對する制約は總統の指示權に發する以外には存じないけれども、保護領に於ける國保護官の命令立法權は甚だ限局されたものである。(2) 國保護官の地位は、この關係ではむしろ、占領地ライヒ委員の地位に類似してゐるといふことができる。

これを要するに、總督領に於ける立法制度は甚だ異色をもつてゐる。ライヒ法令が施行されてゐないといふ點では占領地に類似してゐるけれども、總督の有する命令立法權が名實共に廣汎にわたつて行使されてゐるといふ點に於ては、占領地、編入地、保護領を通してこれに類した制度を發見するに困難である。

(1) 編入地のなかでも、ダンチッヒやオ・マ・モ地方の如き地域に於ては、元來ドイツ的地方であつた爲めに一定期日後全面的にライヒ法令が施行されたのに反し、東部編入地や特に保護領の如きに於ては非ドイツ的要素が多分に存した爲め、ライヒ法令の施行に種々の制限が附せられたことは、興味が深い。尚、オストマルク初め、ドイツの新獲得地域に於けるライヒ法令の施行に關しては次の論文を參照。Rozycki, Ueber den Geltungsbereich des Reichsrechts im Grossdeutschen Reich, Deutsche Verwaltung, (1941), S. 54 ff.

(2) 前出立法權に關する命令による國保護官の命令權は後述參照。

（五）行政制度上の特異性に就て。

總督領に於ける行政制度の特異性は(1)總督に一般、警察及び特別行政上の全權が委任されて、總督が總督領に於けるライヒ各大臣の權限を一身にあつめてゐるといふ、廣汎なる獨裁的地位を保有し名實共に之を實行してゐる點、及び(2)總督領自治政府の如き存在せず、自治が極めて低度の段階に於てのみしかも制限された形で認められてゐるにすぎないといふ點(直接統治的形態)に求められる。

第一の點、即ち全行政權が總督の一身に集中されてゐるといふ點は、ノルウェー占領地やオランダ占領地に於けるライヒ委員の地位に類比せられるが、編入地・併合地の場合と甚だ趣きを異にする。第二次歐洲大戰の前後を通じて、ヴェルサイユ・ドイツはかなり膨脹した。第一に、少し古いことであるが、ヴェルサイユ條約第四九條によつて、その統治權を國際聯盟のために拋棄したザール地域の統治權が一九三五年一月十三日施行された人民投票の結果ドイツに還付され同年三月一日から同地域はドイツに完全にかへつた。ザール地域はラントにも編入せず又一箇の國管區ともなさず獨立の行政單位として一九四〇年まで「ザール地域復歸ライヒ委員」(黨區指導者ビュルケルを任命)によつて施政を行つた。一九四〇年四月八日の國防最高評議會命令によつて、ザール地域復歸ライヒ委員の官廳はバイエルンのスパイエル縣知事の官廳と合併されて「ザール地域ライヒ委員」の施行が行はれた。 その後一九四〇年十二月八日、新占領地ロートリンゲンと合して國管區ウエストマルク Reichsgau Westmark となり、一九四一年三月十一日の總統兼總理大臣布告により「ザールライヒ委員」は「ウエストマルク國代理官」Reichsstatthalterin der Westmark と改稱されて、その駐在地はザールブリツケンとされた。

第二にオーストリアがドイツに合併された。 一九三八年三月十三日の法律により、初めはラントであつたが(第一條)、 一九三九年四月十四日の「オストマルク法」により、ヴイーン、ケルンテン、ニーデル・ドナウ、オーベル・ドナウ、ザルツブルク、シタイエルマルク、チロルの七つの國管區に分割された(第一條)。(1)

第三にズデーテン・ドイツが、ミユンヘン協定の結果ドイツ國に加へられた。 ズデーテン・ドイツ地方は國管區ズデーテンラントとなつた(一九三九年四月十四日國管區ズデーテンラントに於ける行政組織に關する法律」第一條)。(2)

第四に、チエツコスロヴアキアが解體して保護領とスロヴアキア國が成立し、保護領はドイツ國に編入された(一九三九年三月十六日總統兼總理大臣布告第一條)。

第五に、メーメル地方が、一九三九年三月二十二日のドイツリトワニア間條約によつてドイツに復歸した。一九三九年二月二十三日の「メーメルランド復歸法」により、メーメルランドは、プロイセン邦東プロイセン州グムビネン縣に編入された（同法第二條）。

第六に、ダンチッヒ自由市が復歸した（一九三九年九月一日）。これが、國管區ダンチッヒ＝ウエストプロイセンの一部となつたことは既述の如くである。

第七に、「東部地域」がドイツに編入された（一九三九年十月八日の布告）。國管區ダンチッヒ＝ウエストプロイセン及びワルテラントが成立したことも既述の如くである。

第八に、オイペン・マルメディー及びモレネ地方がプロイセン邦ラインランド州に編入された（一九四〇年五月十八日の布告）。

第九に、ロートリンゲンが編入されて、ザール地域と合して國管區ウエストマルクとなつたことは既述の如くである。

第一〇に、アルサスも編入されて民政長官 Chef der Zivilverwaltung による特別の行政單位となつてゐる。

第一一に、ルクセンブルグも、亦民政長官による特別行政區となつてゐる。(3)

第一二に、一九四一年四月のユーゴースラビア進撃及びその降服の結果、ドイツは舊オーストリア領であつたウンター・シタイエルマルク、ウンター・ケルンテン及びオーベル・クラインの三地方を併合し、民政長官による施政を行つてゐると傳へられる。(4)

以上の各併合地を通觀するに、(1)國管區となつたもの(第一、第二、第三、第六第七、第九)、(2)ライヒの行政區劃に編入されたもの(第五、第八)(3)民政長官による特別行政單位となつたもの(第一〇、第一一、第一二)、(4)保護領(ベーメン及びメーレン)の四者に分けることができる。(5) このうち、行政長官の權限を比較するに當つて有意義なものは(1)及び(4)であるが、(6)(4)は後述するところに讓り、玆では先づ(1)即ち國管區と總督領との比較をしてみよう。

總督領に於ける總督の地位と國管區に於ける國代理官の地位とを比較するに當つて顯著なる點は次の諸點に求められる。

(1) 立法權(既述)

(2) 責任及び監督。 總督は總統に直屬し總統に對して責任を負ひ總統より指示を受ける。 これに反し、國代理官はライヒ政府の代理者であつて(一九三五年國代理官法第一條)、ライヒ内務大臣の勤務上の監督及び各國務大臣の指示を受ける(國代理官法第三條、オストマルク法第四條第一項、ズデーテン法第三條第一項)。總督領の中央官廳は内務大臣ではあるが、それは監督指示を爲す官廳ではなく事務管掌をなすのみである。

(3) 特別行政。 總督には總督領に於ける全行政部門が歸屬する。 司法、財政、鐵道、郵便等の特別行政も亦總督に歸屬する。 故に總督は總督命令を以て司法制度を規定し(前述參照)、財政票を作製し(布告第七條)、各種税法を定め(7)、專賣事業を規定し(8)、通貨及び金融に關する立法を行ひ(9)、各種の交通法規を制定してゐる(10)。 これに反し國代理官には、かゝる權限は與へられないを原則とする(オストマルク法第四條第二項、ズデーテン法第三條第二項)。

(4) 自治行政。 國管區は國の行政區劃であると同時に自治行政團體である(オストマルク法第二條、ズデーテン法第一條)。 東部編入地の二つの國管區に於ても、一九三九年十一月二日「東部地域の區分及び行政に關する總統兼總理大臣布告の施行に關するライヒ内務大臣第二命令」第八條により、一九三九年七月十七日「自治行政團體たる國管區の任務に關する第一命令」を適用されることになつた。(11) 國管區に於ては、國代理官は、(1)國の行政區劃の行政長官として、(2)自治行政團體の長としての二重の地位にあり、前者の地位に於ける國代理官の一般的代理者は總務長官 Regierungspräsident(12) であり、後者の地位に於ける國代理官の一般的代理者は管區長 Gauhauptmann である。これに反して、總督領に於ては、ゲマインデ以下に於て自治政が許行されてゐるにすぎない。オストマルク、ズテーテンラント、ダンチッヒ=ウエストプロイセン、ワルテラント、ウエストマルクの諸地方は、元來ドイツ領であつたが、住民・言語等がドイツ的であつた地方であるのに比して、總督領はいはゆる「ポーランド人の郷土」であるため、「自然的自治」の程度に止め、さしあたりはドイツ的指導を强化して行かうとする意圖のあらはれと見ることができよう。

次に、保護領と比較してみると又甚だ對比的である。保護領の成立の意義は廣域圏政策的に興味がある。元來ドイツの民族主義原理を以てしては、チエッコスロヴアキアの崩壞及び保護領の併合は說明できないとされ、ナチスの膨張政策の限度を超えるものと非難されたものである。ドイツ國のドイツ民族圏外への第一歩の進出が、この保護領に於て行はれたとするならば、その第二歩はポーランド總督領に於て行はれたといふことができる。この意味で、保護領と總督領とは共通の性格をもつ。しかるに、その行政制度が頗る對比的であることに注目せねばならぬ。それは次の諸點にあらはれてゐる。

(A) 保護領とライヒとの權限關係。保護領は大ドイツ國の領土としてドイツ國に併合されたものである(この點に於て總督領とことなる)。從つて國際法の主體でなく、「保護關係は國際法上の關係でなく、全く國内法上の關係にすぎない。(12)從つて保護領は對外主權をもたない(この點は總督領も同様である)。保護領の對外事項特に保護領人民の外國に於ける保護はライヒに歸屬する(一九三九年三月十六日「ベーメン及びメーレン保護領に關する總統兼總理大臣布告」第六條第一項)。次に保護領の軍事的保護もライヒに歸屬する權限である(布告第七條第一項)。保護領は固有の軍隊力を有しない(この點は、總督領も同様である)。更に、ライヒの獨占的權限として交通制度(郵便及び通信制度を含む)に關する直接監督權がある(布告第八條)。從つて、これらの特別行政に關しては所管のライヒ各大臣の權限が及ぶ(總督領に於ては總督の權限が排他的である。)更に又、保護領に於ては關税高權がライヒに歸屬する(布告第九條)。保護領はライヒの關税地域に屬しライヒの關税高權に服す。 これに反して、總督領は固有の關税高權を有する。 總督領は關税上一の領域を形成し、原則としてドイツの關税關係法規が適用されるが、税率及び課税規準等に關し從來のポーランド法規が適用されることがある。(14) 更に又、貨幣制度に關する立法權はライヒに歸屬する(布告第一〇條)。 ライヒスマルクとクローネが併用されその交換比率は一對一〇と定められた(布告第一〇條第二項及び一九三九年三月二十一日の命令參照)。 これに反して、總督領に於ては、最初はライヒ立法によつてライヒスマルクとヅロッチの併用が行はれたが、後に、總督立法によつてヅロッチ一本建となつた。 以上の如く、(1)對外事項、(2)軍事事項、(3)交通事項、(4)關税事項、(5)貨幣事項、の諸事項はライヒの獨占的權限卽ちライヒ政府(又は各ライヒ大臣)の排他的權限に屬するがこのほか、保護領自治政府の權限とライヒ政府の權限が競合する權限事項が存する。 保護領には總督領の場合とちがつて、自治政府が認められ保護領の範圍內に於て、且ライヒの政治的、軍事的及び經濟的利益と調和する限りに於て固有の高權を行使する(布告第三條第一項及び第二項)。保護領に於ける自治行政の首長は國元首たるの地位をもつ(布告第四條第一項)。保護領に固有の機關と官廳が存する(布告第三條第三項)。 しかし、保護領の首長

Staatspräsident と稱する）がその職權を行使するには總統兼總理大臣の信任を必要とし（布告第四條第二項）、自治政府の構成員は國保護官による確認を必要とする（布告第五條第三項）。しかし、ともかくも、かゝる自治政府が存在し、ライヒ政府の權限と競合する權限を有する。それは次の樣である。

(1) 立法權（既述）。この場合、ライヒ法令の優位が認められる。ライヒが立法權を行使した場合、ライヒの立法に反する自治法令は無效となる。

(2) 行政權。公共の必要ありと認めたときは、ライヒは任意の行政部門を固有の行政に繼受しライヒ固有の官廳を設立することができる（布告第十一條第二項）。かくして、原則として保護領の行政は自治官廳の事項ではあるが、航空、プラーグ及びブリュンに於けるドイツ大學、治安警察等に關する行政事項はライヒの行政に移された。

(3) 警察權。保護領に於ける最高の警察高權はライヒに歸屬し、ライヒ政府は治安及び秩序の維持に必要なる措置を爲すことができるのであるが（布告第十一條第三項）、自治政府も警察權を有し、內的治安及び秩序の維持のために固有の部隊を設置することができる。但し、此の部隊の組織、兵力及び裝備に關してはライヒ政府が規定する(布告第七條第三項)。

(4) 司法權。保護領に於ては、自治司法制度とドイッ司法制度が併立してゐる。ドイッ司法權に服するはドイッ國籍所有者である。

以上の樣な競合權限は、司法權の場合を除いて、總督領に於ては認められない。總督領にはかゝる高度の自治は存在しないからである。

(B) 國保護官と總督との比較。保護領に於ける國保護官は、國管區に於ける國代理官とことなつて、甚だ總督領に於ける總督の地位に類似した地位にある。保護領布告第五條第二項に依れば、國保護官は「總統兼總理大臣の代理者」であり「ライヒ政府の受託者」である。一九三九年三月二十二日の保護領布告に關する總統命令第一號によれば國保護官は「保護領に於ける總統兼總理大臣並びにライヒ政府の唯一の代表」であり(第一項)、總統兼總理大臣に直屬し、彼のみより指示を受ける(第二項)。國保護官は總統兼總理大臣の任命するところであり、「ライヒ利益の擁護者」である(布告第五條第一項)。國保護官は保護領に於ける一切の民政的ライヒ行政の長官である。この樣な意味では、國保護官と總督とは甚だ類比的な集中的權限が與へられてゐる。

併し一方に於て、この兩者に根本的相違が存することを指摘せねばならぬ。それは、保護領がライヒに編入されて、ライヒ法令の施行が部分的に行はれるのに對して、總督領に於ては此の事が行はれないこと、及び、保護領に自治政府が存在するに反して總督領に於てはこのことが行はれないことに因る。この二つの相違は相合して立法制度上並びに行政制度上にあらはれてゐる。

(1) 立法權より見たる國保護官と總督との比較。總督領に於ける總督の立法權は甚だ包括的であつて、特に制限されてゐることがない。これに反して國保護官の立法權は甚だ制限的である。それは(1)公共の利益が必要とするときは命令を以て自治法令を變更するの權限(立法權命令第一條第一項)、(2)遲滯の恐れあるときに於て一切の種類の法律規則を發するの權限(同上第二項)、(3)各大臣の所管事項に關し警察命令を發するの權限(同上第二條)、等であり、更に布告第五條第四項によれば、國保護官は遲滯の恐れあるときは公共の利益上必要なる下命權を有する。これによつて自治行政の權限領域にも干渉することができ且國保護官の命令は自治行政機關を無制限に拘束し保護領政府の命令に優先する。國保護官の命令は取消し得ざるものであり、且、司法上、行政上その他の審査の對象となり得ない(立法權命令第五條)。

(2) 自治行政に對する國保護官の監督・干渉權。保護領に於ては、自治政府が存在する關係上、國保護官の重要なる業務は、之に對する監督・干渉となつて次の諸點にあらはれてゐる。(1)一般的政治的監督。布告第五第第二項によれば、國保護官は總統兼總理大臣の政治的指針の尊重を旨として統治を行ひ、自治政府の行政がライヒの政治的、軍事的、及び經濟的權限と調和する樣に監視しなければならぬ(布告第三條第二項)。(2)全自治行政に對する專門的監督權(一九三九年九月一日「保護領に於ける行政組織及びドイツ治安警察に關する國防最高評議會命令」第二條)。(3)自治政府に對する確認權。自治政府の構成員の任命は國保護官の確認を要する(布告第五條第三項)。(4)訓令權。自治政府に對じて訓令を發することができる(布告第五條第四項)。(5)勸告權。國保護官は自治政府に勸告を爲すを得る(同上)。(6)異議權。國保護官は、自治政府の措置にしてライヒの利益を毀損するもの(同上第五條第四項)、自治政府の法令、法規規則、判決等に對して(同上第五條第五項)異議を提出することを得る。準備中の措置は停止され、實施された措置は廢止され、法令及び判決等は無效とされる。(16)

以上の通り、國保護官と總督との權限上の相違は甚だ顯著なものがある。總督はほとんど總督領に於ける總統の如き地位にあり、各般の全權を有し、特に完全にちかき立法權を有する。保護領の行政組織が國防最高評議會命令を以て規定されるに反し、總督領の行政組織は總督令を以て規定されてゐる。又保護領の裁判組織に關し司法大臣命令が規定するに反し總督領の司法制度は全面的に總督命令が規定する。敵產管理令は保護領に施行されるが、總督領では別に總督令によつて規定される。東部敵產管理總局も初めは總督領をも管轄したのであるけれども、後には、總督領に於ける總督の排他的權限を尊重してその管轄地域を東部編入地に限ることになつた(前述)。

以上によつて、總督領の行政上の特異性が編入地との對比によつて明らかにされたのであるが、最後に、占領地との比較を簡單にしておきたい。

第二次歐洲大戰下に於て、ドイツ軍が進駐せる地域中、占領地行政を行つてゐる地域は甚だ廣汎にわたるが、概していへば、軍政地域と民政地域にわかれる。ノルウェー、オランダの如きが民政地域を代表し、ベルギー及びフランス占領地の如きは軍政地域を代表する。兩者を通じて概ね占領地行政機構の改革によつて間接に統治するといふ形式をとつてゐることが特徴的である。(17) 今茲に、ノルウェー占領地の例をとつてみよう。

一九四〇年四月二十四日「ノルウェーに於ける統治權行使に關する總統布告」によれば、ノルウェー占領地は「ノルウェー占領地ライヒ委員」によつて統治される。ライヒ委員は、ライヒ利益の擁護者であつて民政部門に於ける最高の統治權をもつ(布告第一條)。ライヒ委員は總統に直屬し、總統より指針及び指示を受ける(布告第六條)。ライヒ委員は命令立法權を有する(布告第三條第二項)。ライヒ委員は「ノルウェー行政委員會」及びノルウェー官廳を使用して統治を行ふ(布告第二條)。これによつてみれば、ノルウェー統治は間接的民政といふ特徴を有する。而してこの場合、ライヒ委員の使用するノルウェー行政委員會は後にいたつてノルウェー國務委員によつて代るにいたつたが、その間の事情は次の樣である。

ノルウェー占領直後、ノルウェー國民同盟黨首キスリング少佐を首相とする親獨政權が成立したが、一九四〇年四月十五日のノルウェー大審院の決議は、行政委員會の設立を決議した。右決議の憲法上の根據は、(1)ノルウェー憲法上國王崩御し王位繼承者未成年なるときは内閣 Statsraad は直ちに國會 Storting を召集すべく

（第三九條）、內閣に於て此の規定により直ちに國會を召集することを爲さざりしときは國會の召集は大審院 Höiesteret の絕對的義務とされてゐる（第四六條）。右規定の趣旨より考へ、(2)憲法上成規の機關が存在せず、僅か大審院のみ殘存するとせば、大審院が右の如き非常措置をとるとするも憲法上根據あるものであると。從つて、大審院決議中には『國王におかれても刻下の非常事態に即應して大審院がかかる非常手段に訴へたることにつき同意を與へらるべしと確信して……』なる語が見られる。右決議にもとづき一九四〇年四月十六日大審院長の首唱により、大審院、キスリング、大僧正その他官界及び實業界の有力者はドイツ公使ザール博士臨席のもとに重大會議を開き、「ノルウエー行政委員會」を組織し（委員長クリスチテンセン知事） 占領下ノルウエーの一般行政及び產業の再建に乘り出した。ドイツ當局も亦、キスリング一派の不評判を考慮して、この委員會を認め、それが前記布告中に規定されることになつた。(18)

しかし乍ら、右の樣な動機・根據にもとづく行政委員會の性格は結局ドイツ側の滿足する樣な實踐をあげることを得ないものであることは明らかである。一九四〇年九月、遂にドイツ占領地行政當局は、右行政委員會を解散し、國務委員を採用するにいたつた。一九四〇年九月二十五日、ライヒ委員テルボーフェンは從來の王室及びニガールスフォルト政府が永遠に復歸せざることを說き、これにもとづきノルウェー政治の新體制化の必要を說いた。と同時に、同日附を以て行政改革に關するライヒ委員布告を發し、ライヒ委員政府の行政機構を全面的に整備・擴充すると共に、ノルウェー側行政機構の全面的改組を行つたのである。かくして行政委員會は解散され、ノルウェー各省(十三省)の大臣に、再び國民同盟一派の黨員を任命し、その官名を國務委員と改めた。國務委員 Kommissarische Staatsräte(19) の任務及び權限は九月二十六日附ライヒ委員命令の規定するところであるが、それによると、各省國務委員はライヒ委員より所管省の行政事務を委任され、これを指導監督する。各省國務委員は所管外に存する他のいかなるノルウェー官廳からも制肘を受けない。所管行政上の最後の決定は國務委員がその責任に於てこれを行ふ。且、從來憲法上國王、內閣又は國會に留保されてゐた若干の決定權も國務委員に與へられた。例へば大藏省國務委員は國の豫算を決定する。國務委員に與へられた重大な權限の一つは、命令立法權である。國務委員は更に所管事項に關して一般的拘束力ある法律を公布する權限を有する。各國務委員の發する一般的拘束力ある命令は法律たるの效力をもつ。從つて國務委員命令を以て既存の法律を補充修正、廢止し得る。各省國務委員は所管内の官吏の任免權を有する。最後に最も大切なことは、各省國務委員は相合して合議體たる内閣を組織しない。首相の如きも存在せず、各國務委員はライヒ委員に直屬する。

國務委員を通じて行ふ間接統治の形態が、ノルウェー民政の特徴であつて又オランダ、ベルギー、フランス占領地に於ける民政・軍政の特徴でもある。一方に於て廣汎なる權限を有するライヒ委員が存在してドイツ總統に直屬すると共に、他方に於てノルウェー人たる國務委員が存在してライヒ委員及びノルウェー國民に對して責任を負ふ。國務委員の行政指導は指導者原理による。ライヒ委員はライヒ利益の擁護者として、國務委員の行政に對する監督者、助言者たる地位に止まり「ノルウェー人によるノルウェー」を標語として、ノルウェー政府の措置がドイツの利益に反するときに於てこれに干渉する。

以上の通り、ライヒ委員の行政權限は本來甚だ廣汎ではあるが、間接統治なるが故に、その全面的行使がさしひかえられてゐる。しかし、行政組織、司法組織に關してライヒ委員命令により規定されてゐることは、甚だ總督の地位に似てゐる。しかし又間接統治に由來する統治の實際は、保護領に類比せらるべきであらう。ともかく、總督領の統治は、占領地及び併合地の何れにも類比なく、この獨自性が、(1)占領地にも非ず、併合地にもあらざる總督領の特異性によること、(2)いはゆる第一の民族外的 Volksfrend 地域なるにもかゝはらず、低度の自治のみ許されてゐることに求められると考へられる。

（1）オストマルクの全土が七つの國管區につきるのではない。このほか國管區とならなかつたフォラルベルクがある。これは、特別行政區となりその長官はチロル國代理官が兼務してゐる。ブルゲンランドは國管區ニーデル・ドナウ及びシュタイエルマルクに分割された。

（2）ドイツに併合されたズデーテン地方中、尚オストマルクの國管區ニーデル・ドナウ及びオーベル・ドナウに併合された地方と、プロイセン邦及びバイエルン邦に編入された地方がある。いはゆる邊緣地域 Randgebieten がこれである。

（3）von Medeazza, Die Angleichung Luxemburgs an das Reich, Deutsche Verwaltung, 1940, S. 356 ff.

（4）海野稔「獨逸の占領地統治政策」昭和十八年、七九頁參照。

（5）併合、編入地は、概していへばヴェルサイユ條約による失地であるか、民族上、文化上ドイツ的地方である。

（6）民政長官による特別行政區域の詳細に關しては適當なる文獻は存しないが、さしあたり Deutsches Recht, Ausg. A. に於て、Blick in die Zeit なる題目の下に掲げられた資料が參考となるであらう。

（7）一九三九年十一月十七日「總督領に於ける關税權及び關税行政の機構及び任務に關する總督命令」、一九三九年十一月十七日「總督領に於ける税法及び税務行政に關する總督命令」。

（8）一九三九年十一月一日「總督領に於ける專賣事業管理に關する總督命令」、一九四〇年一月二十日「總督領に於ける鑛油事賣實施に關する命令」。總督領に於ける專賣品目は、煙草、酒精、鹽、燐寸、鑛油等であり、富籤專賣も行はれるにいたつたと稱せられる。Deutsche Verwaltung, 1940, S. 311.

(9) 一九三九年十二月十五日「波蘭發券銀行に關する命令」、一九四〇年三月二日「總督領に於ける通貨の統一に關する命令」。

(10) 一九三九年十月三十一日「總督領に於ける郵便・電信制度管理に關する命令」、一九三九年十一月九日「總督領に於ける鐵道制度管理に關する命令」。

(11) 但し、自治行政團體としての國管區の組織は直ちに行はれず、さし當りは、國代理官の官廳が自治行政を代行することとせられた(一九三九年十一月二日内務大臣第二命令第三條)。しかるに、一九四〇年五月二十九日の内務大臣第三命令により、一九三九年十一月二十五日の「自治行政團體たる國管區の行政に關する命令」が東部編入地域の國管區にも適用され(第三命令第一條)、國代理官の官廳に於ける國の行政事務と自治行政事務は各〻別個の部局に於て處理されることになつた(同上第二條)。その結果自治行政團體たる國管區は條例制定權を行使して固有事務を規定することができ、國代理官は自治行政上の顧問として管區評議員 Gauräte を任命することができ、自治行政の首長たる國代理官の一般的代理者には國管區の公吏たる管區長 Gauhauptmann があたることゝなつた。

(12) 國管區は更に數箇の縣 Regierungsbezirk にわかれる。國管區ダンチッヒ＝ウエスト・プロイセンは、ダンチッヒ、マリエンヴエルダー、ブロムベルクの三縣に、國管區ワルテラントは、ホーヘンザルツア、ポーゼン、カリッシュの三縣にわかれる。各縣の知事も亦、Regierungspräsident といふ。

(13) Klein, Die staats-und völkerrechtliche Stellung des Protektorats Böhmen und Mähren. Archiv des öffentlichen Rechts, Neue Folge, 31 Bd. (1940.) S. 255 ff, besonders S. 259 ff.

(14) 前出、註(7)の命令を參照。

(15) ポーランド占領地に於ても、初めはライヒスマルクとヅロッチの二本建であつた(一九三九年九月十一日「ポーランド占領地に於ける法定通貨に關する陸軍總指揮官命令」)。しかるに、先づ一九三九年十月一日を期してオーベル・シュレジエン地方ではライヒスマルク一本建となり（一九三九年九月二十二日「オーベル・シュレジエン占領地に於ける通貨に關する陸軍總指揮官命令」)、次で、ポーランド占領地に於てはライヒ信用金庫券が法定通貨となつた（一九三九年九月二十三日「ライヒ信用金庫に關する陸軍總指揮官命令」及び一九三九年九月二十八日「ポーランド占領地に於けるライヒ信用金庫券發行に關するライヒ信用金庫本部告示」)。しかるに、一九三九年十二月十五日の「ポーランド發券銀行に關する總督命令」及び一九四〇年三月二日「總督領に於ける通貨の統一に關する總督命令」により「ポーランド發券銀行」の發行するヅロッチイ貨がポーランド總督領に於ける唯一の法定通貨となつた。詳細に關しては Schmidt, Die Neuordnung des Geld-und Kreditwesens in den Ostgebieter, Zeitschrift der Akademie für Deutsches Recht, (1940), S. 95 ff. を參照。總督領に於ける通貨工作立法に關しては、世界經濟調査會「ナチス戰時經濟の展開」昭和十七年、三五九頁以下參照。

(16) 保護領に關する論文としては、註(13)に掲げたクラインの論文及び同論文の註(1)に掲げられた諸論文がある。

(17) 獨ソ戰開始以後の東方占領地にはやはり、ライヒ委員制がとられてゐる。例へば、(1)オストランド占領地ライヒ委員(エストニヤ、ラトヴィア、リトワニヤ及び白ルテニヤの一部を管轄する)、(2)ウクライナ占領地ライヒ委員（ウクライナ占領地）、(3)クリミア占領地ライヒ委員(クリミヤ地方)、がこれである。これらのライヒ委員地域を總括して「東方占領地」と稱し、各地ライヒ委員の上に「東方占領地省」を設けた(一九四一年十一月十七日總統布告)。從つて、東方占領地の各ライヒ委員はノルウエー、オランダのライヒ委員とちがつて總統に直屬しない。その統治形態は明らかでないが、恐らく直接統治であつたと考へられる。海野前掲書八三頁以下參照。

(18) シーデルマイル前掲論文參照。

(19) この改稱に於て、尚 Staatsräte なる語が用ひられてゐるのは、ノルウエー憲法上の Statsraad を繼承したものであり、更に Kommissarisch なる形容詞が附せられたのは、ライヒ委員隷屬の意義を暗示したものであらう。

第三節　ポーランド統治の積極的規定

占領地にもあらず、併合地にもあらずといふ特異な性格は總督領の地位を消極的に規定したものであるが、しからば、かくの如き特異性をもつた總督領は、積極的にはいかに規定せられるであらうか。ドイツ人は、その廣域圏國際法の理論と結びつけて、總督領を以てドイツの領土高權 Gebietshoheit の行はれる地域ではなくしてドイツの廣域高權 Raumhoheit の行はれる地域であるとする。この對比は特に保護領との關係に於て强調される。

周知の如くドイツの民族圏外への第一次膨張は、ベーメン及びメーレン保護領の場合であり、第二次の膨張はポーランド總督領の場合である。從つて從來の民族主義的國際法理論を以てしては、この二つの場合を說明するに困難である。この二つの實踐的契機は、ナチス國際法理論に再度の轉回を餘儀なくせしめ、現在の廣域國際法理論を成立せしめた。

保護領の場合は、ともかくも、自治政府が存在したため、ある程度に於て民族主義的說明が可能であつた。ドイツ民族外の民族性を尊重し、そのゲルマン化を企圖しないことは、民族、民族性及び種族に關するナチス精神に合致し、されぱこそ保護領に自治を許容したのであると説明された。この様な廣汎な自治によつてライヒ思想と民族思想の合致が存續すると主張された。(1) 勿論この場合にも、保護領總統布告前文に見る如く、早くもドイツの生活圏益 Lebensraum による保護領領有の理由づけが行はれたけれども、異民族統治の根據は主として、この自治によつて與へようとされたのである。

しかるに、ポーランド總督領の場合には、かゝる高度の自治は許されず、廣汎なる總督の權限の下全面的なドイツ的指導が行はれてゐるのであるから、この新しい異民族統治制度は、保護領の場合とはことなつた根據が與へられなければならない。その根據を廣域圏理論に求めたことは興味深いことである。從つて、ドイツ人は特に保護領との對比に於て總督領を積極的に規定せんとするのである。

(1) Klein, Die staats-und völkerrechtiche stellrng, S. 272 ff.

先づ、總督領が保護領とちがつて、ライヒに編入されたものでないことが強調される。たとへば、ヴェーは、(1)「總督領の特質は、ドイツの Machtheit の下に立つけれども Das Deutsche Reich に編入されたものではないといふ點に存する。これに反して保護領は大ドイツ國に編入されたのである。總督領はドイツ國にとつてはAuslandである。このことは、それが固有の關稅境界と通貨境界をもつて經濟的國境を形成してゐることによつて特に顯著である。然し乍ら、總督領は總統の直接の委任によつて統治されるドイツ國の利益領域である」といつてゐる。フランク總督自身も「總督領は總統の主權の下ドイツのMachtbereichの構成部分であるが領土權的意味に於けるライヒの構成部分ではない」といつてゐるのである。(2)

更にクライン(3)は、一層明白に次の樣にいつてゐる。即ち保護領はein integrierender Bestandteil des deutschen Reichesにあるに對して總督領はein untrennbarer Bestandteil des grossdeutschen Machtbereichesである。總督領は領土に編入された部分ではないけれども、ライヒの一般的國家的秩序のうちに編入された部分として大ドイツ勢力圈(マハトベライヒ)に屬する。從つて、ドイツ國は保護領に對しては領土高權を有するが總督領に對しては廣域高權を有する。この意味で、總督領はドイツ勢力圈內に於てドイツ國のNebenlandである(總督フランクの言)(4)。保護領は特異な制度の下にあるけれども、ともかくもInlandであるに對して、總督領はAuslandである。このことは、經濟上の範圍に於て關稅國境及び通貨國境があることによつて特記されねばならぬ。

（1） Deutsches Recht, Ausg. A, (1940), S. 1394.

（2） Deutsches Recht, Ausg. A, (1940), S. 2131

（3） Klein, Die Stellung, S. 258 ff.

（4） Nebenland に對して、ドイツ國（各邦、各國管區及びハンブルグ）を Kernland といふ。Dassel, Die heutigen staatlichen Verwaltungsgebiete und Behörden des Grossdeutschen Reiches, Staats-und Selbstverwaltung, (1941), S. 107 ff., 108. この意味では保護領も亦、ネーベンラントである。又註（3）の箇所で、總督フランクは、植民地、委員制地域、保護領及び總督領を一括して nebenländerartigen Gebilde と呼んでゐる。

この様に、Kernland に對し Nebenland を、Inland に對し Ausland を、Deutsches Reich に對し Der deutsche Machtbereich を、Gebiethoheit に對し Raumhoheit を對立せしめ、總督領を以て夫々後者の範疇に入るものとする思想の背後には、總督領を以て「大ドイツの自然的生活圏及び經濟圏の必然的・永續的・不可缺の構成部分」なりとする廣域圏思想が存する。然してその基本的觀念をなすは、總督領を以て、領土高權の行はれるところたるよりも、廣域高權の行はれるところたりとする點に存する。然らば、この兩者の區別は如何。クラインは次の様に説明してゐる。即ち、領土高權と廣域高權とのいづれが一層强力であるかといふ質問はそれ自體誤りである。何故ならばこの兩者は全く比較のできぬものである。廣域思想の表現としての廣域高權は、特に國家狹域的思想の法技術的觀念としての傳統的な領土高權に比して、より强いものでもなければ、より弱いものでもない。それは次の理由による。卽ちある國家は領土高權をもちうると共に(卽ち自己の狹い「國家領域」に於て)廣域高權をもちも得る(卽ち「國家領域」をも包括した廣い生活圈及び經濟圈に於て)。又、別言すれば、領土高權と廣域高權とは同時に同じ主體の手中に結びつき、同じ客體(地域)に於て結びつき得る。この事が正しいことは、更に次のことによつて證明される。卽ち、假に廣域高權が領土高權とは完全に別物でなくして弱められた領土高權にすぎぬものとしたならば、純國際法的な廣域秩序のうちに於て、指導國は固有の(より强い)領土高權を以て創造を發現することもできなければ、圈外國の干渉を排除することもできない。これに反して廣域高權が强められた領土高權にすぎないときには、そこに存在するのはもはや純國際法的な廣域秩序ではなく、多かれ少かれ奴隸化せられた屬國が存在するのみであり、それは廣域圈ではなくして、狹域圈の擴大にほかならない、と。(1) この思想は、いふまでもなく、カール・シユミットの廣域圈國際法思想の反映にほかならぬ。(2) 彼によれば、「ライヒ」とは、その政治的理念を特定の廣域圏に宣布し、この廣域圏のために圏外國の干渉を排除する指導的國家である。或は又、特定の世界觀的理念と原理によつて指導されてゐる廣域秩序に對する圏外國の干渉を排除し廣域圏の保全者たり擁護者たり得る國民であるともいつてゐる。ともかく、この樣な廣域思想に導びかれつゝ、總督領を以て歐洲廣域圏の一環として、ドイツ生活圏又は經濟圏に所屬する地域として、そこに行はれる特異な統治制度を說明せんとする立場は、廣域圏內に於ける階層秩序を主張する立場を背景にもつことはいふまでもない。

抑も廣域思想は、チエッコスロヴアキアの崩壞を機緣として一段と强調された。それは、チエッコの併合を以てドイツ民族主義の本來の主張を超えるものとする非難に對する答辯として主張されるにいたつたのである。ドイツ人の主張するところによれば、ドイツ民族主義は古き民族主義とは全くことなる。ナチスの堅持する民族思想は、デモクラシー民族主義の主張する樣な、民族の歷史的、政治的、軍事的、經濟的、文化的優劣を無視する平等思想ではない。諸民族に於ける價値階層を認めることがナチス民族主義の特質であつて、價値中立的又は抽象的な國家、民族の概念はドイツ民族主義のとるところでないとするのである。(3)

廣域思想は、(1)指導國の生活・經濟圏、(2)指導國による特定世界觀の宣布、(3)指導國による圏外國干渉の排除、(4)廣域圏内の階層秩序、等の是認の上に成立つ。この思想による總督領政治の合理化が果して成功してゐるかについては倘疑問の餘地がある。しかし、ナチスの廣域圏國際法の理念が、この様な實踐的契機によつて展開されて行つたことは興味あることといはねばならぬ。

(1) Klein, Die Stellung, S. 259, Anm. 126.
(2) カール・シュミットの廣域圏思想については、安井郁「歐洲廣域國際法の基礎理念」(大東亜國際法叢書第一卷)參照。
(3) Klein, Die Stellung, S. 262.

むすび——廣域圏と共榮圏

ポーランド總督領に於ける統治の實際及びこれに附隨して述べた占領地統治の實際は、國際法的にかなり興味のあるものである。殊に占領地行政の面よりは多くの問題を提供する。既述の資料は、將來に於て更に詳論すべき機會に際しての準備的材料たるものである。從つて國際法的評價は極力これを避け、主として廣域圏理論への結びつきを考慮して來た。この面からのみ見ても、相當の興味があると信ずる。以上の研究を通じて、秘かに感ずるところは、歐洲廣域圏思想と東亜共榮圏理念の顯著なる對比である。

歐洲占領地に於ける占領地統治の實際とこれを裏付ける理論とが、あくまでもドイツ的であることに注意せられねばならぬ。このドイツ的とは、歴史的、經濟的、民族的に種々に規定されるであらう。例へば、占領地編入の事實はヴエルサイユ條約による失地恢復を意味する。指導國思想はいかにもドイツ的である。生活圏經濟圏の觀念がドイツ中心的であることも顯著な現象である。これらの現象は、東亞共榮圏の實踐と何と對比的であらう。

南方占領地に於て帝國は未だ確定的な領土編入を行つてゐない。それどころか、比島・ビルマ等には獨立の機會さへ與へてゐる。タイ國に若干の領土さへ與へてゐる。そこにはむつかしい理論はない。着々と實踐されてゐる東亞共榮圏の理念は、全く東亞的である。あの劃期的大東亞宣言も條約でさへなかつた。我々は、この對比を、東亞と歐洲の對比と見ることができる。この對比の根本は「萬邦をして各々其の所を得しむる」といふ宏遠の理想に存する。それは理想であると共に現實である。この「萬邦をして各その所を得しむる」なる語が歐語に譯された機會は、二回あつた。一度は、日獨伊三國條約(昭和十五年九月二十七日)に於て、一度は大東亞宣言(昭和十八年十一月六日)に於てであつた。前者に於ては獨語及び伊語に、後者に於ては佛語及び英語に夫々譯された。その譯語は次の樣である。

（1）獨逸語　Jede Nation der Welt den gebührenden Raum erhalt
（2）伊太利語　tutte le Nazioni del mondo debbano avere il posto che a ciascuna di Esse spetta
（3）**佛蘭西語**　**les nations de l'univers obtiennent chacune la place digne qui est propre et partagent**

(4)　英語　the nations of the world have each its proper place

今我々は譯語の巧拙を問題とするのではないが、大東亞宣言の譯文を以て優れりとするものである。併し乍ら、それにしても、果してよく「萬邦をして各々その所を得しむる」といふ語感に近いか、疑問なきを得ぬ。かゝる東亞的精神は容易に西歐人には近づき難いものであり、又それだけ誤解され易い、この開きは、廣域圏と共榮圏の相違となつてあらはれることは疑がない。

昭和十九年五月十日稿了

政學科研究年報第九輯
㊫定價

昭和二十年三月十九日印刷
昭和二十年三月廿三日發行

編者 臺北帝國大學政學科研究會
代表者 楠井隆三

發行者 中村赤次郎
臺北市樺山町二十一番地

印刷者 平川政雄
臺北市大和町三丁目二番地

發行所 東都書籍株式會社臺北支店
臺北市樺山町二十一番地
電話臺北六一二六振替臺灣五七五八番
本店 東京都神田區神保町一ノ一
支店 臺北・京城・新京・北京

配給元 日本出版配給統制株式會社臺灣支店
臺北市樺山町一八番地